1　マチナト・アメリカ少年と

沖縄—奄美の境界変動と人の移動
実業家・重田辰弥の生活史

野入直美

Mizuki Shorin

2 神田のオフィスで（2015年5月2日）

3 NAS創立30周年記念で社員一同と（2009年）

4 関東沖縄経営者協会
50周年記念大会で
カチャーシーを舞う
重田さん（右）と仲松健雄さん
（2016年6月17日）

5 第5回WUB世界大会東京
2001
集合写真。
右から4人目が重田さん

6 第6回WUB世界大会
ボリビア2002にて

7 第7回WUB世界大会ハワイ2003。WUB東京会長としてパレードの先頭をきる（左からふたり目）

8 大宜味村親善大使に就任。村出身の偉大な経営者、宮城仁四郎記念像の前で（2016年3月）

9 沖縄県功労賞を受賞（2016年）

10 県功労賞受賞。第8代関東沖縄経営者協会の仲松健雄会長（中央）と著者とともに（2016年）

11 妹・スミノさんの瑞宝単光賞受賞記念。左は重田さんの妻・一美さん、右は弟・丈児さん（2018年）

12 NAS創立10周年記念式典（1989年）

13 手術後にNAHAマラソンに出場し、16キロ地点、東風平交差点を走る。高宮城邦子さん撮影。重田辰弥さんブログ“朝吼夕嘆　晴走雨読”「手術1年後のマラソン挑戦！」（2015年1月12日）より転載

15 重田辰弥さんの著書『おきなわ就活塾』（新宿書房、2008年）

14 帝京大学病院附属病院シンポジウムにガン患者を代表して登壇（2016年9月24日）

16 早稲田大学時代（前列左端が重田さん）

17 早稲田大学時代、一緒に下宿していた粟國安彦氏と

18 撮影した写真館の正面にも飾られた琉球大学入学記念写真

19 重田辰弥さんの身分証明書（1966年）。奄美籍者は携帯を義務づけられた

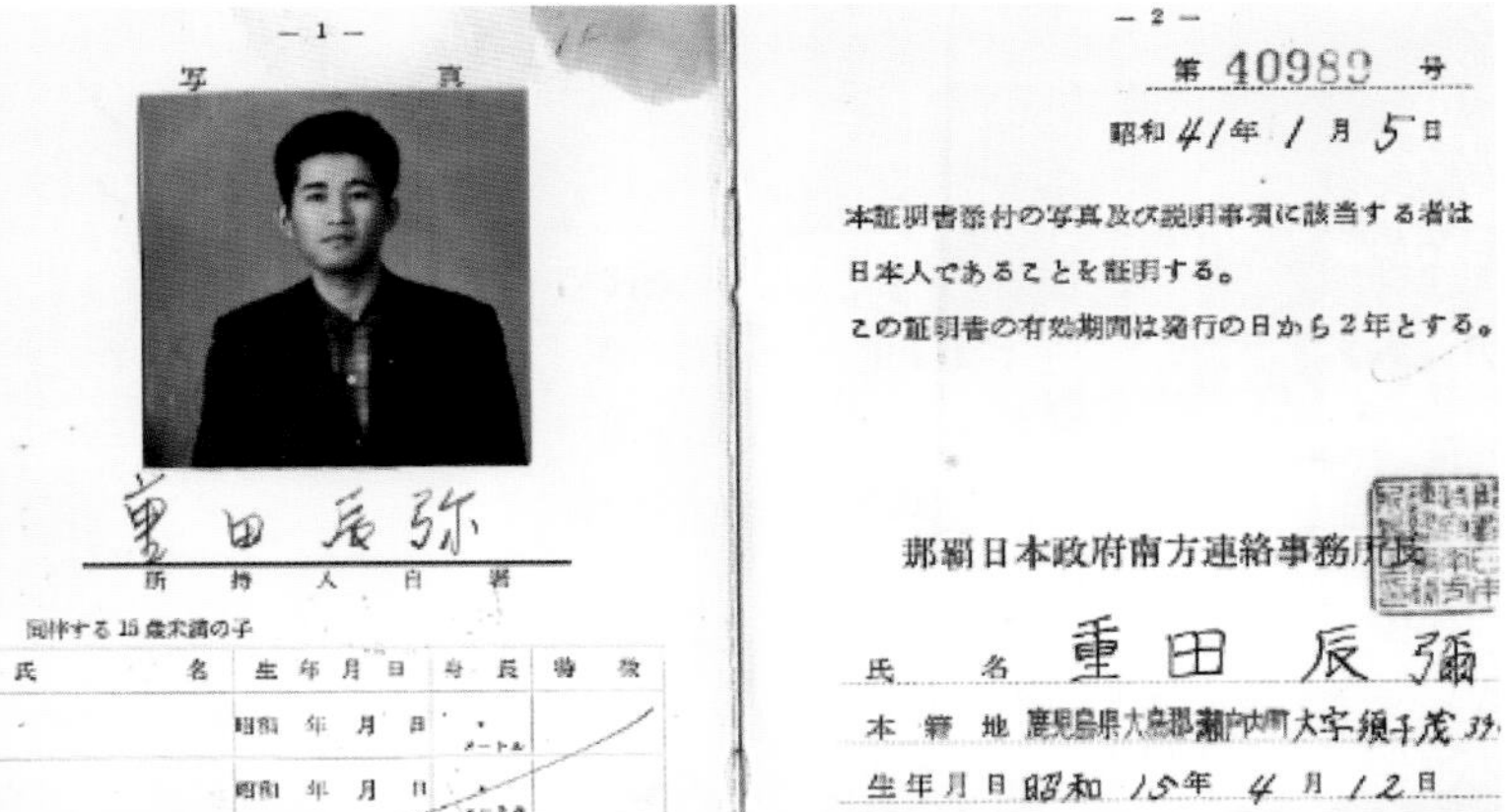

— 1 —

写　　真

重田辰弥

所持人自署

同伴する15歳未満の子

氏名	生年月日	身長	特徴
	昭和　年　月　日	・　メートル	
	昭和　年　月　日	・　メートル	
	昭和　年　月　日	・　メートル	
	昭和　年　月　日	・　メートル	
	昭和　年　月　日	・　メートル	

— 2 —

第 40989 号

昭和41年1月5日

本証明書添付の写真及び説明事項に該当する者は
日本人であることを証明する。
この証明書の有効期間は発行の日から2年とする。

那覇日本政府南方連絡事務所長

氏名　重田辰彌
本籍地　鹿児島県大島郡瀬戸内町大字須手茂
生年月日　昭和15年4月12日
職業　ない
身長　1・64メートル
特徴　ない

20 琉球大学時代、英会話を試みたアメリカ人少年たちと仲良くなり、米軍住宅に招かれた

21 琉球大学の首里キャンパス、
志喜屋図書館前で。
立っているのが重田さん

22　那覇高校学園祭（最後列１番左が高校１年生の重田さん）

23　安謝中学校卒業記念写真。３列目右から４人目が重田さん

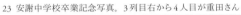

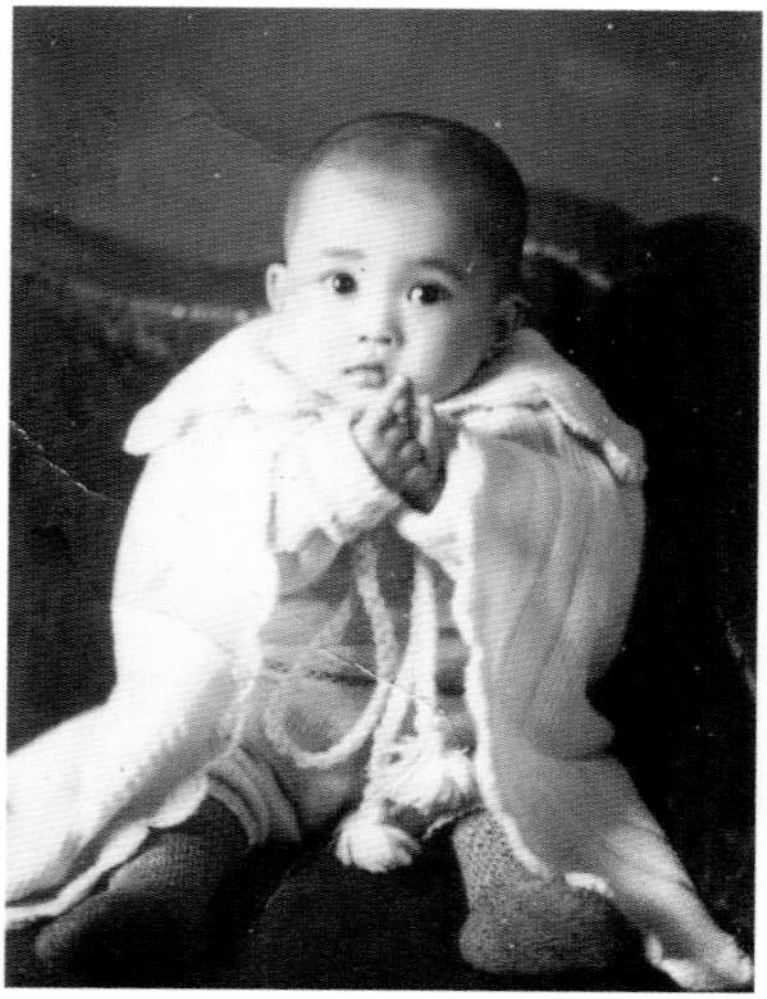

25　0歳（1940年）ハルピンで誕生

24　新婚の重田さん両親。1939年にハルピンで撮影

27　4歳（1944年）大連にて撮影

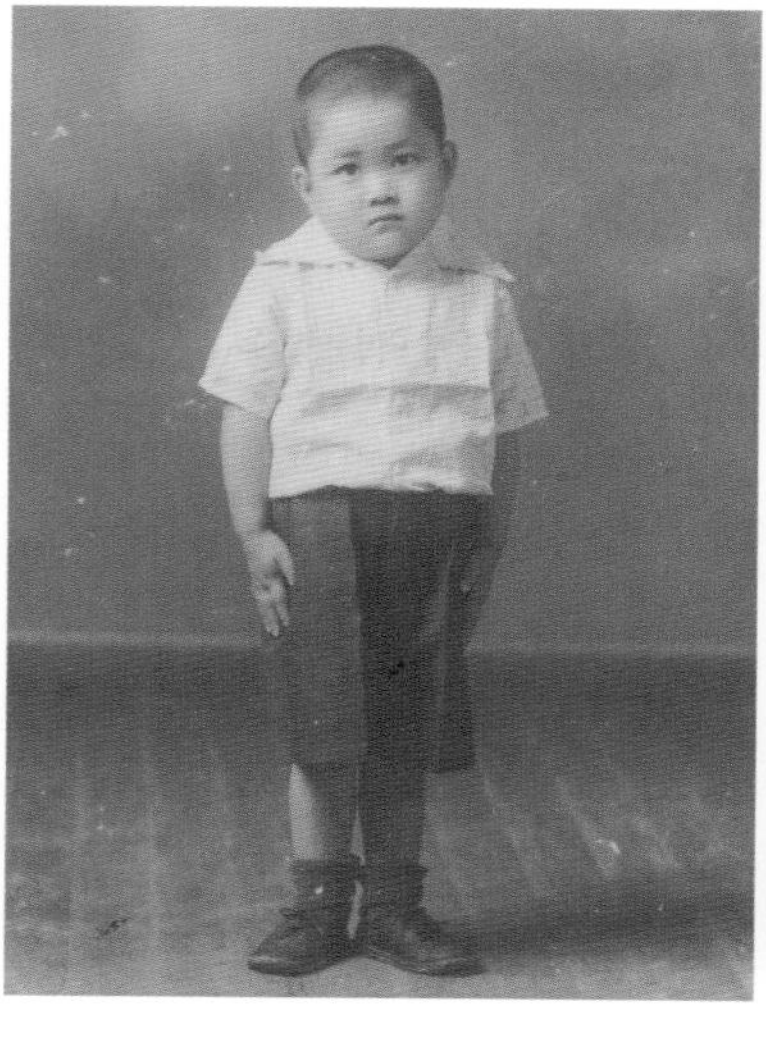

26　1歳（1941年）大連にて撮影

28 後列、父に抱かれているのが1歳の重田さん。
前列左が母、その他の女性は伯母、男性は祖父。1941年、大連で撮影

29 伯母に抱かれる重田さん、母、その後ろに父。1940年ハルピンで撮影

30 米軍統治時代の沖縄に在住していた奄美出身者たち。
重田さんの両親が沖縄から本土に転居するときに開かれた開いた送別会（1970年）。

前列左から4・5人目が重田さんの父と母

31 前列中央、奄美出身で琉球臨時政府の
初代副主席・立法議員副議長を務めてきた泉有平氏。
前列右からふたり目が重田さんの父・禎二さん（1963年）

32 重田さんの父・禎二さん（左）とその兄・貞一さん（1967年12月2日）

33 奄美・加計呂麻島に住む
叔母の泉シマ子さんと
（2018年6月）

34 60歳近影（2000年）

contribution

重田辰弥さん寄稿――写真とともに満洲、奄美、沖縄を振り返る

私は一九四〇年に満洲ハルピンで生まれ（写真25）、六歳まで大連で育ちました（写真26～28）。大連で幼稚園の入園式に臨んだのを覚えています。その一九四六年に、両親と共に佐世保経由で奄美大島に引き揚げ、奄美大島の古仁屋《こにや》小学校に入学しました。六年生の二学期で沖縄に引っ越し、沖縄の安里（現在の安謝《あじゃ》）小学校に転校、以来、琉球大学を一年で中退するまで八年間、沖縄で過ごしました。満洲六年、奄美六年、沖縄八年ということになりますが、幼少の大連の記憶は二、三年だけです。

四歳の写真を撮られた時、何度も「坊や、首を左に！」と姿勢を正されたのを覚えています（写真27）。この満洲幼時の〝垢抜け〟した何枚かの写真がありますが、奄美で暮らした六年間の写真は一枚も無いのです。終戦後の奄美は外地引揚者でごった返し、食料もなく、ましてやカメラなどはなかったのです。水田、農地も少なく〝ソテツ地獄〟に襲われるほどだった奄美からは、多くの人々が米軍駐留と基地建設で賑う沖縄へと出稼ぎに行きました。私達一家もその潮流に乗り、沖縄に移住しました。

古仁屋小学校に入学した一年生の時、忘れられないのは、当時の担任の祈先生から「辰弥君！　全校学芸会で開会の挨拶をして！」と言われて驚いたことです。当時の古

仁屋小学校は一学年三クラスで一五〇名、全校約一〇〇〇人を代表して一年生の私がなぜ代表挨拶をしたのでしょうか。

今、思うと、大連帰りの私は、写真で見るように垢抜けし、日本語も正調で、そのことが先生から注目され、評価されたようです。今もなお記憶鮮やかなこの全校代表の挨拶登場場面、残念ながら写真がないのです。

満洲引揚者の私が同じ在郷の奄美同級生と比べ、なぜこうも〝垢抜け〟していたのだろうか？　今思うと、それは植民地・満洲・大連のカルチャーではないでしょうか。元々、ロシア語の〝ダーリエン〟と呼ばれた大連は、〝ロシアが設計し、日本が建設した〟と言われています。その大連の中央広場は、凱旋門を囲むパリの螺旋状街と瓜ふたつです。

私は記憶していないのですが、母から、ハルピン時代のロシア人の大家さんが、私を「ハラショー（可愛い）」と可愛がってくれ、母は「スパシバー（ありがとう）」と答えたと聞いたことがあります。

奄美から沖縄に移住して七年目に、私は琉球大学に合格しました。その年に那覇市で撮った家族写真は、写真館の正面に飾られることになりました（写真18）。それを見た友人からは、「重田さんの家族、凄いですね」と言われました。沖縄では、家族で記念写真を撮る習慣はあまりなく、これも私の両親が大連で培ったカルチャーの一面だったかもしれません。

当時、私達の家族が住んでいた安謝の自宅は、亜熱帯の沖縄ではあまり用いない障子とガラス戸を父が建てつけていました。家の前を通る近所の人達は、「この家、ヤマト風で変わっているなあ」と思っていたと、後になってから聞きました。この自宅は、安謝小学校の正面隣りにありました。のちに、この安謝小学校長となった高校時代の同級生から、「あのヤマト風のお宅は、前を通るたびに見ていましたが、やっぱり重田さんのお宅だったのですね」と言われ、驚いたことがあります。

このころ私の自宅では、毎年、正月には杵と臼で餅つきをして、それを見物しに、近所の人が集まっていました。沖縄には餅つきの習慣がないため、珍しかったようです。あとになって、こうしたエピソードを思い出すたびに、当時の我が家は、沖縄の安謝では一風変わった雰囲気、カルチャーを発信していたのに気づきました。南西諸島の奄美出身、そして「満洲帰り」だった我が家のカルチャーは、良くも悪くも〝植民地文化〟の影響ではないかと思ったりします。占領や植民地主義が良いというわけでは決してありませんが、植民地主義にはこうした文化的な側面もあるようです。

私が琉球大学の一年生だったとき、今は那覇新都心として開発されている、当時はマチナトと呼ばれ、フェンスで囲まれた安謝中学近くの米軍属住宅に住む少年たちと英会話練習を兼ねて交流会話していたところ、そのご家族からフェンス内の家に招かれ、拙い英語で交流した経験があります（写真20）。当時は、沖縄人にとって禁門であったこのフェンス内のアメリカ人家庭に招かれるなどあり得ないことで、周りの人から「え！

重田！　本当か！」と仰天されました。私も後で「よくまあ！」とその僥倖、出会いに感慨を覚えました。写真に見られるように、このお母さんは、アメリカ人としてはそれほど背が高くなく、ご両親はドイツからの移住とのことでした（写真20）。その後、そのお母様とは二、三回、英語で文通した記憶がありますが、残念ながら手紙が残っていません。その後も、あのご家族はどうしておられるだろうかと思ったものです。これも、沖縄であればこその経験でした。

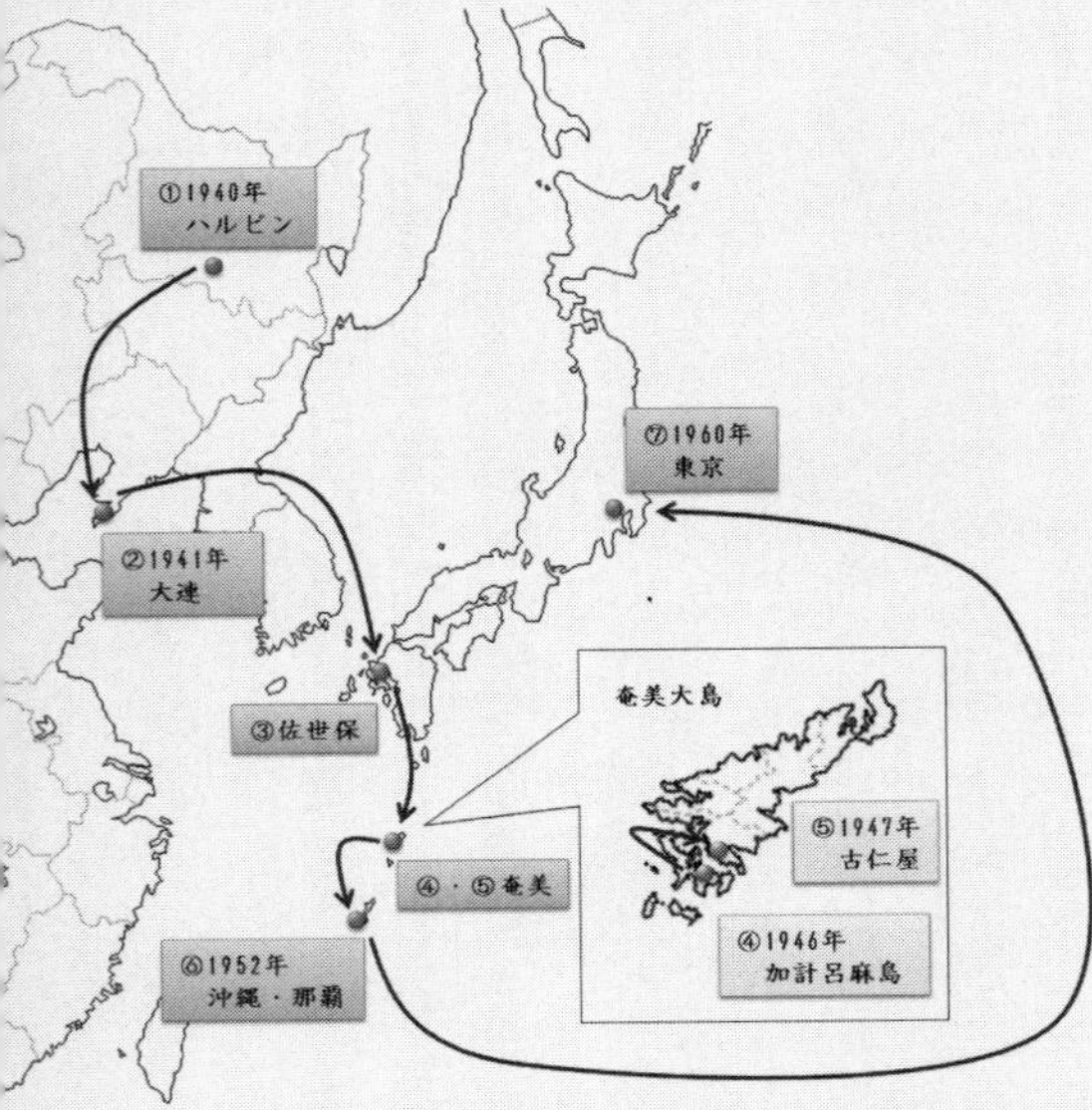

沖縄―奄美の境界変動と人の移動

実業家・重田辰弥の生活史

SHIGETA Tatsuya

目次

第2部

論考篇

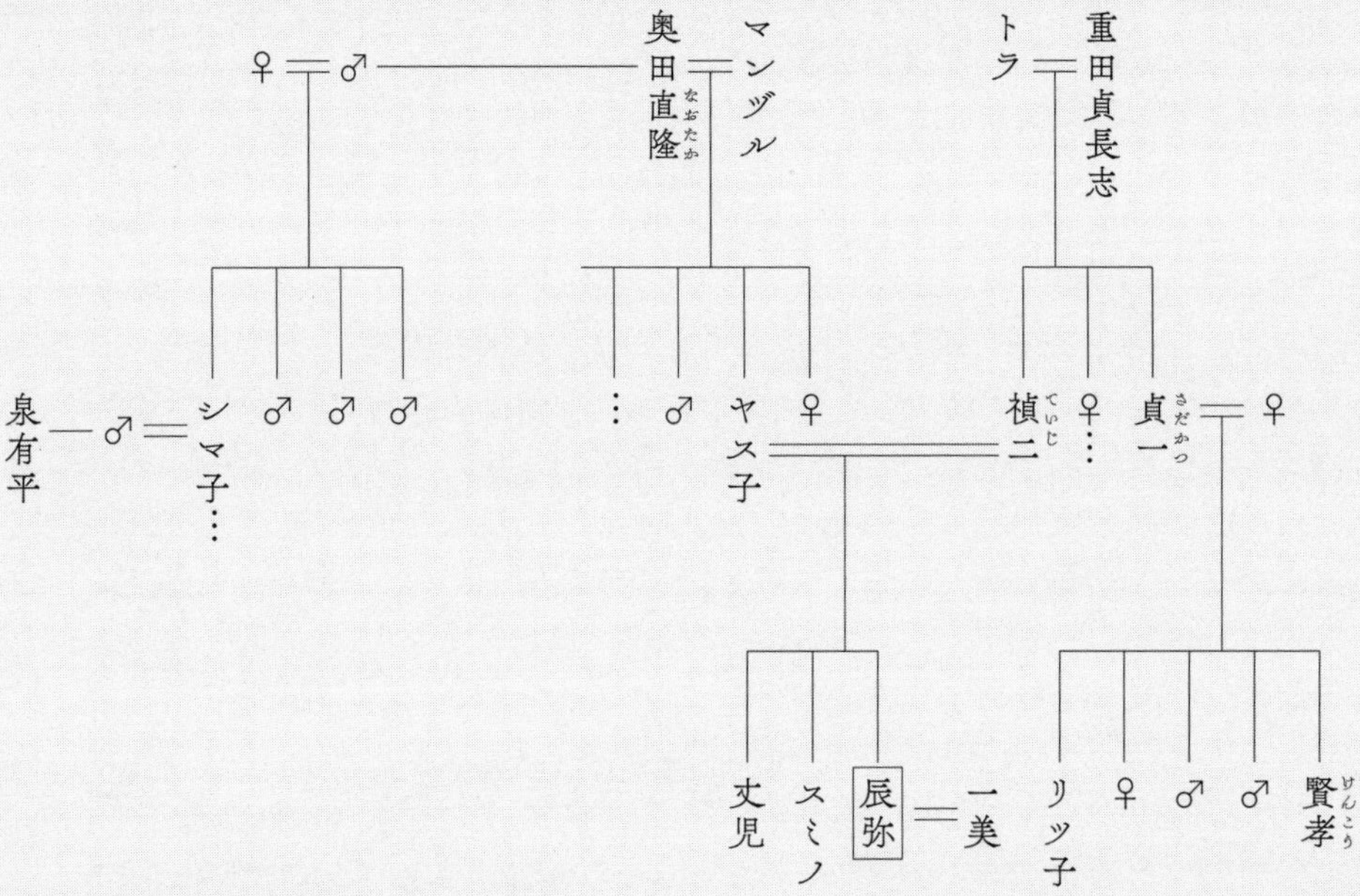
重田貞長志
トラ
奥田直隆《なおたか》
マンヅル
♀
♂
貞一《さだかつ》
♀…
禎二《ていじ》
♀
ヤス子
♂
…
♂
♂
♂
シマ子…
♂
泉有平
賢孝《けんこう》
♂
♂
♀
リツ子
一美
辰弥
スミノ
丈児

序　章

《沖縄―奄美》という視点と重田辰弥さんのライフヒストリー

はじめに

この本では、戦後の沖縄社会を、「人の移動」と「境界変動」に着目して、とくに《沖縄―奄美》という視点でとらえなおしていく。縦軸となるのは、「移動する人」・重田辰弥さんの生い立ち（ライフヒストリー）である。そして横軸となるのは、《沖縄―奄美》という視点でとらえていく沖縄の境界変動である。

第二次世界大戦後、奄美群島と琉球諸島はともに米軍統治下に置かれたが、奄美群島は一九五三年に、沖縄に先立って、施政権の日本政府への返還（本土復帰）がなされた。沖縄の本土復帰は、それから十九年後の一九七二年となる。このふたつの本土復帰に挟まれた期間、米軍統治下の沖縄に働きに来ていた約三万八〇〇〇人の奄美籍者は、期せずして沖縄の人びとより先に「日本人」となった。その多くは沖縄を離れたが、沖縄に残った奄美籍者は「非琉球人」として選挙権・被選挙権を失い、公務員への就任、軍雇用、国費による国立大学への留学や米国留学、海外移民から制度的に排除されるということが起こった。

沖縄そのものが、日本の敗戦、米軍による占領、合衆国による信託統治を経て、領有権は日本政府に、施政権は合衆国にあるという、帰属がきわめて不明瞭な地域となっていた。

本書は、そのような変動を、沖縄固有の経験としてではなく《沖縄―奄美》という視点で、米軍統治下の沖縄で生きた奄美出身者の経験に引き寄せてとらえなおす。

ただし、本書に登場する重田辰弥さんは、「沖縄で苦労した奄美籍者」という枠組みには収まりきらない人である。重田さんは、米軍統治下の沖縄から上京し、大学進学、多職転々の職業移動を経て、IT起業を成し遂げた。自分が移動することによって、境界変動をきわめて能動的に生きてきたのである。経営者となってからは、沖縄からの雇用とIT人材の育成を行い、製造業に偏っていた沖縄―本土就労に新しい道筋をつくった。さらに、沖縄系のビジネス交流の主要な担い手となり、二〇一六年には奄美籍者として初めて、沖縄県功労賞[1]を受賞している。自著『おきなわ就活塾』は、沖縄出身のIT企業家によるビジネス書として、類のないものとなっている（重田二〇〇八a）。

重田さんの生活史は、サクセス・ストーリーにも終始しない。創業の会社を承継した後に、ステージ4という重度の進行状況でガンが発見された。重田さんは、罹患と闘病の過

1―沖縄県は、県の発展に寄与した者、県民の福祉の増進に功績のあった者、県民の模範となる者を、地方自治、教育、文化・学術、伝統芸能・工芸、スポーツ振興、交流推進、社会福祉、産業振興、観光振興、農林水産、環境保全、科学技術、地域振興、平和・人権推進、社会貢献、一般篤行の部門別に選考し、表彰している（沖縄県庁HP 沖縄県表彰規則（昭和五十二年十一月二十一日）規則第四十五号）。

程をブログ発信するというネットワーカーならではのやり方で、危機的な状況を生きていく。重田さんの起業、経営、承継と闘病の物語は、沖縄や奄美にさほど関心のない人にとっても、興味をかきたてられるものである。本書は、ひとりの実業家の一代記、ユニークなガン闘病記でもある。

1　ブラジルで「満洲の重田」と出会う

私が重田さんに初めて会ったのは、二〇〇八年、ブラジルの首都サンパウロにおいてであった。それは沖縄ブラジル移民一〇〇周年記念の式典で、サンパウロにはブラジル全土をはじめとして海外からも沖縄ルーツの人びとが集い、沖縄県副知事を団長とする来賓団が訪れ、盛大な祝祭が催されていた。筆者は、ＷＵＢ[2]による記念シンポジウムで、琉球大学の移民研究者のひとりとして報告を行った。そこで、海外の沖縄移民と子孫たちの沖縄アイデンティティの強さについて発表したところ、まっさきに挙手したのが重田さんであった。

「私は、沖縄の移民には、貴方がおっしゃったようなポジティブな面だけでは語りき

WUBブラジル・アルゼンチン2008世界大会&沖縄移民100周年
（右から3人目が重田さん）

れない側面があると思います。「海外雄飛[3]」という言葉がありますね。私は「棄民[4]」という言葉は使いたくはないけれど、夢をもって海外に飛び出した人ばかりでなく、非常に苦しい思いをして渡っていった人たち、渡った先でもアイデンティティの継承どころでない、こういう一〇〇周年のお祝いなどに参加できない、いろんな経験をしてきた人がいると思います。そういう人たちへの調査研究はどうなっていますか」

その瞬間、私は、これからの研究のビジョンが目の前に拓けていくのを感じた。同時に、この場でこういうことをはっきりと口にしたその人の、ものすごい率直さに強く惹かれた。かなり「偉い人」に違いない。しかし、社会的な地位の高さだけではこういうことは言えない。ブラジル移民の当事者ではないように見えるが、もしかしたらこの人自身に、大きな移動の経験があるのではないか。

まさにその通りで、重田さんは、ＷＵＢ東京の初代会長として列席していたのだった。

そして重田さんは、予想をはるかに超えたダイナミックな移動を、豊かに、能動的に生き

てきた人だった。私はあの日、とても拙い発表をしたのだが、重田さんがブラジル沖縄移民一〇〇周年を心から祝福し、だからこそ他の人が言わないことを敢えて言った真意を感じ取り、その発言に感謝することはできた。

「私なんかの素人の発言を、いくらでも潰すことはできただろうに、あなたは面白いね」

私は、胸の中で両手を合わせた。そして重田さんから携帯メールをいただき、そのアドレスを見た瞬間、鳥肌がたった。

manchuria_shigeta@ ×××

重田さんは、「満洲」という単語で始まるアカウントから、携帯メールを送信しているのだった。直訳すれば「満洲の重田」である。そこには、重田さんがあまり進んで人に言わない自身のルーツ、ハルピン生まれ、大連育ちの満洲引揚者であることが示唆されていた。

2 移動する人・重田辰弥さん

重田さんは一九四〇年に満洲のハルピンで生まれ、大連に移動し、小学校入学前に、両親の故郷である奄美に引き揚げた。当時、奄美群島は米軍統治下に置かれ、本土には就労に出られなくなっていた。奄美の人びとが働きに出られる先は、奄美と同様に米軍統治が布かれていた沖縄だけであった。重田さん一家も仕事を求めて沖縄へ移住し、重田さんは那覇市の安謝《あじゃ》で、小学校六年生から大学一年生までの八年間を過ごした。重田さんが十三歳の時、一九五三年に、奄美群島は本土復帰を遂げる。在沖奄美籍者は「非琉球人」とさ

2―WUB(Worldwide Uchinanchu Business Association)は、「すぐれたソフトパワーである世界のウチナーンチュネットワークを活用し、国際的な経済・文化・人的交流を更に発展させ、世界各国、各地域の〝平和経済〟の実現に向けて努力することを使命」とする、沖縄系の世界的なビジネス・ネットワークである(WUB　HPより)。重田さんは一九九九年にWUB東京の初代会長となり、「WUB世界大会東京二〇〇二」を開催した(重田二〇〇二)。

3―海外移民の募集において用いられ、移民事業の終了後にも、沖縄初の海外移民が出た金武町が「海外雄飛の里」という地域アイデンティティを打ち出す場面などで用いられる、移民と「世界のウチナーンチュ」を肯定的に称揚する表象。

4―過剰人口の排出を目的とする出移民政策によって「海外雄飛」の誇大な宣伝が行われ、移民先ではそれとは大きくかい離した厳しい現実に直面し、移民を送り出した当局からはなんのフォローもない状況で、我々は移民ではなく棄民だったのだと思い知らされた当事者によって用いられた表象。戦後、沖縄だけでなく日本政府によっても行われ、日本政府はのちにドミニカ移民に対して謝罪した。「棄民」は「海外雄飛」と表裏の関係にある。

れ、さまざまな制度の壁が生じた。重田さんは、先の見えない米軍統治下の沖縄に閉塞感を覚え、上京して早稲田大学に入学した。

重田さんの幼少期から青年期までは、スケールの大きな空間的移動の時期である。その移動は、個人の経験であると同時に、日本帝国の崩壊、奄美群島と琉球諸島の日本からの分離と米軍統治、そして奄美群島の、琉球諸島に先んじての本土復帰という、たびかさなる境界変動史と密接に関わりあっている。

大学卒業後の重田さんは、空間移動を終え、社会移動を開始する。それは、青年期までの空間移動に匹敵するほどの、異業種をまたいだ越境の連続であった。まず琉球新報東京総局[5]に記者として入社するが、一年で退社し、総理府に勤め、三年後にビジネスコンサルタント会社に転職した。ここで八年間勤務し、システム営業部長を務めた後、三十八歳でＩＴ会社、日本アドバンストシステム（以下、ＮＡＳと表記）[6]を創立、経営した。

企業家となった重田さんは、積極的に沖縄から若者を採用した。自身が「移動する人」であった重田さんは、雇用によって沖縄の若者を「移動させる人」となる。

さらに重田さんは、沖縄県外における沖縄出身経営者のビジネス・ネットワークを、関東圏において牽引し、世界規模のビジネス交流にも関与するようになった。関東沖縄経営者協会会長[7]、関東沖縄ＩＴ協議会会長[8]、ＷＵＢ東京初代会長を歴任してきた。[9]

重田さんの道のりには、「世界のウチナーンチュ」と称される沖縄海外移民とは異なる、もうひとつの「移動する人」の経験が見いだせる。重田さんは、自分のことを「歴史に翻弄された南西諸島人」と表現しているが（188頁）、その経験は、移動をくりかえしていた当時も、語りの時点で振り返るときも、きわめて能動的に生きられてきたように思われる。第一部のライフヒストリー篇では、現在から過去へと時間をさかのぼって、重田さんの《生》をたどる。

5―東京総局は東京支局の前身。琉球新報社は沖縄における二大地元紙のひとつである。

6―日本アドバンストシステムは一九七八年に創業され、二〇一〇年に一部上場の株式会社CIJネクストに合併した。

7―一般社団法人関東沖縄経営者協会は、関東で事業を営む沖縄県出身者の経営者団体として、会員の親睦とセミナーの開催を通じ、経営力向上、経営者の資質向上、次世代経営者の育成、沖縄県の産業振興と雇用創出への寄与を図っている（関東沖縄経営者協会HP）。重田さんは第七代会長を務めた。現在、第九代会長は新垣進氏である。

8―関東沖縄IT協議会は、会員が商取引に関する最新情報を交換し、各種セミナー・交流会などのイベント開催、自社製品の紹介を行い、他団体とのタイアップによるビジネス拡大を模索している。現在、重田さんは最高顧問である（関東沖縄IT協議会HP）。

9―この他に、重田さんは「沖縄ファンクラブ」常任理事、公益財団法人 沖縄協会評議員、美ら島沖縄大使、大宜味村観光物産親善大使などを務めている。

3　第一部・ライフヒストリー篇——現在から過去へ

第一部のライフヒストリー篇は、六回に及ぶインタビューで得られた語りを中心に[10]、重田さん自身が執筆した文章、ＮＡＳ元社員や奄美在住の親族などのコラムによって構成する。

第一章「現在の重田辰弥さん」は、ガンに罹患した重田さんの、闘病記のブログ発信と、病気の前になされた会社の承継についての記述である。会社を手放し、ガンを患うという困難なライフステージを照らしているのは、重田さんがそれまでに実践してきたネットワーカーとしての経験である。

時間をさかのぼり、第二章「沖縄—本土就労の流れをつくる」では、ＮＡＳ創業と沖縄からの雇用が語られる。重田さんは、沖縄から人を採用できることをひとつの強みとして創立期の会社を軌道に乗せていくが、それは同時に、沖縄出身社員のＵターン志向に沖縄ルーツの経営者として向き合うという難題をもたらした。

第三章「在琉奄美人の決断」は、上京と大学進学の経緯である。奄美籍の重田さんは、沖縄の学生を対象とする奨学制度の外にいたのだが、クラスでは「沖縄」と見なされることがあった。この時期に重田さんが抱いた「違和感のようなもの」は、のちに、組織人としての重田さんの資源となる。

第四章「移動の中で育つ」では、少年期の八年間を過ごした懐かしい那覇市・安謝を早朝ジョギングしてきたという語りを起点に、いくつもの故郷の記憶が、両親の移動の経験を含めて語られる。日本帝国下の満洲と米軍統治下の沖縄は、「植民地文化」としての連なりの中で振り返られている。

最後の第五章「沖縄と海外をつなぐ」は、WUB東京や関東沖縄経営者協会の会長として、沖縄ネットワークを担ってきた経験である。重田さんは、機能的に編成した経営者交流の組織が次々に同郷団体化していく過程をありのままに見てとりつつ、沖縄ネットワークに複数の拠点があることの意義を指摘している。

10―インタビューの日時と場所は以下の通りである。二〇一五年九月十九日(神田オフィス)、二〇一六年二月二十日(那覇のホテルダイニング)、二月二十日(那覇から大宜味村に向かう車中)、三月十日(那覇のホテルラウンジ)、五月二日(神田オフィス)、二〇一七年九月二十四日(国立劇場おきなわロビー)。神田オフィスは、会社の役職を退いた後に重田さんが個人で営んでいる「終のオフィス」で、関東沖縄経営者協会の会合の会場にもなっている。

4

第二部・論考篇——境界変動と人の移動

第二部の論考篇では、重田さんとご両親の移動経験に照らし合わせながら、《沖縄—奄美》の境界変動と人の移動について考察する。ここでは、女性の出稼ぎ、本土文化と沖縄文化、過疎と「過剰」、米軍統治と本土復帰を論じる、また、沖縄からの移民と季節労働、沖縄への外国人労働者の流入を、人の移動の連なりとして俯瞰し、「世界のウチナーンチュ」という現象から、沖縄アイデンティティの変容をとらえていく。

第一部の重田さんの語りは、第二部の論考と対応関係にある。よって、文中に参照頁を記した第一部の語りを、第二部と照らし合わせ、重田さんの経験と《沖縄—奄美》の論考を行き来する読み方も可能である。

第一章「島を出る女性」では、重田さんの母・ヤス子さんの経験を手がかりに、戦前期の「紡績女工」出稼ぎについて論ずる。ヤス子さんの本土出稼ぎは、満洲への結婚移住につながった。その経験は、移動する女性、女性化された職種、装いの中の本土文化に着目して論じられる。

第二章「島人《しまんちゅ》の同族結合」は、重田さんの父・禎二《ていじ》さんの経験を手がかりに、兄が島で家を守り、弟は出郷して成功をつかむという、攻守分担のイエ繁栄戦略として、奄美の家族文化を描き出す。重田さんの中にも同族結合の文化は存在したが、会社経営、金沢出身の女性との結婚は、自文化の相対化をもたらしていく。

第三章「奄美の漁業と本土・沖縄文化」では、重田さんの両親が生まれ育った加計呂麻《かけろま》島《じま》・須子茂《すこも》のカツオ漁業に光をあてる。奄美の漁業には、本土経由の、商品経済と直結したカツオ漁業と、沖縄の糸満系漁民経由の追込み網漁というふたつの系譜があった。重田さんの血脈は、カツオ漁業のリーダーの中に見いだせる。カツオ漁業史は、須子茂から、本土を指向する出郷者が続出した理由を文化的に解釈していく上での示唆に満ちている。

第四章「人口流出の島」では、深刻な過疎に直面している奄美・瀬戸内町の現状を、生活保護受給率のデータを用いて論じる。

第五章「米軍統治下の奄美から沖縄へ」では、重田さん一家が居住した那覇市安謝を、さまざまな文化が接触し、混在する「コンタクト・ゾーン」として論ずる。多様な人びとが流入する港町は、米軍住宅との近接地域でもあった。そして満洲経験のある重田さん一家は、生活の中に本土文化を保持していた。重田さん一家は、移動することによって、期せずして大連と安謝、戦前と戦後の「コンタクト・ゾーン」を媒介していく。

第六章「境界の動態」は、一九五三年に奄美群島が琉球諸島に先んじて本土復帰したことにより、在沖の奄美籍者が「非琉球人」化されていった過程を、「公職追放」[11]をめぐる米国民政府の文書と、那覇奄美会による請願文書を中心に考察する。

第七章「雇用主から見た沖縄―本土就労」では、重田さんが創業したNASによる沖縄採用を、県外就労の全体像の中に位置づけ、NASの雇用は小規模ながら、県外就労の定型を突破する可能性を示していたことを明らかにする。また、移民と本土就職、季節労働と外国人労働者を関連づけ、人の移動の系譜として俯瞰する。

第八章「『世界のウチナーンチュ』という現象」では、復帰後、過剰な本土志向が見直される中で、地元メディアが海外の沖縄移民を「発見」し、「世界のウチナーンチュ」と名づけ、沖縄のすぐれた独自性として表象した経緯を論ずる。また、「沖縄らしさ」の変容と持続を、「世界のウチナーンチュ」という文脈の中でとらえていく。

最終章は、重田さんのライフヒストリーに立ち戻る。重田さんは、ひとつの組織に成員が結集する《集中系》ではなく、複数の拠点をもつ《分散系》の沖縄ネットワークを編成してきた。広やかな《分散系》のエートスは、ガン闘病というライフステージを照らしていく。ここでは、「移動する人」の文化資本とネットワーカーとしての活動との間の、再帰的な相互関係が読み解かれる。最後に、《沖縄―奄美》という視点によって得られた知見として、戦前―戦後のコロニアリズムが連続していること、そして人の移動は、経済だけでなく文化事象でもあることを論ずる。

「もうひとつの沖縄現代史」

重田辰弥さんの《生》は、戦前と戦後、米軍統治時代と復帰後、そして現代のグローバル時代にまで及んでいる。それは、個人史であると同時に、ひとつの沖縄現代史ともなっている。

本書を、ひとりの実業家の一代記として読み進んでいったとしても、《沖縄―奄美》の境界変動が、いかに人の移動と深く関わり合いながら沖縄現代史を成り立たせてきたのかが感じ取れるであろう。個人によって生きられた移動史は、その人をとりまく社会の境界変動と呼応しあってきたのだ。その過程を、《沖縄―奄美》という視点によって提示することが本書の社会学的な課題であるのだが、それは、歴史や空間の広がりの中にいる「個」の軌跡によってもたらされる。「個」は、しばしば歴史や空間の中で制約され、影響されるが、必ずしも「歴史に翻弄された」というような受動態にはとどまらない。

11―「非琉球人」である奄美籍者を公職から離任させた措置。「公職追放」という用語は、一九五三年当時の公文書では用いられていないが、現在の沖縄における新聞報道では一般的に用いられている（沖縄タイムス二〇〇三年十二月二十五日、琉球新報一九九九年八月八日）。

重田さんという「個」の軌跡は、この本を読んでいるあなたの「個」とどこかで重なり、響き合うかもしれない。その共鳴の中で、あなたの「個」もまた、生きられつつある現代史となり、歴史や空間の広がりの中に再発見されていくだろう。

第1部

ライフヒストリー篇

第1章

現在の重田辰弥さん

（2016年5月2日インタビュー）

会社の承継、ガン発症とブログ発信

1 顧問を退任した直後、大腸ガンがわかった

会社の承継には、資本の承継と経営の承継というのがあります。私の場合は、自分で言うのもなんですが、会社の代表を辞めて、経営権を譲っていくのが非常にスムーズでした。

社長を辞めて、会長も七十歳で取締役を退任して、合併した会社の顧問になって、七十三歳で顧問を退任したら、その瞬間に、大腸ガンが見つかり、手術を受けて人工肛門をつけ、「永久ストーマ」になりました。

もし私が元の会社で、代表者として君臨していたら、社員を大変な目にあわせていただろうと思う。お客さんにも迷惑をかけただろうし、社員から見れば、二〇一三年というタイミングでの事業承継は良かったのでは。

「どうやってそんなにスムーズに承継ができたんですか」ということを時々聞かれます。会社承継（33頁）と関東沖縄経営者協会の会長後継ですね。それを考えると、私はブログ[1]を書くし、こうやってあなた（筆者）と話したりするでしょう。

なかなか、役職を譲れない人がいます。なにか別の世界をもっていることが、私の場合はよかったのかな。今、神田に事務所をもって、次世代育成をして思います。沖縄県から

相談があったり、美ら島沖縄大使だったり[2]、奄美ＩＴ懇話会[3]の会長だったり。そういう世界があるから、会社を手放すことができたのかもしれない。本業と別の世界がないと、しがみつくわけよ（笑）。

ブログを書く――大宜味村の親善大使に　2

ブログを書くと、友人から「とても参考になった」って言われて。こちらが期待していなかったようなことを拾ってくれたり。ブログを読んでメモし、「これ、重田さんのブログでわかったことですよ」とか。へぇ、そうか。中にはね、「これとこれ、間違ってる

1―重田さんのブログ〝朝吼夕嘆・晴走雨読〟 https://blog.goo.ne.jp/shigeta-nas
2―沖縄県は、「沖縄に深い愛着と関心を寄せる、本県にゆかりのある方々を「美ら島沖縄大使」として認証し、それぞれの活動分野において沖縄の新たな魅力を発掘、発信していただくことにより、沖縄のイメージアップを図る」という主旨で「美ら島沖縄大使」を任命している（沖縄県庁ＨＰ）。
3―関東奄美ＩＴ懇話会は、重田さんが会長を務め、奄美出身のＩＴ関係者を正会員とし、会員経営企業の発展、キャリアアップ、故郷・奄美の振興、雇用貢献、次世代育成への貢献を目指し、地元同業、市町村との連携、協力を模索している（関東奄美ＩＴ懇話会ＨＰ）。

よ！」という指摘も（笑）。それはそれでいいのよ。「あれはこう書くんだよ」「あぁ、ありがとう」とかね。こういう指摘、ありがたいですね。

大宜味村もそうなの。大宜味村のことを書いたら、(大宜味村では)「あれ、読みましたよ」って何人からも言われて、「あの人を大宜味村の親善大使に」との声があったとのことです。[4]

私のブログは二十年くらいやっていて、一日に三〇〇人以上のアクセスがあります。たまに一〇〇人を下回ることはあるけど、二桁になることはほとんどありません。どういう記事が、いつのタイミングで出したらどれくらい読まれるか、分析して、予想を立てて、グラフを作ったりしてね。面白いのは、活躍する女性について書くとね、女の人はあんまり読まないの。

私は、体を労って長生きするよりは、完全燃焼したいと思っています。ジョギングが良いのかわからないけど、走りたいから走っています。遺言信託もやりました。闘病記が、非常に参考になると言われたら、そうか! と思って書いたりしてね。[5]

3 会社の承継――創業者利潤をどうやって守るか

組織を承継するというのが大問題ですね。私は創業三十周年で承継し、関東沖縄経営者協会も、足掛け十年、会長を務めたけれど、今、仲松さんという二代目[6]、本当にすばらしい人を後継者に見つけたというのは、私の自慢と誇りです。

神田の事務所で、後継ぎ問題の相談をよく受けます。「後継者がいないんですが、どうしたらいいでしょうか」と。

あとは、創業者利潤をどう確保するか。

私は資本金一億円の七割の株をもっていました。退職時の資産が時価相場で大体四倍、

4―重田さんは、二〇一六年から大宜味村観光・物産親善大使に任命されている（大宜味村HP）。
5―重田さんのブログ、「癌との共生　終活の日々」（二〇一四年九月十二日）には、十一回に及んだ化学入院治療の経緯や、点滴のボトルをシャツ下に下げて都内のイベントに出席したことなどが記されている。
6―仲松健雄氏は、第八代関東沖縄経営者協会会長を務め、現在は東京沖縄県人会会長である。

三億弱くらいですか。これを女房が相続すると、女房は一億を超す相続税を支払わなければならないのではないでしょうか。ところが、そんな現金は全然ありません。現金はないのに、時価総額といって、まったなしに国税庁は課税してくる。株を譲渡したり、株現物を国税庁に納品する人もいます。

創業者は株をお金に換えるのが難しいけど、私の場合はどうしたかというと、持株を、一部上場の株と交換したのです。一部上場の株は一定条件下で、市場で売って現金化することができます。

創業者利潤というのは難しい。のれん代といいますが、お金だけじゃなくてプラスアルファの評価。経営力でいったら「どういうところと取引しているか」、「どういう技術を持っているか」などを、どう評価するか。大きな会社でも派遣[7]ばっかりだったら評価は下がるし、同じ派遣でも、我が社のように一部上場の会社と直取引してきたから、それが評価に関わってくる。のれん代の評価は難しいんですよ。

4 承継の成否は「すべきこと」より「すべきでないこと」にある

私は、会社の後継者に対して何をしたらいいですかと聞かれることがあります。でも承継というのは、「何をすべきか」よりも、「何をしないでおくべきか」が大事なのです。

人を育てることは、チャンスを与えるということです。そこには、「失敗するチャンスを与える」ことも含まれます。失敗しないようにと思うけれど、我慢して口出しをしない。そして自分の好みを抑えるという自己抑制が、後継者を育てるということなんですね。

5 別の世界、次の世界がある

私は、ガンがいつ再発し、入院するかもしれないという覚悟をしています。自分の生涯をまとめておきたいというのは、自分のためというよりは後輩のため、社員のためにね。

私は、WUB（17頁）も会社もそうなんですけど、引退したら、あまり口出ししないようにしている。この自己抑制っていうのは、どうやってできるかと聞かれることがあるんだけど、我慢というより、別の世界、次の世界を持つこと。それがないとつい口を出して、

7―ここでいう「派遣」とは、自社で正規雇用した社員を他社に派遣することを意味する（50頁および元社員コラム79頁参照）。IT業界では、派遣→請負→自社製品の開発という展開がしばしば見られた。

「院政」をやってしまう。経営協もＩＴ協（19頁）も、最近は会長をしている奄美ＩＴ懇話会というのもある。そういうのを次々にやるからね。

6 帝京大学附属病院シンポジウム――「ガンと上手くつきあうために――私の体験から」[8]

私はガンになって入院して治療した者です。自分の体験をお話して、皆さんの参考にしていただければと思います。

私は一九四〇年生まれで、今年で七十六歳です。三十八歳でＩＴ会社を立ち上げて、以来三十年社員二〇〇人、売上二十億円を達成、七十三歳で会長をリタイアし、一部上場の会社と合併をし、五十億の売上げ、社員五〇〇人の会社の会長と相談役を三年間務め、リタイアした翌年にガンが見つかりました。すでにもうステージ4だったのです。ステージ5というのが死亡という意味です。

なんでそこまでなったかというと、実は私は、毎年、人間ドックに入っていたのですが、ステージ4になったのはどういう訳かというと、私の反省もあるんですけど不満ということではなく、医療の問題として、どうして病院、先生がもっと早く気づいて言ってくれなかったのか。それをちょっとお話ししたいと思います。

実は二〇一三年の四月、ガンになる前に、埼玉の社会保険病院で、定例ドックの検診を受けたのです。そのときに先生の方から、「ちょっと数値、気になるんで精密検査をしましょう」ということで、その予約が十二月だったんですよ。四月から十月までの六カ月間に、私のガンが進んでいたのですね。その間、私は毎日ジョギングをしていたもので、排便時にちょっと血が出たりするので、近くの病院に行ったら「これは痔ですね」と。その薬を使うと、出血は止まるわけです。それで、ジョギングを続けていたのです。

しかし、その年の十月に鮮血、便器が真っ赤になり、「ヤバいな」と思い、今までの病院とは違う肛門専門病院に行ったら、「これはうちでは無理ですね」と、帝京大学附属病院の専門医を紹介してもらいました。予約を取って、十一月五日に行って診察を受けたら、すぐ「ご家族はいますか。奥さんを呼びなさい」と。ガンを手術して、人工肛門になると言われました。

十一月五日に入院をして、二十日に一回目の手術をしました。ステージ4ですから右足のリンパにも転移している。リンパに転移しているということは他の臓器にも転移している可能性があるということですから、徹底的に調べられました。

8──二〇一六年九月二四日に帝京大学において開催されたシンポジウムの講演記録を、録音をもとに文字起こしした。

一回目が十一月二十日、二回目が十二月十八日で、十八日の方が、八時間の手術ですね。家族、私は、子どもはいないですけど、女房と弟と妹、皆呼ばれました。「ステージ4で人工肛門になります」ということで手術を受けました。

入院して治療したのは七十日なんですけど、退院した後も、二泊三日、入院治療を受け、抗ガン剤投与治療は十一回受けました。その後は月一回の検診になって、今は三カ月に一回です。現在のところ、異常はないのですけど、五年後の発生率は五〇％とのことですね。五年後というのは、私の目標としては東京オリンピックなんですよ。その時私の年齢は八十ですから、自分のライフスタイルを考えて、それでいいかなとは言わないけれど、そういうことですね、人生プランですね。

ちょっとさかのぼりますが、ガンが発見される前、毎月、一〇〇キロぐらいジョギングしていたのです。フルマラソンというのも今まで二十回くらい走っていますけれど、手術をうけたこの年も、十二月の第一日曜日に、ＮＡＨＡマラソンにエントリーしていましたね。十一月の診察でガンが見つかった時も、見つかったその日の朝も、一時間くらい朝、走ってから病院に行っていたんですから、先生が手術って言うので、私は先生に「手術は十二月以降に延期できませんか」と聞いたんですよ。そう言ったら、先生、目の色を変えましてね。「あなたね、命の保証はできませんよ」。そばに座っていた女房にも、「馬鹿じゃないの！　あなた！」って言われたのですけど。それくらい、身体は異常というか、痛みはなかったですよ。ガンの怖さというのはそういうことがあったですね。

それから、セカンドオピニオンということで、私、手術を受ける前に、私の高校の友人が、流山総合病院で院長をやっていましたので、そこに行って。セカンドオピニオンは、率直に言いましてね、担当のお医者さんから、自分の診断は信用できないのかとか、疑われるのじゃないかと思ったら、帝京病院の先生は、「あぁいいですよ」と、詳細な診断の記録とかみんな書いていただいて。流山病院で、「帝京大学はスタッフや設備が整っているから、手術を受けたほうがいいよ」と言われて、戻ってきて手術を受けました。セカンドオピニオンというのは、先生によってはなかなか難しいと思うのだけれど、帝京病院は、すぐ快諾してくれて、その結果をもって戻ってきて、手術をお願いしますと言ったら手術して下さいました。

今朝、私の手術をした先生に挨拶したら、「重田さん、私は聞きに行けないけど頑張ってください」って激励されました。

二カ月半の入院ですね。十一月から一月まで。ステージ4の診断だから、右の頸椎リンパ腺もとりましてね。で、人工肛門になったのですけどね。私は帝京大学の病院に入院しまして、ここは本当に、ユニットバスから薬屋さんから郵便、全部そろっていて、変な言い方ですけど「快適だな、これは終の棲家だな」という気がしました。見舞いに来る友人たちが、「重田さん、これは高級ホテルみたいだな」って言ってました。看護師さんも非常に優しくて。

帝京大学附属病院は、石神井川とか、加賀公園が非常によくて、私は入院中にジョギングを始めていました。担当医の定時検診を忘れて外を走っていて叱られたこともあります。検査退院後、十日ごとに二泊三日の入院ですね。ただこの抗ガン剤投与の時は、やっぱり吐き気と食欲不振、脱毛、頭の毛が半分くらい抜けました。しゃっくりが出たりして。これは副作用ですね。（抗ガン剤投与を）やめると回復しました。

埼玉のメディカルセンターのドックの時に、六カ月後じゃなくて一カ月後くらいに精密検査をやってくれていたら、私は人工肛門にならなかったのじゃないか。そういう思いが、病院施設に対してはありますね。

人工肛門はストーマと言いますが、これになって、今まで見えなかった世界が見えましたね。身体障碍者の四級になって、それから人間関係が、今までとは別の要素が見えてきました。二カ月半の間に、八十人くらいのお見舞いが来てくれました。それから、公共施設とかに、障碍者のトイレがよくそろっていること、今まで気づかなかった、日本社会のやさしさというのを感じました。

私は今日のシンポジウムについて、ブログにアップしたら、二日間で十五通くらいのメールが来ました。自分の妹とか、叔母とか、意外に自分のお身内にガンの方がおられるという方がたくさんおられて、ガンの人というのは多いんだなと思いました。また、びっくりしたのは、退院してから、私の会社の顧問をしていた私より五歳若い方や会社の監査役の方など、これも私より若い方、私の体調を気遣うメールを下さった方々が、いずれも、ガンで亡くなったんですよ。いかにガン患者が多いかということですね。大腸、肝臓、食道ガンでした。びっくりしましたけれどね、私の方が長生きをしているということですね。

いろんな方々からサプリメントを「重田さん、ガンに効くそうですから」といっていただいたり、サプリメントの副作用について教えてくれる人がいたり、ガンについての本も十五、六冊くらい、いろんな意見があったり。たとえばジョギングでガンを治すって書いてある本もあるし、ジョギングはガン細胞も元気にしてしまうからよくないって書いてある本もあるのです。難しい、悩ましいですね。

私はたまたま、アフラックの保険に入っていたんですね。一日、一万円と、日本生命から五〇〇〇円ですから、一〇〇万円くらいの保険料が入って、薬代を含めて四〇〇万円くらいかかったものが、非常に助かりました。

私は入院から退院まで、ずっと個室におりました。そこから、ブログで発信をしていたのですね。様々なコメントをいただきました。

時間になりましたので私の話はこれで終わります。ご質問でもあったらあとでお答えします。終わります。

7 シンポジウムの質疑応答——ガンという病気の特性とは?

率直に申しますが、ガンになって良かったとはいいませんけれど、ガンになったら自分の余命、寿命というものを、たとえば五年後とか、死期を予感させるのですね。ところが、意識ははっきりしています。たとえば脳梗塞で倒れたというような場合と比べると、ガンの場合は、非常に意識ははっきりしていて、逆に、終活というか身辺整理というものができるのです。今、ご質問のあった遺言信託もそうで、私は自分の会社がありましたから、持ち株とか退職金があるのですが、これを女房とか妹弟とかに遺すために、銀行に遺言信託を頼みました。そういう準備ができました。これは、ガンのメリットとまでは言いませんが、できて良かったことですね。

病気になったら、ネガティブ、マイナスなことだけではなくて、そういうプラスのことも、「自分で発見して、やって行く」ということに気づきました。病気になったことは、そういうきっかけになりました。

私の義理の母は、十年近く、寝たきりでした。脳梗塞で、八十で亡くなったのですけど。病気を見ていると、ガンの場合は、最後まで意識はわりあい、はっきりしていることが多いんですね。自分の最期をどう迎えるかということですが、意識がないまま、十年以上も寝たきりという病気があることを考えると、比べてどっちがいいということでは決してないのですけれど、ガンという病気のもっている特性に気づいていく、〝良い〟とまでは言えないんだけれど、こういうことがガン患者にはできるのだなというように発見して、それをやっていくことができるように思います。

皆さんも、いずれ、死を迎えるわけですから、ご参考になればと思って話すのですが、ガンになったから、被害者だというような、そういうことじゃなくて、いいところ、ポジティブなところを意識的にとりあげて、今は生きています。

私は五年後に、多分、再発すると思っていますけれど、それまでに、たとえばこういう、患者としてお話をするという役割とか、いろんな講演なども、積極的に引き受けて、頑張ろうと思っています。介護の点からいうと、もし寝たきりになったらということを考えると、人工肛門、ストーマの方が、介護する人はやりやすいのですよ。

病気になったら、病気の否定的なところだけでなく、その病気ならではのいいところを積極的に見つけていくことができますね。もし自分がこれから寝たきりになったとしても、女房にお尻を持ち上げさせる苦労はかけないと思ったりします。ガンというのは、こういうことを考えることができるんです。

ガンは長寿と並行して増えていると思います。長寿の国ほどガン発生率、ガンによる死亡率は高いように思います。

私は、ガンは、老化現象の一種だと思っています。

戦前、日本の平均寿命が今ほど長くない頃は、ガンによる死亡率も今ほどではなかった。我々は長寿の国にいます。そういう形で、ガンを受けいれるというか、ガンになったら、「あぁ来たか！」というくらいの覚悟で、やっていったほうがいいのかなと思います。

ガンになって、今まで見えなかった世界が見えました。入院の時に、いろんな人が見舞いに来てくれました。私がそれまで、「あいつのことはあんまり好きじゃないな、性格が合わないな」と思っていた人が、ガンになったら見舞いに来てくれて、新しい関係ができたというか、私の方が彼を誤解していたな、とかね。そういう機会をもらったっていうのはあります。逆に、非常に親しいと思っていたのに、全然、見舞いに来ないなとか（笑）、そういう世界がちらっと見えたりもしました。今まで、見えなかったものが見えました。

ガンという病気がもたらしてくれたものというのを、私は意識的に取り上げるようにしていて、あまり落ち込まないように、自分で仕掛けているというところがある。本当にそうかどうかというと、ちょっと怪しいところもあるんですけどね（笑）。そういうふうに受け取っているのです。

実は、そういうことをブログで発信すると、同じガン患者の人から、すごく参考になったというようなメッセージをもらって、そうすると、いっそう発信をしていこうというようになりますね。

生きている間は、お役にたっていこうと思っています。

――家族の支えとしてありがたかったことは何か。

女房からの声かけですね。

あとは、入院から退院までの記録を詳しく書いてくれたのが、有り難いって言うとおかしいのですが、感謝していますね。今まで見えなかった、女房の私に対する心配りに気づきました。今日、女房は来ていないから、これ、言えるのですけどね（会場に笑い声）。

第2章

沖縄—本土就労の流れをつくる

（2015年9月19日インタビュー）

1　学窓ネットワークで沖縄出身者を採用

私は、沖縄で中学、高校を過ごしているから、それがすごく大きな意味をもっている。沖縄とつながっているから、会社を創った時に沖縄からどんどん人を採用できたのです。私は日本アドバンストシステム創業三十周年までに、沖縄から、のべ二五〇人近い社員を採用しました。社員のうち、沖縄の人は二五%くらい、多い時で三割ね。

バブル経済の人手不足の時は人材採用力がいわば経営力のひとつですね。本土出身の経営者は、沖縄の人をなかなか、文化も違うし、採れなかったですね。

私は那覇高十二期で、同期には一流の人たちがいますよ。大蔵省、農林省、富士通、ゼネラルモーターズ、三菱電機、東芝機械。大学教授、医者が十二人、校長が四人。弁護士、税理士、警察署長、機動隊長、那覇市副市長、対馬丸記念館[1]館長。

琉球大学には十人を超す同期教授がいましたね。あの時代は、那覇高校は県内一だったのでは。私は、大田さん[2]、稲嶺さん[3]、仲井眞さん[4]、翁長さん[5]、みんな那覇高卒というのでつながるの。大田知事の時代には、沖縄県のマルチメディアアイランド構想で、知事にＩＴ秘書をつけてくれというので、弊社の女子社員を派遣し、喜ばれました。

私は東京の城岳同窓会[6]（注：関東城岳同窓会）の副会長だから、会の作業をするときは、うちの事務所にみんなが集まって来ます。

浦添工業高校は、一期生からずっと採ってきた。定着性が良かったから。私が学校に訪ねて行くと、すぐ校長室に通されて、講演もさせてもらって、ここの優秀な人たちは、本土でもずいぶん就職させた。浦添工業でも優秀な生徒を、まっさきにうちに紹介して頂いて、その人がうちの会社に来たら、もう先輩がいるわけだ。出版記念パーティーで挨拶し

1―対馬丸記念館は、一九四四年八月二十二日にアメリカの潜水艦ボーフィン号によって撃沈された学童疎開船対馬丸の犠牲者を鎮魂し、事件の歴史を継承するために、那覇市若狭に設立された博物館である（対馬丸記念館ＨＰ）。
2―大田昌秀知事：一九九〇年十二月十日～一九九八年十二月九日在職。
3―稲嶺恵一知事：一九九八年十二月十日～二〇〇六年十二月九日在職。稲嶺氏は、重田さんの著作の出版記念祝賀会で祝辞をのべている。
4―仲井眞弘多知事：二〇〇六年十二月十日～二〇一四年十二月九日在職。仲井眞氏も、出版記念祝賀会で祝辞を述べている。
5―翁長雄志知事：二〇一四年十二月十日～二〇一八年八月八日在職。
6―一般社団法人 城岳同窓会は、那覇高校とその前身である県立第二中学校卒業生の同窓会で、二〇二〇年に一一〇周年を迎える（城岳同窓会ＨＰ）。

た浦添工業高校の電子情報の担当者は、那覇高の同窓後輩でもあるからね。

琉大卒も三十人くらいいますよ。琉球大学の工学部の教授に、私の那覇高の同級生、屋良秀夫君がいて、彼はいつも、研究室を私のオフィスみたいに使わせてくれた。屋良先生の部屋で面接。ゼミの学生をね。それで毎年、琉大の学生がうちに入社しました

——ご自身の会社で働いてもらうためだけじゃなくて。


派遣。ＩＴ産業っていうのは、あの当時、コンピューターのメーカーにほとんど人を派遣しているの。派遣している人がノウハウをもって、請負で会社に戻ってきて、今度は業務請負になります。

当時、㈱富士通が伸び盛りで、沼津に工場を建設、そこで働く人が足りず、富士通の担当者から「重田さん、なんとか人を採ってきてくれないか」と要請され、沖縄で採用活動をしました。毎年、琉大からも採用し、後に沼津に事業所も設立しました。

2 沖縄に貢献し、ルーツを活用し、県の補助金はもらわない

私は沖縄の雇用に貢献し、沖縄県から補助金を一切貰っていませんでした。補助金受給

の条件のひとつには本社の県内登録があったのですが、私は沖縄に事業所設置はしたものの、本社登録は東京から移動しなかったのです。

今、本土の企業が沖縄で事業所を開いたらかなりの補助金が貰えます。場所によってはオフィス賃貸の補助も受けられる。沖縄県の企業誘致策[7]ですね。

3

「一周遅れの先頭ランナー」の自己肯定は危うい

沖縄から人を採って、飛行機代を払い、寮に入れて、給料を払いながら訓練してきて、そういう社員が辞表を出して、「沖縄に帰ります」と言うでしょう。「なんだ!」とか、「またか」というのもありますよ。沖縄にいる親が、会社を辞めたいと言う子どもに、「もうちょっと頑張って!」じゃなくて「よしよし、帰っておいで!」って言うからね。それから、本人が仕事で頑張りたくても、家の都合を優先するのが当然という価値観もあるの

7―沖縄県商工労働部は現在、「アジア展開に優れた国際物流ネットワーク」「経済特区における税制優遇」「同時被災リスクの低さ」「若い労働力で活気あふれる沖縄」をアピールし、企業立地を積極的に進めている(沖縄県庁HP『沖縄県立地ガイド二〇一九―二〇二〇』)。

若人よ北を目指せ！

（株）日本アドバンストシステム
社長　重田辰弥

昨秋、入社４年目の琉球大学電子情報学科卒のＴ君は度重なる慰留を振り切ってわが社を退社、故郷の沖縄に帰った。沖縄での次の就職先はまだ決まっていないという。Ｔ君は卒業時私が琉大に行き直接勧誘し採用した。入社後は技術計算部門に所属し仕事ぶりは水準以上の評価を得て幹部候補生としてその将来を大いに嘱望していただけに残念でならない。彼は家庭の事情で退社した。彼には重度身体障害の弟がおり、ご両親はこの弟君の看護問題を含め長男であるＴ君を何かと頼り、心優しい彼はこれに応えるべくわが社でのコンピュータ技術者としての有望な将来を捨て退社帰郷した。

数年前にもこれと似たようなケースがあった。県内のコンピュータ専門学校を首席で卒業し、応募した全ての会社を合格しわが社に入社したＮ君が５年目に同じく家庭の事情で退社すると言い出した。幸い彼の場合は沖縄事務所への転勤措置で退社することは防ぐことができた。彼の事情というのは妹の登校拒否だった。この問題の解決についてはご両親が20歳過ぎの長男であるＮ君を頼り、しきりに帰郷を望んだ。

今年に入って沖縄キリスト短大卒のＴさんと浦添工業情報技術科卒のＭさんが相次いで退社して沖縄に帰った。いずれも入社３年目で勤務ぶりは平均以上で真面目だった。Ｔさんはお母さんの病気看病、Ｍさんはご両親の不仲が退社の直接の理由だった。

わが社の社員２００人近くのうち約４割を県出身者が占めその定着率は他に比しても決して悪くない。また退社する者がすべてこのような事由ではないので厳密な統計的根拠を欠くが、幸いにわが社の半分は他府県出身者なので退社の態様を比較することができる。

そこで県出身者の就職や会社に対する考え方の傾向や特徴を述べ、希望を述べたい。最初に紹介したように沖縄出身の退社の理由は家族がらみが多い。その典型は家族の病気看護で対象は両親に限らず兄弟祖父母まで及ぶ。次に家族の不祥事で例えば先の例のように兄弟の非行や借金。また意外に多いのが両親の不仲や離婚がある。そして長男である場合には帰郷の要請はことさら強く、その現実的に果たす役割より単に家に居るだけでも可とするご両親、祖父母の考え方が一部にあるようだ。その際仕事があるかないかはさして問われない。働いて東京に居住するより無職でも沖縄の親の側にいることを望んでいるようにさえ見える。

14

琉球新報社『月刊琉球フォーラム』
vol. 4（1993年７月）より転載（「琉球新報」提供）

もちろん家庭的な理由による退社は他府県出身者にもあるが、沖縄出身者の比率は相対的に高い。かりに退社の真の理由が他にあるとしても県出身者は家族事由を退社の理由に挙げることが多く、そのことに「申し訳なさ」や「悪びれ」の要素が少なく、むしろ親のため家のためという大義と名分があり、そこに挫折感や敗北感は少ない。

県出身の若者の中にはなにがしか親の意に逆らって本土就職している者がいる。ところが誰でも経験することであるが、就職して3～4年も経てば後輩と上司、顧客と会社内部の狭間でさまざまな軋轢に会いストレスや挫折を味わい、ときに会社を辞めたくなる。実はこのような課題を経験、克服していくことが企業人としてのノウハウを蓄積し成長するチャンスなのだが、まさにこのとき親が叱咤激励するか、これ幸いと退社帰郷を勧めるかは若い人にとって大きな分岐点である。こういう時、沖縄の親の「だから言ったでしょ、早く辞めて帰って来なさい」というセリフによって多くの沖縄の若い人達が戦線を離脱した。会社内に多くの沖縄出身者がいる私は正直いってこのような意味での退社予備軍を大勢抱えているようではなはだ落ち着かない。

つまるところ沖縄の親や若者にとって会社や職業とは、組織体験をとおし課題達成能力を身につけ長期的にキャリアアップする場所ではなく、家族にいったん緩急あれば直ちに離脱可能な拘束性のない稼ぎの場であることが望ましい。実はこれを満たす格好の職場がいわゆる期間工だ。本土での自動車や電気メーカーでの期間工とは農閑期の中高年者が普通だが、沖縄出身は若い人が圧倒的に多い。本土では「いい若いものが臨時期間工を勤めていることは外聞が悪い」という思いがある。

沖縄でこのように組織内での達成感や成功体験が乏しい若い人達が次々と帰郷して単に層を形成しても目標達成を追及する機能組織の集合体である製造業の成功など極めて難しいだろう。下手をすると観光を売り物にする沖縄はどこぞポリネシア諸島の「ビーチボーイとホステスの島」のようになりかねない。

◇　　　　◇

「会社がそれほど立派なところか」という議論は別にして、職場における沖縄の若い人達の定着率の悪さを彼等の根性の無さや辛抱の悪さだけに帰すのは正確でない。他に社会的な要因があるように思う。沖縄はどうしてそうなのか？　いうまでもなくこの背景には会社より家族にウエートをおく価値観がある。横社会、縦社会論を持ち出すまでもなく私自身もこのことに関して身をもって感じたことがある。

わが社は社員の平均年齢が２６歳と若いためこれまで本土で２０回、沖縄で5回、社員の結婚式に出席したが、この時、際立った違いを経験した。本土での２０回の披露宴では私よりいかに年配で社会的な立場の方が出席していても常に社長である私が主賓のあいさつをさせられた。ところが沖縄では5回が5回とも私は常に４～５番目のスピーチで、それも決まって「職場代表」という呼名だった。そのたびに「なるほど俺は職場代表か」という奇妙な感慨を覚えたものだ。

沖縄での主賓は議員さんや村長さん、または一族中の名望家がこの役割を果たしている。新郎新婦当事者よりもご両親とのつながりのほうが重視され、ご両親から見れば息子の東京の勤務先の社長などはそんなポジショニングになるのだろう。沖縄では会社つまり職場のウエートは郷土社会や家族より明らかに低い。東京は逆に「会社人間」の弊害が叫ばれるように職場のウエートが高すぎるのだ。本土、より正確に表現すると東京、大阪の都市部では人生の最も大事な行事である結婚時に勤務する職場の長を立てることによって以後の自分の生活と生涯を勤務する職場に賭けることを宣言している。事実はそうでなくても建前としてはそのように表明する。沖縄は違

15

う。職場会社はいつでも代わりうる仮の在所であり地域と家族こそ最も大切という本音を出す。

この問題を悩ましくしているのは「会社人間の行き過ぎ」や「家族回帰」といった議論で、「沖縄１周遅れの先頭ランナー」の比喩でいわれる沖縄是認ないしは賛美論である。気を付けなければならないのはこの議論は世界でも有数の苛烈な近代化を果たしたヤマトの口吻であり、県出身の勤務実情はとてもこのような文学的表現に酔い痴れている余裕はないということである。まして他に言われるのならまだしも沖縄が自らこれを口にするのは極めて滑稽だ。

◇　　◇

いまビジネスマンの間で堺屋太一氏の著書「組織の盛衰」が盛んに読まれわが社でも部長間で回し読みしている。

組織には家族や地域社会のように成員の満足追求を目的とした「共同体」組織と、たとえば利潤追求を目指す企業組織のような目的達成を目指す「機能」組織に大きく二分される。これは社会学者のテニエスがゲマインシャフトとゲゼルシャフトの概念で説いた命題だ。堺屋氏はこの本で機能組織が滅ぶのは共同体化した時だという。つまり企業が利潤追及という目的より成員の居心地良さの追及に重点を置くときその機能組織は衰退するという。これは課題達成型と関係維持型という２つのリーダーシップスタイル論にもよく登場する命題だ。前者が課題達成の実現に執着するあまりついに成員間のチームワークを破壊する傾向を持っているのに対し、後者は成員に人望があり組織維持にたけるがその余り本来組織が担うべき目的をついに放棄するというトップから見たらまことに許し難い傾向を持っているというものだ。

この本の説く主旨から沖縄の特徴を理解するヒントは多い。たとえば共同体は成員間での評価や競争を嫌うという。これは沖縄にみられる特徴だ。沖縄は機能体である会社にも共同体の論理を求める。本来、機能体である会社が同族化により共同体化し、やがて危機に瀕するという。最近、怖いぐらい顕著な例を見ることができるではないか。戦後沖縄で共同体的しがらみを微塵も持たず機能体として論理を貫徹した他府県人が県内で会社を起こし成功した例は少なくない。復帰後進出してきた本土系の機能体企業に旧来の県内共同体企業が次々破れていくのはこの論でいえばむしろ当然かもしれない。

今後、沖縄が「歌と踊りと酒」の観光リゾートだけでなく産業立県を目指すなら若い時に目標設定、計画性、継続性、折衝力といった機能組織体に必要ないわば戦いに必要なノウハウを身につけて欲しい。それは場数を多く踏む以外ない。幸い我々が生まれ育った島の北方には今世紀稀有な組織能力に巧みで、世界に冠たる経済成長を実現した剽悍なヤマト民族がいる。ここを修練の道場とすべきだ。沖縄の若い人達にいいたい。故郷の温順な四季にまどろむには年老いてからでいい。蒼き狼みは寒風すさぶ北こそ似つかわしい。リゾート地というのは戦傷者がしばし療養し、老兵が隠居するところである。いい若いものがひたすらかじりつく所ではない。何事かといいたい。

◇　　◇

とはいえ私は何も沖縄がもつ共同体的やさしさを一様に攻撃するものではない。ただそれを機能組織体である会社に過度に求めたり持ち込んだりしてはならない。それは結局、組織を衰退させ、長い目で見て多くの成員を不幸にするだろう。その意味で百瀬恵夫明大教授の「沖縄は人にも組織にも優しいが、組織には厳しくある方がいい」という意見には大賛成だ。一つ表現に異を唱えるなら「沖縄は組織に優しいのではなく甘いのだ」といいたい。

琉球新報社『月刊琉球フォーラム』
vol.11・4（1993年7月）より転載

ね。優秀な、もうちょっと東京で頑張ったらいいのにという人たちも、家族に言われて沖縄に帰っていくというのがありましたね。

当時、沖縄のことを、「一周遅れの先頭ランナー」って言っていましたが、「企業よりも家族や地域を大事に」という価値観が高度経済成長時に出ていましたが、期せずして沖縄にはそういう価値観があったということですね。

なるほどという気もしましたが、沖縄の人が自分でそれを言って自己肯定をするとちょっと危ういですね。外から言われ、沖縄の良さに照らして自分自身を顧みてもらうのはいいのだけれど。

4 沖縄出身者の社内定着率

――さっき、定着率[8]の話をされていましたが、定着率が良いと言うのは、どういう状態ですか?

8――一定期間開始時点で雇用された従業員数を分母とし、一定期間を通して全日数残った従業員数を分子とする百分率。

創業直後に採った浦添工業高校の一期生、二期生がまだ残っているというのは、普通、ありえない。「沖縄出身者は五、六年したら、みんな辞めます」ってずっと言われています。我が社には琉球大学の工学部卒がいまだに二十人近くはいますね。このうちの七割くらいが沖縄出身ですね。沖縄出身者を同業者が採った場合、そんな定着性はない。いろんな原因があるけど、ひとつの要因は、うちは沖縄に事業所があって、沖縄の仕事をしているから。それから、上司が沖縄出身であるとかね。だから同業者と比較して、県出身者の定着性がいいですね。

それでも定着している人より辞めた人の方が多いのです。一番定着性がいいのは、琉球大学の電子工学と浦添工業高校卒ですね。名桜大学とか沖縄大学も、ゼロじゃないけれど三人しか残ってない。沖縄国際大学もね。

今、沖縄出身者というのは、会社に四十人くらいいるのかな。私が創業してから二〇〇人以上、採っていますから。半分以上は辞めていますね。社員の定着度は、業種によって違いますね。ＩＴ業界では、我が社は良い方か。そういうこともあり、琉球大学や沖国大で就職セミナー講演を何度か依頼され実施してきました。

5　「うちのOB」――「沖縄Uターン組」がネットワークを支える

　でもね、沖縄Uターン組は、沖縄に戻った後にすごく頑張っているメンバーが結構います。沖縄出身で、うちの会社に入って育って、辞めて沖縄に戻った人たちね。沖縄セルラーの部長になったり、名護市のITC担当になったり、県内コールセンターの管理職になったり、結構、沖縄県内のITの要所、要所は、うちのOBがいます。

辞めた社員を、「うちのOB」っておっしゃるのですね。

　それは、合併した会社の人にも言われました。創立記念のパーティーに、元社員が楽しそうな顔で集まってきて、「会長、会長!」ってね。「考えられない!」って言われたよ。「辞表を出して辞めていった人たちでしょう」。いや、別に喧嘩別れしたわけじゃないから(笑)。今でも、ばったり会うと「どうしてるの?」って聞くし、活躍していると嬉しいですね。とくにIT業界で活躍しているとね。もちろん、うちの会社にいたことだけが理由だとは思わないし、恩に着せたりはしないけど、「うちの会社で育った人だな!」って、私が心の中で思って、誇らしいね。もちろん、沖縄Uターン組は、辞められるときはいろいろ感じましたよ。

6 起業の意味——「出会いのステージをつくるため」

自分は、何のために会社をつくって経営してきたのかを、経営していたときも考えたし、今も考えますね。

私は、資産形成の欲が薄いのです。それもあって合併・承継するまではＩＰＯ（上場）が出来なかった。

それなら、何が最も自分にとって価値があるのかと考えていくと、〝人の出会いの場を作る〟ことなのかもしれない。私と誰かが出会うだけじゃなく、私の会社を通じて、それまで縁の無かった人たちどうしが出会い、繋がり、人生が続いていく。

社内結婚をして、子どもができて、その子どもが大学に入りましたとか。奥さんがわざわざ、事務所に訪ねて来て「会長は入社面接のとき、私にこういうことを聞いたのを覚えていますか？」とか。[9]

私の作った会社という場所を通じて人生が生まれていくのを見ていると、一種の感慨がありますね。

それをブログに書いたら、けっこう反応があって、元社員たちがまた連絡をしてきたりね。さっきの、訪ねて来てくれた奥さんの方は、那覇高の後輩ですよ。彼女は八重山ルーツで、「まさか大阪の男性と結婚するとは思わなかった」って。ご主人の方は、今、課長になっていて、「女房はもう、家で会長のことばっかり言ってます」と。

ブログを読んだと言って、元うちの専務で八十八歳になる人から、今日、メールが来て「いやぁ、良かったですね」って。天田さんという人。凄いでしょう。八十八歳で、今でもメールをやるし、私のブログをチェックしていますよ。一部上場会社で工場長まで務めた人で、六十歳を過ぎてからうちに来てくれて、自分よりも若い私を助けてくれたのです。私は、あの人がいたからこそ会社が続いたと思っている。いまだにね。

なんのために会社をやるのか。

上場っていうのもあるけれど、人と巡り合うために会社を作ったというのがありますね。様々な価値観があるけれど、自分の創業で組織をつくる意味は何かというと、〝出会いの場所をつくる〟こと。人の出会いのステージを作ることだったかと思いますね。

9―この女性が、「元社員コラム」に登場する松下令子さんである（83頁）。

7 幹部社員の多くは沖縄女性と社内婚

私の会社は、社内結婚が非常に多くてね。合併した会社からも、「重田さんのところは本当に社内結婚が多いですね」と言われました。

うちの幹部社員のほとんどは社内結婚で、その五割の奥さんが沖縄出身の女性なんです。「恵まれない本土の男性のために、私が、沖縄から女性たちを！」って言ったら大笑いされた。「それ、会社というより結婚紹介所ですね」って。冗談だけどね。合併先の会社には、「重田さんの会社には独特のものがありますね」って言われました。

8 職業人生のスタート――琉球新報社東京支社

――最初から、いつかは経営者になろうとか仕事はＩＴでやろうとか、思っておられましたか。

全然、そういうのではない。早稲田大学を卒業して、公務員試験を受けたら、中級は受かったけど上級公務員は不合格になったの。

文章を書くのが好きだったからジャーナリストを志望して、でも朝日新聞も落ちて（笑）。そしたら、早稲田大学の沖縄出身の友達が、「重田、一緒に琉球新報（東京支社）を受けよう」と言われ「えー、琉球新報？」って思ったけど、翌年、朝日新聞をまた受けるから、その予行演習だと思って受けたら、七十人か八十人いた合格者の中で一番だったというのを、琉球新報東京支社の奄美出身の営業部長が教えてくれた。作文試験が一番だったらしい。今でも覚えている、「県民性について論ぜよ」という作文課題でした。

入社一年後、沖縄本社への転勤を命ぜられた際、辞退して新報を辞めるって言った時に、その奄美出身の先輩部長が、「お前、同期入社試験で一番だったし、今の東京支社長もデスクも皆、君と同じ早稲田卒で、お前は必ず部長になれるから」と慰留されましたが、当時の私は新報の部長なんて全然興味なくてね。

9 沖縄への関心を通して「時代」が見えてくる

今でも覚えている、新報でのお仕事はありますか。

ありますよ。「わたしの四・二八」というインタビューの連載企画です。[10] 先輩に三木健さん[11]がいたときにやった仕事ですね。人選、インタビュー、写真撮影も、みんな私がやりました。

――人選はどういう基準でなさったのですか。

そのとき、時代を背負っている人たち。その人たちが、沖縄に対してどういう意識を持っているかということを、（紙面に）反映しようと思って。今思うと、いろんな凄い人に、自分で電話して、アポイントメントをとって取材に行っていたね。

――一番印象に残っている方はどなたですか。

手塚治虫さんですね（資料4）。私なんかは鉄腕アトムのイメージだけど、あんなに沖縄に関心を持っているとは思わなかったね。

――どうして手塚治虫さんを選んだのですか。

あのとき、漫画の世界では間違いなくナンバーワンだった。そういう人が、沖縄にどういう距離感、関心があるのかなと思って。時代。それが見えてくるの。我々は沖縄に属していたり、関わっていたりするのだけれど、本土の人はどれくらい沖縄に関心を持っているかということでね。

沖縄には帰りたくない[10]——琉球新報社の辞職

新報を辞めたのは、新報もタイムス[12]も、当時は、新入社員はみんな沖縄本社で研修を受けるのですが、一番大事なことは、新人は、新規購読者を確保しないといけない。他の新人は、入社のお礼に、十人とか二十人とか購読者を見つけているのに、当時の池宮城新報社長に、「重田君はひとりもとってきてないね。いっぺん本社に戻れ!」と。

私は「沖縄には戻りたくない。もう新報にいてもしようがない」と思いましたね。公務員試験は、中級は合格していたから、新報で働き始めた翌年もまた、いろんな役所から採用通知が来ていた。それで総理府の行政管理職というのを、よくわからないで選ん

10—「私の四・二八」は、一九六六年四月二十一日から二十六日まで琉球新報に掲載された連載で、取材対象者は神山政良（全国沖縄県人会連合会長）、野村泰治（ＮＨＫチーフ・アナウンサー）、木下順二（劇作家）、石野径一郎（作家）、宇野重吉（俳優）、望月優子（俳優）、手塚治虫（漫画家）、今村昌平（映画監督）であった。

11—三木健氏は、沖縄を代表するジャーナリスト、文化人のひとりである。著作に『沖縄・西表炭坑史』、『オキネシア文化論』、『空白の移民史——ニューカレドニアと沖縄』などがある。

12—沖縄県内で刊行されている二大地元紙が琉球新報と沖縄タイムスである。

で入った。三年は勤めたのですけど、上級職というのはまた落ちたわけ。上級職、通っていたら、ひょっとしたらそのまま、官庁にいたかもしれないよ。

公務員をしながら中央大学二部（夜間）に通って、司法試験を目指していたこともあるの。ところが学生運動で、中央大学が封鎖されてね。それに司法試験を目指している人は、四年、五年と浪人しているけれど、私にすれば当時、青春の、一番貴重な時に司法試験ばっかり目指しているというのは、生涯というスパンでライフ全体を見て、投資に合わないと思って止めたのです。

けっこう私、試験に落ちているの、大事なところで（笑）。惨憺たる、絢爛な、失敗の連続ね。この履歴を、全部、関東沖縄経営者協会の集まり、若手経営者の勉強会で公開するのです。若い人、いろんなところを落ちてきた人たちの励みになるから。〝挫折こそバネに！〟とね。もうひとつは、教員や公務員を目指してひたすら、二浪も三浪もするのは考えものだよというのを伝えたい。それもいいけど、唯一の道ではないと思うから。

11 自分よりできる人への「負け方」を知る

会社を経営していて、組織構築に最も必要な能力は、私の場合は、〝人から援助を受ける能力〟＝〝人から助けて貰う力〟だった。「援助なんか要らない！　俺は大丈夫だ！」っていうのは、エリートの人はよく、こうなってダメになっていくよね。

本当の力というのは、「人から助けてもらう力」です。「この人を助けてあげよう」と思われることですね。経営者だけじゃなくて、社員もそうです。優秀な社員ほど、「いいから、俺がやるから！」って、気がついたら部下が全部、潰されているっていうのがあった。そういう人は、つい、「なんだ、お前、この拙い仕事は！」と、パワハラ的な罵倒をする。ところが、私みたいに技術力がない経営者は、本音で、「これ、やってくれない？」。すると向こうも、「ああ、助けてやろう」と。それに、私はとにかくいっぱい、たっぷり試験に落ちているし失敗しているし、続かなかったことが多いし、自分よりできる人に対する負け方を知っているのです。これが強みですね。

自分の方が相手よりも出来ると思っている人には、この、本当の力がないのです。

12 時代と共鳴する——公務員を辞めてITビジネスへ

国家公務員をしていた時には、世界の動きと自分の生活とが、全く分離してしまっていた。ところが、東京・八重洲本社のコンサルタント会社に転職してからは、日々のニュースと自分の仕事がつながっている。時代と共鳴して、協調していく感じがあった。大変ではあったけど、面白かった。自分がすごく活動的になって、転職はよかったなと感じました。

そこでだんだん実績を積んで、営業課長を三年ぐらいやって、部長になりました。そしたら、社内でいろんなやっかみとかが出てきて、それならいっそ、もう自分でやっちゃおうと思って独立したのです。すると、「出資しましょう」「一緒にやりましょう」「事務所をタダでどうぞ！」「仕事を出しますよ」と、助けてくれる人が次々に出てきたのです。これは、自分が個人的にということだけではなくて、自分のやろうとしていることが時代に適っていると思ったね。今思うと本当にラッキーだったと痛感します。お陰で創業一年目から黒字経営を達成しました。

13 官公庁のＩＴ化を開拓する

――ビジネスコンサルタントの会社時代は、営業一本でしたか。

いいえ、最初は人材研修コンサルタント業務。そのコンサルタント会社が、コンピュータのシステム事業に進出する。そのときの営業は誰にするかというとき、私は手を挙げたのです。というのは、コンサルタントというものに私はちょっと疑問もあったので。システム事業部では営業して何かを売るっていうより、官庁の調査研究の受託をするんだね。ＩＴ化をこれから図っていく、その前段階だね。それからシステム構築を受託する。その会社の売り上げの六割から七割を私がとっていたから、達成感もあったね。

――コンサルタントよりも新しいＩＴ関係の仕事を受託されていく方がぴったりしたのですね。

そう。受託というより、開拓していくのです。農林省、建設省もＩＴがまだないから、これからどうするのか。私の業種は営業ですが、新しい分野の開拓でしたね。新しいＩＴをめぐる価値観を確立するための仕事。まさに時代はＩＴ黎明期です。当時のＩＴ市場は、民間企業より官庁での導入の黎明期でした。

14 プログラムを書けない重田が売り上げの七割をとる

――起業の前のことをお聞きしていいですか。重田さんの大学は文学部で、コンピュータと専門が違うのに、どうして売上が達成されたんですか。

ビジネス・コンサルティング社のＩＴ部門で、私はシステム営業部長になり、部門スタート時に部門売上げの七割を私が達成します。

どうしてかというと、このころは民間よりも行政、農林省、大蔵省等の行政機関が「ＩＴを使わないといけない」という機運だったのです。そこで私は、農林省の情報システムと、国鉄、今のＪＲの積算システムの受託に成功したのです。

これは、新聞記者の経験から、行政機関のどこを攻めるべきかというコツがわかっていたからだね。新報では東京で内閣府記者クラブにいたでしょう。その後に公務員をやって、行政監査などのしくみもわかるからね。

私は早稲田では文学部卒だから、ＩＴとは全然、分野は違う。当時、システムエンジニアというのはたいへんなエリートだから、〝なんで重田が営業を〟とＩＴエンジニアの社内同僚にずいぶん叩かれた。当時、システムエンジニア、プログラマーというのは特権的な技術者だったから、どこに行っても給料はもの凄く貰えるエリート層。ところが、プログラムを書けない重田が営業でお客さんを連れてくる。営業社員によくある、お客さんと、開発する技術者の板挟みになるパターンが見えてきたからね。だったら独立して自分でやって、自分の社員を育てようと思ったのです。

――結局、今に至るまで、プログラム、書けないのですか？

書けない。一度も書いたことないのです。

15 社内ベンチャー設立、スピンオンで起業

入社八年目に独立、起業しました。

設立の時、当時の社長から「重田君、独立していいよ。その代わりに資本金だけ、半分はうちが出すから」と言われました。あとで聞いたら、社長が「重田は営業力があるから、うちのお客さんを取って行くよ。資本金を出して系列会社にした方がいい」と言われたとのことでした。

一九七八年に、七人の仲間と資本金四〇〇万で、日本アドバンストシステム社（NAS）を創業しました。私は退職した会社から五十万の退職金をもらいましたが、これを全部、新会社に投資しました。自分の月給は七割に減りましたが、言い知れぬ解放感がありました。女房は、結婚四年目だったんだけど、非常に不安だったと思います。

16

「独立したら仕事を出すよ」——ラッキーなスタート

ラッキーなスタートでしたね。富士通、住友電工といった東証一部上場の企業が、「重田さん、独立したら仕事を出すよ」と言ってくれていたからね。こうした一部上場との直取引には業者登録というのがあり、いくつかの条件があり、容易ではなく、創業下請け会社は多く系列会社の二次、三次下請け受注取引になります。ところが当社は創業同時に直取引口座を開設頂きました。今思うと本当にラッキーでした。当時の住友電工の東大卒のエリート担当者がわざわざ三田の事務所に来られ「これだったらすぐ口座をつくりますよ、会社は説得しますから」と。通常独立したばかりの中小企業に、直接、口座をつくってくれるなんてことはあり得ない。一部上場企業の外注管理部門に直接、口座ができたということは、日本の下請け構造では異例だったのでは。これもあれも皆、以前の私の勤務先のお客さんで、信頼があったからでは。富士通の外注担当者からは「重田さん、一年ほど子会社を通して取引した後に直口座を開設しますから」と言われ、一年後に直口座を開設頂きました。

あとで話しますが、逆に私が社長を辞めたのは、この富士通、住電、TIS[13]というNAS創立期の「御三家」の、会社全体に占める売り上げが半分を切った時だったね。重田ビジネスモデルの終焉ですね。退任の潮時を自覚することが大事ですね。

17 起業に追い風が吹く

独立するとき、何人か、元の会社から、「一緒にやりましょう」と、ついて来てくれた人たちがいた。

「出資しますよ」という人たちがいた。その中に銀座のママさんもいてね。あの人達は、お客さんからお金をとる人たちなんだけどね。これは自慢ですよ（笑）。

事務所をタダで貸すっていう人もいてね。創業から三年間、事務所はタダですからね。前の会社の時のつきあいですね。創業コストが切り下げられて、初年度から黒字だったの。今でも三田にあるマンション。七人で十七坪、ここをタダでね。左側に慶應大学がある「三田通り」ですが、今でもここを通るたびに、涙が出ますね。

13――一九七一年創業。ＮＡＳ創業当時は（株）東洋情報システム。

18 仲間意識の陰

創業三年目に、初めて三人、新人を採ったの。東海、日大、東洋大学。このうちのひとりは、今、合併した会社の役員で、奥さんは私が採用した浦添工業高卒の沖縄出身者です。

創業時、初めての新採用に、親会社から独立の時についてきた人たちは、反対だった。「なんで我々が稼いだ金から彼らの給料を出すのですか」と。これが非常に大事なところですね。実際に、一緒に会社を始めた人たちは、五年後にはひとりを除いて全て辞めました。こういう、前の会社からついてきて一緒に創業した社員を、私は舎弟《しゃてい》（兄弟）社員っていうんです。舎弟というのはやくざの言葉で、兄弟という意味ね。こういう人たちがいる間に、日本の企業は、とくにプロパーの、生え抜きが何人育つかが大事ですね。

独立創業は、「ひとりではできないから皆で」ではなく、「ひとりでもできる人が何人か集まってやる」のがいいのです。しかし、企業舎弟は難しい。私の舎弟社員六人は次々に辞めていった。「重田さんは仲間だと思っていたのに、給与もボーナスも全部、重田さんが決めるのですか」と。グループ意識からマネジメント意識への変換が迫られるのです。

19

危機を生き残る——唯一の赤字は中国進出

オイルショックの時期に、同業者の五割くらいは潰れました。なぜ我が社が生き残ったのかというと、規模も売上げも大したことはないけれど、取引先の三菱銀行が評価してくれて、理由は「売上げが下がっても黒字であること。赤字の時の原因の説明がきちっとしていて、翌年には回復したこと」でした。

——一回だけ赤字の時は、どういう説明をされましたか。

これは中国進出ね。対中国ビジネス、責任者が重圧を感じて倒れてしまった。クレジット・システムの中国開発業務。なぜ中国かというと、我が社は、多い時には二十人前後の中国人社員がいました。皆さん技術は優秀で、委託開発の追加予算を要求してきましたが、追加予算供給がなければ、作成プログラムやドキュメンテーションなどを人質同様に提出拒否、あたかも脅迫でした。

それはもちろん、こっちも発注体制が甘かったのですよ。日本の場合は「なあ、なあ、まぁこっちも頑張ります」みたいになるんだけど。うちの社員も四人くらい北京に常駐して、結果的には全部納品するんだけど、この結果、先方の言うなりに支払った結果、受託業務は赤字でした。発注顧客からは評価されるんですけどね。中国は、個々人とのつきあいはいいのですが、組織とのつきあいの難しさを痛感しました。

20 減給しても辞職が出ない——痛みを分かち合う文化

バブル崩壊期には、三年連続で売り上げが下がりました。同業者がどんどん潰れる中で、うちは、売上げは下がったものの何とか黒字を維持し、それが銀行からすごく評価されたようです。

我が社は守りに強く、健全な財務体制。守りに強いということはどういうことかというと、会社に、痛みを分かち合うカルチャーがある。エンゲージメント風土の育成ですね。社内でね。給料を下げても社員は辞めなかったんですよ。

逆に会社の短所は、付加価値が低く価格交渉力が低い。独自製品をつくる技術力が低く、選択と集中が弱いことですね。

関東沖縄経営者協会では、こういうことを、若い創業者のために講演しています。自分なりに自分の会社の弱点も押さえてということを伝えていくことです。

21 会社が「県人会」のようになる――機能体から共同体への傾斜

でもね、守りに強くても、お互いを守り合っているだけではダメですね。〝和して滅ぶ〟ということになります。

同じ会社をずっとやっていると、組織が機能体から共同体へ傾斜していく傾向があるのですね。県人会みたいになっちゃう。ずっとやってきたとおりにやろうとする。手続きに拘泥する。「私は聞いていません」とか、手続きばかりにこだわっていると、機能が落ちてくるのです。

22 毎週、全社員にメッセージを発信する

事業所、大阪も沖縄もあったから、それらに向けて、毎週月曜日に、マンデーモーニングメッセージというのを発信した。それを書くことで、自分が鍛えられたね。会社を次の人に譲ったら、「重田さん、よく毎週、何十年も、マンデーモーニング、書いていましたね」と、毎週の発信義務に音をあげていました。

私だってそんな、すらすらと書いてきてないよ。日曜日、家でテレビを観ていたら、女房が、「あなた、マンデーメッセージ、もう書いたの?」と(笑)。創業からずっと、月曜朝礼というのがあるからね。ネットのない時代は紙の社内報で、その後はネットで発信するようになった。これは、インターネットに先立つ〝イントラネット〟ですね。このイントラネットが後の私のブログ発信につながります。

組織が五十人までだったら、にっこり笑って、ぽん！ と肩をたたく〝ニコポン経営〟の、フェイス・トゥ・フェイスの関係でやっていけるけど、一〇〇人規模になると、人を介して人を使う。そこに中間管理者が必要になってくる。さらに二〇〇人になるとビジョン、抽象力がパワーを持たなければならない。経営者には、発信力が必要です。

23 会社のステージに応じて社長も変化しなければならない

創業のとき、安定期のとき。自分の会社がどのステージにいるのか、そして、攻めに強いのか、守りに強いのかというのも考えたいですね。守りに強いというのは、決して消極的だという意味ではなくて、貧しさを分かち合うことができること。エンゲージメントですね。給料を下げますと言ったら、「じゃあ私は辞めます」っていうのは、外資系なんかに多いよね。攻めに強い体質を意識的につくっていくのは外資やベンチャーですね。

会社が成長期にあるか安定期にあるかによって、人材育成と配置も変わらなければならないし、社長自身も変わっていかなければならないね。もし「社長自身が変わらなければ、社長そのものが代わる」。自己変革ができるか、人事異動によって動くことになるかです。

経営で嬉しかったのは、最初に業務受注が出来た時。次につながる手ごたえがあったね。

そして、自分の創った会社で出会った若い人どうしが結婚して子どもができて、その子が大学へ入って、また社会人になっていって、人生が続いていく、その最初のきっかけになる出会いの場を作れたと思ったとき。

悲しかったのは、最初に辞表を受け取ったとき。「辞めます」といった社員と対面したとき。社長としての自分が全面否定されたような気になりました。更に、最初の赤字が出たとき。

また、後輩に追い抜かれたとき。私よりも若くして会社を作り伸びていく様子に、驚いたことがありますね。

元社員・Kさん……………………（沖縄）[14]

僕はバブル期、一九八七年に専門学校を出て、何社か受けた中にNASがありました。創立から十期目で、社員が一〇〇人くらいになった頃でした。IT系人材の採用が難しい時期なんですが、僕の同期の半数以上が沖縄から上京していました。二十五年が過ぎて、NASに残った同期はふたりくらいだったと思います。僕は、しぶとく最後の最後まで残っていましたね（笑）。

中学生の頃からマイコンが好きでマイコン雑誌を購入してプログラミングしてゲームを作っていました。将来はコンピュータで仕事をしたいと考えていましたね。でもコンピュータ業界がどのようなものかは全く知りませんでした。

当時のNASは全くの独立系であり、大手の下請けではないベンチャー的な雰囲気が魅力でした。社会をあまり知らない当時の私は、NASに対して自由度が高そうだと思いました。大手のメーカーも何社か受けたんですが、役員さんがずらっといて、なんか堅苦しい。僕は、好きなことをやりたい。縛られたくない。二十一歳でした。

重田さんとは、面接で初めて会いました。ちょうど、僕の今くらいの年齢だったと思います。四十五歳くらい。とにかくITのことはあまり知らない（笑）。でも、すごく人を引き付ける方だと感じました。（IT会社の）社長は、普通は、カリスマ的な技術屋さんが多いと思います。重田さんは、文学に関してたいへんな知識があって、引用する話が尽きないんです。

僕は長男だし、もともと沖縄を離れる気はなかったです。少しの間、東京で力をつけて沖縄へ、まぁ二、三年だなと思っていたんですが、県外生活はあっという間に三十年にもなりました。結局、僕は、県外ではNAS以外の会社で働いたことはありません。

上京して感じたことは、東京の様々な刺激と多様性でした。TVで見た景色がリアルに存在することに驚き、情報の多さにも目が回るようでした。それでも若さで順応したのだと思います。

僕は最初、東洋情報システム（現TIS）に三、四年、出向しました。そこは、とてもいい雰囲気の良い企業で、ITで働くビジネスモデルを学んだと思います。日本のITは人材を企業に提供するビジネスモデルが主流でしたがNASもその流れに乗っていました。自社製品の開発もやっていて、それなりに売れていたようです。僕は、システム開発をする仕事のノウハウを数年間学んだと思います。この経験は名古屋事業所を立ち上げるために大変役立ちました。

14—二〇一八年七月四日、那覇市の飲食店でインタビュー（当時五十一歳）。

時々、沖縄に出張して、学生の面接をしました。学生を採用する難しさが身に沁みました。重田さんが沖縄で採用した学生たちを垣間見ると、僕の採用する能力は重田さんの足元にも及ばないことに気づかされました。しかし、僕が採用した社員は、八割はNASに残ってくれていたと思います（笑）。本社で採用した沖縄出身の方はしばらく働いてやめるケースが目立ちました。そこで、私は本土出身の学生を中心に採用しました。

重田さんは、社員に対して折に触れて組織論を語っていました。私も新幹線で同席したとき、二時間くらい組織はどうあるべきかレクチャーを受けました。単に利益のみを追求する組織ではなく今でいうWin-Winの組織について話していたのだと思います

重田さんは、会社を大きくすることに重きを置くよりも、人と人を繋ぐことに力を注いだのではと思います。バブル崩壊とリーマンショックを迎えても会社が耐えられたのは、重田さんの人柄でないかと振り返ることができます。

社員に重田さんが発信するマンデーモーニングメッセージ。ITのことは言わないんですよ。ものの考え方、具体的に様々な方の経験を紹介し、ご自身の情報を常に社員へ共有して頂きました。その陰には重田さんの人望に惚れた右腕の方々がいらっしゃいました。

重田さんは、WUB東京の会長をされていたと思います。会社以外の組織でも多くの

人脈をもっておられていて、著名な方々とのつながりに驚くことがありました。僕は、重田さんからも、東京の情報量の多さと同様に、多くの刺激を受けていたと思います。

僕は、ＮＡＳが吸収合併された後、七年はそのまま勤めましたが、家族の事情で会社を辞めて沖縄に戻ることになりました。上場会社になって、給料は上がったんですが、私には合わない面もあったと思います。私には大きな企業は根を張ることが性に合わないのかもしれません（笑）。

帰ってきたら、沖縄がすごく変わっていました。三十年前、本土から進出した企業なんかほとんどなかったのに、今はいくらでもあります。

沖縄に戻ると、少しの間だけ帰省するときとは違い、いろいろ見えてくるものがありました。自分自身、少し生意気と思いますが、「なぜ沖縄は自立できないのかな」「補助金から脱したビジネスモデルはないのか」自分に何ができると思いませんが、三十年前よりも少し大人になった自分で何かできないかなと考えています。

思うのですが、人並みですが企業は人ありきだと思います。組織の長の考えで組織はその様相を呈すると学びました。ＮＡＳで働いた時間はそれを感じさせてくれるものでした。利益を追求するビジネスには限界があると思います。でも人とのかかわりには限界はないし、それがとても面白い。

重田さんが面白い逸話を話されたことを覚えています。ある沖縄の経済界の著名なかたがこういったそうです。「重田さんの会社は三〇〇億の売り上げあるからすごいだのなんだの……」と。重田さんは心の中で（三十憶なのだけど）と思っていましたが、話の流れで打ち消さずそのまま会話を続けたようです。この話は何年たっても忘れません。おそらく周りの方々もNASを大きく評価している方々は少なくないと思います。重田さんの行動や人望で実際そう見えているのかもしれません。実際の売り上げが想像よりも低くても、それだけの企業価値を持った魅力のある方だと、多くの方が重田さんを評価されていることを感じます。

社長業は、とても大変な責任の仕事です。特に独立系企業にとって生き残ることは大変厳しいものです。独立系の社長は本人以外に頼るものがほぼ無いといっても過言ではありません。その状況で社員はもとより、社員の家族を支える必要があるのです。NAS設立時に立ち上げた多くのソフト会社はバブル崩壊やリーマンショック後その数を減らしてゆきました。NASはこれらの荒波も乗り越えた貴重な経験を持った企業だったと思います。創業者である重田さんは御年八十歳になり、大腸ガンを克服しストーマでありながら講演に飛び回り、ブログで情報を発信し続けています。これは本当にすごいことです。私はまだまだ重田さんには及びませんが、その精神を学ばせていただきながら、自分がこれからも成長できれば幸せではないかなと思っております。

重田社長どうぞいつまでもお元気でご活躍されますように！

column

元社員・松下令子さん……（大阪）[15]

私は、一九六四年に糸満で生まれました。七歳の時に那覇に移って地元の小・中学校と那覇高、短大を出て、ワープロの授業が面白かったからコンピュータと勘違いして、コンピュータの専門学校に進みました。就活は、兄が東京にいたから、そこに泊まって就活、「やったー東京、行ける！」って行ったんです。でもずっといるつもりはなくて。NASは沖縄事業所があるから、何年か東京にいて、沖縄に帰って来られると思ったんですよ。結局、一度も沖縄事業所には勤めずじまいでした。あるとき、帰省した際に差し入れ持って行って、ちょっと喋っていたら、その間に車をレッカーで持っていかれました（笑）。NASでの勤務は、江戸川区の小岩寮、横浜と、一九八七年の入社から三年間、関東にいて、結婚と同時に大阪事業所に転勤し、子育てしながら勤続十七年も働かせて頂きました。結婚してからずっと大阪に住んでいて、今はITとは別の業種で営

15——二〇一八年六月九日、大阪府内の公共施設ロビーでインタビュー（当時五十四歳）。

業をしています。子どもは三人、一番上の子は二十六歳です。

重田さんと初めて会ったのは、会社の合同説明会でした。たくさんブースが並んでいて、重田さんは自社のブースに座ってて、「いろいろ、よその会社もたくさん見てきなさいよ」って。話しやすい、取り込もうとしない、広やかな感じ。まさか一番偉い人とは思わなかった。面接で、「あの人、社長やったんや!」(笑)。

結婚するきっかけは、創立十周年記念パーティーです。各部署からパーティーの幹事として集まりました。楽しく盛り上げようって、幹事チームで協力してるうちに、仲良しになりました。

育休、三回とって、復帰するごとに会社の広報になって、役に立ったのかと(笑)。

重田さんと、「会社、辞めるなよ」「ぜったい辞めません」。何回か、やりとりしました。でも長女が小五のとき、子育てがたいへんになってきて、子どもが自分とのスキンシップを求めているんだな、でも満たされなくて苦しんでいるんだなというのを感じることが起こって、このままではいけないと悩んだ末に、上司に相談しました。それがすごく伝わったのか、「もう、明日から辞めなさい」と返事が返ってきて、さすがにそうもいかないので切りがよいところまで働いたのですが、社長との辞めない約束は果たせなくなりました。

重田社長は、私にとっては、いつも普通に話しやすい人で、社長だからって妙な緊張をしたことがないんです。一度、社員旅行の出発の時に、バスに乗り込んですぐ、急に重田社長が、「なんかお腹減ったな、おにぎりないか?」と私に聞いてきて、「はいはい、ありますよー、おにぎり山!」とスナックの袋を差し出して、「それはおやつだろうが」「おにぎりですよ一応」とか言い合っていたら、あとで上司に、「お前だけだ」「は?」「あんなことを(社長に)言えるのはお前だけだ」と、低い声で言われたことがあります。でもあの会社は、基本、みんな重田社長のことが好きで、みんなでいるのが楽しい、会社なんだけど会社じゃないみたいな会社だったと思う。

東京で働いている間も、大阪に移ってからも、沖縄県人会とか、沖縄系の集まりに行ったことはないです。行きたいとも思わなかったです。それは、会社の中に沖縄の人がいっぱいいるから。沖縄、足りてました(笑)。

私は、仕事そのものは苦手です(笑)。でも、職場をこういう感じに(明るい雰囲気に)するのが自分の仕事だと思ってる。今も、どうしようノルマ達成できないって悩んでいる後輩に、(その子より私の方が実は成績が悪いんだけど(爆笑))とにかく気持ちを楽にして、一緒に進んでいってます。

contribution

重田辰弥さん寄稿――社長辞任について[16]

株式会社　日本アドバンストシステム取締役会御中

私こと重田辰弥は今第二十六決算期をもって、(株) 日本アドバンストシステム社長を辞任したいと思います。

一、その第一の理由は創業以来の黒字経営を今期初めて事実上の赤字にした責任です。原因は様々挙げられますが、第一の原因は人事登用の誤りと結果を軌道修正する組織的構築ができなかった点です。

二、第二の理由は組織の若返りによる当社のビジネスモデルの変換を促すためです。前々期以来ビジネスモデルと収益構造の変換を目指し、いくつかの目標を掲げましたが、その実現以前に上記の赤字プロジェクトを発生させました。

理由は私の力量の限界と共に、当社の主要取引先が独立前の私の担当顧客であり、経営ボードを預かる主要幹部が私との個人的紐帯を中心にするため、市場の変化に相応できない旧態依然のマンネリ状況が定着していたと思います。

事態を脱皮するには思い切った経営陣の若返りを図り、人材の登用を図る必要があると考えました。幸い当社には生え抜きの志高い若手が育っており、そうした人材にチャンスを与えるべき時期に来たと考えます。

三、第三には昨今、スケジュール忘れや人の名前がとっさに思い出せない、疲れやすくなったなどの身体上の個人的理由です。厳しくなったSIer市場を乗り切り、新たな展望を切り開くには健康で清新気鋭の若手の人材登用で挑戦する必要があると考えました。

四、しかしながら、役員経験も浅い若手幹部にいきなり経営の全責任を負わすのは過大な負担となり、せっかくの意欲と才能を挫く可能性がないとは限りませんので、古参幹部社員や地方事業所の管理、財務・資金決済等の業務等の掌握は代表取締役会長として留任、新社長を補佐しつつ経営全般の権限と責務を漸次委譲していきたいと思います。

五、なお、経営責任として社長辞任とともに自ら減給処分に処したいと思います。また、目下当社にとって喫緊のCCプロジェクトについてはそのまま収束まで責任をもって

16―この一文は、重田さんが二〇〇六年にNASの社長を自ら辞任するにあたって、取締役会に宛てて記したものである。

フォローする所存です。
その他詳細な役割分担及び組織改変等については新社長の意向を十分尊重しながら、よく話し合って漸次委譲していきたいと思います。よろしく御諒承ください。

平成十六年九月七日　代表取締役社長

contribution

重田辰弥さん寄稿――経営と人材採用のリスク

私はしばしば「三十年継続の黒字、経営者として成功したでしょう」と言われますが、これまで余り話してはいませんが、三十年間の会社経営では事故死、顧客コンピュータの不正使用、窃盗、駆け落ち等々社員による事故、不祥事がありました。

創業四年目の事務所の盗難被害では社員による犯罪ではないかという警察捜査、数件の出資、貸付による総額五〇〇〇万円を超える損害、東証一部企業管理職キャリアの高齢者の中途採用、退職に伴う二〇〇〇万円の不払い超過勤務請求訴訟。本件は弁護士を一切雇わず、私自身が東京労働局紛争委員会による調停不成立から地裁審判まで総てひとりで対応しました。結果三〇〇万円の調停合意で決着しましたが、この案件は後に東京大学法務研究所から事例調査を受けました。

また、社員が官庁からの受託案件を自宅マシンで開発したことにより、情報が外部に流失し、情報保守体制が不十分として、取引停止とそれに伴い霞が関の警視庁本部に呼び出され、釈明覚書に署名させられました。この霞が関の警視庁本部への召喚は早大授業料闘争での逮捕、釈放の時以来、生涯二度目でした。

会社経営で起こったこうした事故、不祥事の対処について忠言サポート頂いたのが、私より先輩の東証一部会社管理職歴の専務でした。会社経営の難所を乗り切るにはこうしたサポート補助のNO2の確保と〃助けて貰う力〃が必要ということです。

これ以外に三十年の会社経営中、最も記憶に残っているは創業から二十年間いた田町の「アネックス三田」ビルへの警察の捜査です。創業四年目の一九八一年にワンフロア四十坪のアネックス三田ビルの四階に引っ越し、以来二十年目には九階建ての同ビル五フロアーを賃借するまでに成長します。このビル入居成長中には沖縄の新聞テレビなどのマスコミから何度か取材を受けました。

一九八二年、当時〃鉄の女〃と呼ばれた英国サッチャー首相の来日の際、慶應大学への訪問も予定されていたようです。田町の慶應大学の三田キャンパス東門には現在高壮な「東門アーケード」が聳えていますが、当時ここは三田通に面する登坂門でした。

実はこの慶應大三田の東門正面向かいに㈱日本アドバンスシステムが入居していたのが「アネックス三田ビル」で、私の社長室からも東門が眺望出来ました。

このことで後に私は驚愕する事実を知りました。私は直接警察からの問い合わせや捜索は受けなかったのですが、なんと私の事務所で使用破棄した文書類が密かに警察に招集され徹底分析されていたとのことです。この頃はまだシュレッダーがそれほど普及しておらず、使用した文書類はゴミ箱に捨て、ビル管理者に処分委託していたのです。警察の捜査理由はサッチャー首相の訪問安全に備え、慶應大東門近隣ビルの入居者を事前に徹底的に調べていたようです。正面向かいのビル入居会社ＴＯＰが革マル中枢だった早大一文出身の逮捕歴者だったことを警察が懸念・疑惑したようです。

私は早大一文出身とはいえ、革マル派でもなく、過激な程学生運動もしていなかったのですが大浜総長時の学費値上げ反対闘争で大学本部に泊り込み、不退去命令違反で逮捕され留置された時、顔写真と指紋採取されました。恐らくこうした資料が警察に保管されていたのでは？　この捜査事実を知った経緯は関係者に迷惑が及ぶので私はこれまで一切公表していませんでした。

私のこうした経験から、会社経営と人材採用にはこのようなリスクとそれに対する的確な対応策が必要なことを、これから創業を目指す後輩に伝えたいと思います。

第3章

在琉奄美人の決断

（2016年9月24日インタビュー）

琉球大学を辞めて早稲田大学へ

1 「君は本籍が奄美大島だから」／差別された意識はない

沖縄におられる頃、一九五三年の奄美の本土復帰したときは、どんな感じがしましたか。

それは感慨というかね。それはやっぱり。

うれしさ？

そう、奄美復帰の報道を聞き「島が本土復帰したぞ！」という父の叫びに母も喜び、家中で喜んだのを覚えています。

本土への渡航を密航として禁じられていた奄美の人たちは、この日本復帰により、本土渡航の自由を得たと喜びに湧き立ち、どんどん奄美へ、あるいは本土へ帰っていきましたからね。奄美出身の私の同級生も何人か帰りました。私たち家族も、渡航費などの経済事情が解決すればいずれ帰ろうと思っていました。

奄美出身の人たちに対する壁のようなものを、ご自身で感じられたのはいつですか。

それは、奄美出身者は、当時の国費制度による留学も米留[1]も受けられないし、琉大を卒業しても教員、公務員にはなれないと思っていました。
勿論、沖縄の人と結婚したり、本籍を転籍したりすれば、沖縄出身と同じ扱いが受けられたようですが、資産規模とかいろいろハードルが高かったようです。そうした条件、ハードルは別として、両親も私も、いずれ奄美、本土へ帰ろうと思っていました。

——じゃあ(「壁のようなもの」を感じたのは)琉大に入られてから。

いや、入る前。本土の大学に行くのに国費留学を受けようと思って、「いや、君は本籍が奄美大島だから」と。でもね、自分でチャレンジすればいいんだと思ったし、国費は受けても受かる自信もなかったし、私自身は、全然、被差別の意識はなかったね。琉大に行っても、両親もそうで、いずれは引き揚げると。全然、沖縄で一生過ごすというのはみじんもなくてね、いずれは辰弥によってみんな引き揚げるという意識だった。長男としての私の責任意識でしたね。私たち、奄美の子どもたちは「親は帰るところではなく、呼び

1——戦後の沖縄における高等教育は、本土とアメリカへの留学生の派遣から始まった。一九四五年、民間資金によって五人の学生がハワイに留学した。翌年から、本土とアメリカに、相当数の学生を派遣する制度が実施された。本土への留学制度は、一九五三年以降、文部省による国費沖縄学生招致制度に切り替えられて復帰後も継続し、米国留学制度も復帰直前まで継続された(文部科学省HP「沖縄の教育」)。

寄せるもの」という責務意識でした。

のちに私は、沖縄から妹、弟、両親を呼び寄せました。これは私だけでなく、同世代の知人たちも何人か、移住した関西や関東に故郷の奄美や沖縄から両親を呼び寄せて、同居や介護をしています。

2 在琉許可の「琉」は、琉球の「琉」

「在琉奄美人」といいました。琉球にいる奄美の人をね。

一九五三年に奄美大島が本土復帰して、一九七二年に沖縄が本土復帰するまでの十九年の間に、沖縄にいた奄美大島の人たちがどういう思いをしていたか、沖縄の人たちはあまり知らない。納税義務はあるのに参政権がない。公務員や教員になれない。国費留学も資格がない。

一九五三年に沖縄から第一回の国費留学が始まりましたが、合格者の三分の一は奄美大島だった。しかし、この年に奄美が日本に復帰したので、奄美本籍の学生は全部、国費留学を取り消されたのです。恐らくこの国費合格を取り消された奄美出身者は、挫折感よりも、本土大学受験資格取得の開放感があったのではないか。また、このとき琉球大学に在学していた人たちは、無試験で本土の大学に転校できたみたいね。こういうのを、沖縄の人たちはあまり知らないようです。皆、私がこの話すと「ええ！」って言ってね。

私は、奄美の人が持たないといけなかった在琉許可証[2]を、まだ保存しています。そこには「本証明書に該当する者は、日本人であることを証明する。有効期限を二年とする。那覇日本政府南方連絡事務所長」と。奄美大島の人たちは、この手帳を持っていなければ奄美に送還された。在琉許可書。「在琉」の琉は「琉球」の琉ですね。

3 籍が同じじゃないとダメっていうのが差別なんだよ

私は琉球大学を除籍されましたが、その要因は出席不足です。授業料も滞納したので。当時の首里琉大キャンパスの「志喜屋図書館」で本土大学への受験勉強ばかりしていたから（笑）。

2—正確には「在留許可証明書」であるが、ここで「琉」という文字が用いられていることはきわめて重要である。沖縄奄美連合会も、「在留申請」ではなく「在琉申請」という用法をしている（沖縄奄美連合会二〇一三：六十七）。

あの頃は、沖縄は日本復帰の見込みがなかった。むしろグアムみたいに信託統治領として、日本とはずっと切り離され続けるという予想があった。琉大を卒業しても、日本では大学とは認められない。一種の、特殊専門学校としか見なされない。文部省管轄でもないし。当時私は、琉大卒の限界を感じていました。

奄美大島出身で、沖縄で公務員になっている人は、どうしたかというと、本籍を転籍し[3]たのです。いろいろな制約があり、例えば交通違反をしていたら転籍できないとか一定額以上の預貯金証明とか。沖縄の友達に言われたのは、「重田、僕たちはお前を差別してないよ!」と。「いや、君らがどうこうとは言ってない。こういう制度があったという話をしているのだ。君らに差別意識がなくてもね」と。「あぁそうか? だったら君が本籍を移せばいいじゃないか」でも私の両親にはそういう転籍の意思はないし、私自身も全然、そうしようとは思わなかった。

籍が同じじゃないとダメっていうのは、そういうのを差別っていうんだよ。

4 必ずしも被害じゃない/「追放」であることには間違いない

私は琉大を辞めた。

でも当時の在琉奄美人の全てがそうじゃない。奄美大島出身者で、本籍を移したり、沖縄の人と結婚したりして、ちゃんと沖縄でやっていった人もいる。「公職追放」された奄美出身者もいる。当時の初代琉球銀行の池畑嶺里総裁、初代琉球開発金融公社の宝村信雄総裁、琉球電力公社の屋田甚助総裁、初代文教局長の奥田愛正氏などは皆、奄美出身者でした。

なぜかというと、当時の奄美大島出身者は、ペーパーテストに強かったのではないか。受験勉強、立身出世意欲など、当時の沖縄はそうした価値観が奄美に比べて薄かったのではないか。学力志向の価値観の違いがあったと思う。

奄美復帰に伴って「公職追放」された奄美出身者は[4]、被害意識より、本土渡航の自由権を確保できたことを喜んだのではないか。鹿児島や本土に活躍の場が広がるからね。それ

3―沖縄に先立って奄美大島が本土復帰したため、奄美籍者は「非琉球人」とされ、奄美を含む日本本土への送還計画さえ立案された（土井二〇一九a、b）。奄美籍者の中には、沖縄で生活を続けるために籍を変更する、転籍を行う人びともいた。

4―奄美復帰の三カ月前時点で、在沖奄美籍公務員三九〇人のうち転出希望は三三三（うち三分の一は奄美、三分の二は本土を希望）、琉球残留希望は三十八、態度不詳は十九人であった（川手二〇一二：二九六）。転出希望者の多くは、日本政府によって公務員の身分の引継ぎがなされた。奄美復帰時、本土の官公庁に斡旋されないまま沖縄に残留した五～六十人がどうなったのかは不明（同上：三〇一）。

まで、この人たちは鹿児島にも大阪にも行けなかった。下手に行くと密航になるからね。もともと、そういうキャリアの人たちは、本土で自分を実現したかったのでしょう。[5]何よりもこの奄美出身エリートの下にいた沖縄出身ナンバーツーは、奄美人がいなくなって昇進し、みな、喜んだのではないか。

「追放」と言うけど、この人たちは被害者意識じゃなくて、ラッキーと思って本土に行ったと思います。沖縄県内でトップに立つよりも、大阪、鹿児島、本土に行こうって望んでいたのでは。そういう人が、半分くらいはいた。必ずしも被害じゃなかった。でも、「追放」であることは間違いないですね。

泉有平さん[6]は沖縄に残った。でも、副主席は辞めているね。

泉さんの息子さんが、当時、琉大の農学部長だったから、私が琉大に合格した時、父親に「辰弥くん、法政学科現役一番ですよ」と伝えてくれて、それを聞いた父の喜びと自慢の笑顔が忘れられません。

5 私が一番になるような大学は、私には要らない

それを聞いた瞬間、私が何を思ったかというと、だったら俺、琉大をやめて他の大学を受けても受かるかなと。

――全然、喜んでいませんね。

5―琉球銀行の初代総裁であった池畑嶺里は、奄美の本土復帰後に沖縄から東京に移動し、日本団体生命保健会社で取締役まで務めた。奄美復帰による「公職追放」によって、結果としてキャリアを上昇させた例と言えるだろう。池畑は奄美大島で出生し、上京して東京市立商業学校、東京巣鴨高等商業学校を卒業し、日本団体生命保険会社に勤務していたが、奄美が米軍統治下に置かれたため奄美へ戻った。大島支庁で財務課長を務め、奄美大島の経済復興に尽力していたところ、米国民政府から琉球銀行初代総裁に指名されて沖縄へ移動した。のちに奄美が本土復帰すると、米国民政府から琉球銀行総裁を解任された（瀬戸内町誌歴史篇編纂委員会二〇〇七：七六二～七六三）。解任は池畑の奄美出張中に、本人不在で行われたため、米軍当局による強権的な「公職追放」の代表例として表象されてきた。しかし、その後の池畑が東京の元の職場へ「Uターン」し、取締役に昇っていったことはあまり語られることがない。

6―泉有平は、九州帝国大学農学部を卒業し、朝鮮と満洲における農林試験場などで技手から管理職へキャリアを積み、戦後は奄美に引き揚げて農学校、高校の校長を務め、臨時琉球諮詢委員会に奄美代表として加わり、一九四九年には琉球臨時中央政府の初代副主席（立法院副議長兼任）となり、参議院議長、立法院議長を歴任した（沖縄奄美連合会二〇一三：一八七）。第三代の在沖奄美連合会長、総理府事務官日本政府南方連絡事務所次長でもあった。副主席の解任後は、要請を受けて琉球政府の顧問となり、沖縄に留まった。

喜んでない。私が那覇高校で一目も二目も置いていたトップクラスの連中は、国費留学で、みんな本土の大学に行きました。琉球大学の入試で私が一番だというのは、負け組の一番みたいなのね。

私だけじゃなく、当時、琉大合格者の一割くらいは辞めていたのではないか。私はほとんど大学の授業に行かず、首里境内の志喜屋図書館で、翌年の本土大学への受験勉強をしていて、琉大が予備校みたいだった。琉球大学で優秀な人は米留に行く。ところが、奄美出身の私に受験資格がない。そういうこともあって琉大を辞め、翌年、鹿児島大学を受けたらすべっちゃった（笑）。琉大の先生（である筆者）にこんなことを言ったら失礼だよね（笑）。今と全然、時代が違うからね。

6 咎められなかった琉大批判の投稿

琉大で受けた講義で印象に残っているのは、後に学長になられる法学専攻の金城先生と英語の翁長先生ですね。

あの時、琉大がまだ西原町に移転する前、琉球大学で放生池《ほうじょうじ》問題[7]っていうのがあったのね。埋立て問題。その時、私、琉球新報に、琉大の態度を批判した文章を投稿したのです。

あの時、翁長さんは副学部長だった。「こないだのあの論文は、君か?」「はい」「そうか」。先生、なにも言わなかった。そういう思い出がある。

私が琉大を批判しても、先生は私を全然、咎めなかったね。あの投稿は、先生の気分を害しているはずなんですよ。のちに、カリフォルニアにお住いの翁長先生の愛娘、陽子さんとWUBのイベントで出会い、翁長先生の話題で盛り上がり、今も交流が続いています。

7 奄美の誇り

奄美に対する差別もあるけれど、反面、奄美の人にエリート意識っていうのもあったんですね。とくに両親は、奄美出身の誇りというものが、バネになっていたのではないかと

7—投稿は一九五九年八月三日(琉球新報)「埋め立て問題に対する琉大の態度」。当時の琉球大学は戦災に遭った首里城跡にあった。重田さんは投稿の中で、史跡「放生池」の埋め立てに、大学としての合意ができた後に反対を表明した文理学部の教授陣を批判し、その反対理由が「植民地大学というレッテルを返上するため」であることについて、「たとえ施設配置を変更したところで植民地大学というレッテルは返上できないと思う」と論じている(重田さんのブログ「琉大・放生池埋立問題」二〇一二年十月九日)。

思う。

　私が東京にいるときに、妹が、高校を出て沖縄の百貨店に勤めている時にね、お袋が「(妹を) 東京に呼んでほしい、このままだと娘は沖縄の人と結婚してしまうかもしれない」って言うんですよ(笑)。その前から、私は琉大に入っても、いずれは辞めると私は考えていたし、辞めるとき、両親も反対しなかったよ。

　ところが、私は後で非常に驚かされたことがありました。私が琉球新報の東京支社を辞めた、そういう時代、私が「脱沖縄」を選択した時に、逆に、本土から就職して沖縄に来ている金沢出身者が沖縄女性と結婚しているんです。私はそれとは逆に、沖縄から本土に行って、金沢の女性と結婚しているんです。その人が、琉球新報の野里さん[8]なんです。だから一度、彼とは、どうして彼がこういう選択をしたかということをじっくりと聞いてみたいし、話し合ってみたいですね。ご本人は、沖縄に来て自由を獲得したと書いているからね。本当に私と逆ルートなんです。改めて様々な人生の選択を感じました。

8 私自身には痛烈なものがない

　正直に言うと、私は奄美大島出身で、沖縄にいて、コンプレックスは全く無かったですね。優越感しかなかった。

沖縄にいる奄美の人たちの中には、コンプレックスを持っている人もいたと思う。沖縄本島中部、コザ市などには、皆ではないけれど、中にはコンプレックスのある人もいて、仕事は肉体労働や水商売というのもあった。でも那覇では、奄美が復帰する前、沖縄の主要機関では皆、奄美大島の人が高い地位に登りつめていたよ。貧しい奄美大島で、それを脱するには教育投資だという価値観があり、人口比に対する学校の数は、圧倒的に奄美大島が多かったですね。これは私の意見だけれど、薩摩に圧迫されて、それを脱出する手段は教育しかない。立身出世の価値観ね。沖縄は立身出世っていう言葉はないでしょう。ゆいまーる[9]とかはあるけど。

私には、差別を受けて痛烈に何か、というような自覚がないのです。

制度的にはありましたよ。でも私は、国費留学を受けられなかった、米留にも行けなかったということに、正直に言うと、それほどの苦痛はなかった。なかったけれど、現実

8―野里洋氏：石川県金沢で生まれ、法政大学法学部を卒業し、琉球新報社東京総局（現・東京支社）・沖縄本社勤務、取締役論説委員長、常務・専務を歴任した（野里二〇〇七）。著書に『癒しの島、沖縄の真実』（二〇〇七年）がある。
9―「結（ゆい）」と呼ばれる共同作業によって家屋の建築や屋根の葺き替え、農作物の収穫などを行ってきたことに由来する、助け合いの価値観。

には、それは壁があった。しかも納税義務は（沖縄の人と同じように）ありましたね。

これは、琉球政府がそうしたくてやったわけじゃなくて、奄美大島から沖縄へと希望する人は（転籍を）させて、全部、追放したわけじゃないからね。これは、米軍統治の問題だと思う。当時の奄美大島出身者はどちらかといえば本土志向が強かったし、沖縄の人よりも権利意識が強かったですよ。今でこそ日本の将来は「南へ」ですが、当時の私たちの世代は、「北へ」志向でした。

——沖縄において。

そう、沖縄においてね。私はそんなに被害者意識はなかった。

ただ、奄美大島出身で、米留した人、少ないですね。

9 「奄美だって琉球じゃないか」

沖縄では、「奄美」だから、国費も米留も受けられない。

にもかかわらず、私はまた複雑で、早稲田に行ったら「沖縄」なんだ。「重田君！ 君は沖縄だからやっぱり英語が上手いな」と、早稲田のクラスメイトに言われましたよ。英語は好きで、勉強を頑張ったからできたのに、そうは見てもらえなくて、もともと沖縄だからできるんだと言われる（笑）。あれにはびっくりした。「僕は奄美だよ」と言っても、もうそんなの全然、こっちじゃ通じないからね。「奄美だって琉球じゃないか」で片付けられて。逆にまた、沖縄では「奄美」と。

10 大浜総長がいる。やっぱり早稲田だな

――早稲田大学の文学部西洋史学科を選ばれたのはどうしてですか。

早稲田の法学部、政経、商学は落ちたの。教育学部と文学は通った。慶應の法学部は通った。慶應の法学部に行くか、早稲田の文学部に行くかで非常に迷いましたが、この頃、大浜さん[10]が総長だったから、やっぱり早稲田だなと思ってね。文学部に行ったけど、私は

10――大浜信泉《おおはまのぶもと》：一八九一年に現・石垣市に生まれる（名誉市民）。一九一八年、早稲田大学英法科卒業。一九五四～六六年、早稲田大学総長。日本学士院会員、国際大学協会理事、南方同胞援護会会長、沖縄問題等懇談会座長を務めた。大浜信泉（一九七一）著者略歴による。佐藤栄作首相の相談役となり、一九七二年沖縄返還協定の締結の道筋をつけたことで知られている（勝方＝稲福ほか二〇一〇：一三四）。

ほとんど、法学部の授業を受けたりしましたね。関心は法学部系でしたね。でも早稲田っていうのがいいなと。

――今、大浜先生のお名前が出ましたが、初めて大浜先生と面と向かってお話をされたのは、何年生のときですか。

一年生かな。だけど私は、沖縄特待生[11]でもないし、大浜奨学生[12]でもないし。浪人もしてるから。ちょっと、沖縄出身の学生としては。だから、大浜さんの自宅なんかにも招かれたことはないですね。ところが、私の沖縄出身同級生は大浜さんの自宅に呼ばれているのです。[13]私は、大浜奨学生でもないし、琉大に行って辞めて、浪人しているし、しかも名前が奄美大島だからね。(大浜先生に) お会いしたことはありますけどね。私はそういう、「沖縄の学生」とはちょっと別でした。

ところが、クラスでは「重田、お前沖縄だろう」って言われるんだ。[14]なんかそういう、二重差別とは言わないけれどね。面白かったです。

11 大浜信泉総長を「追い込む」

――大浜先生の思い出はありますか。

大浜さんは早稲田の歴代総長の中で、在任期間が一番、長かったからね。私は大浜奨学生ではなかったけれど、やっぱり大浜総長というのは特別な存在だった。

私らの（在学の）時に、あの人、総長を辞めたんです。追い込んだから。

11―米軍統治下の沖縄から本土に進学した学生は、国費・自費・私費留学生のいずれかであった。国費・自費留学生は、沖縄で留学生試験を受け、成績によって全国の国立大学に割り振られた（同上：一二九）。重田さんの学年では、国費学生は四十二名、自費学生は一〇六名であった（琉球政府企画局統計庁分析普及課一九七二：二四四）。早稲田大学は私立大学であるため、通常の国費・自費留学制度は適用されない。そこで大浜総長が先導し、早稲田大学への自費留学「早稲田コース」を設けた（大浜奨学生）。重田さんは奄美籍のため、この自費留学の対象外となり、一般の受験生と同様に早稲田大学で入試を受け、私費留学生として入学した。

12―奨学金としては、（株）琉球石油の創立者、稲嶺一郎氏を中心とする「沖縄稲門会」が、月額およそ一万円の奨学金を、早稲田大学、国際基督教大学（ＩＣＵ）、中央大学で学ぶ沖縄出身の留学生に支給していた（勝方＝稲福ほか二〇一〇：一五一）。

13―大浜総長は、毎年、沖縄からの自費留学「早稲田コース」の新入生を大隅庭園のレストランで激励し、年末には自宅で忘年会を催した。沖縄の学生たちは、同郷の偉人からの厚情に感銘を受けたという（同上：一三二）。

14―いくらかの本土の学生には、沖縄の国費・自費留学生が、大学入試ではなく沖縄で留学試験を受けて入学していることへの微妙な感情があったように思われる。重田さんには、級友から「試験はちゃんと受けたのか」と聞かれた経験がある（同上：一六二）。

大浜総長と揉み合ったのは、演台にのぼったのは先輩たちで、私は、それを下で見ていた。だけど私らの授業料闘争[15]で、大浜さんは辞職する。授業料闘争で学内を占拠したから、入学式ができないので大学が撤去したいということで機動隊が介入した。不法侵入、不法占拠ということで、私は逮捕され、城東警察署に留置されました。[16]警察署の調べには黙秘したら「城東四号」と呼ばれ、検察所に送られ、検事の調べに初めて私は名前を言いました。四日で釈放されたけど、指紋とか全部、取られて。そのときは、私たちのクラス全体が授業料闘争を行う革マル派だったが、その授業料紛争が大浜総長を辞職に追い込んだという要素がありますね。

12 沖縄の組織に対して距離を置く

――早稲田大学にいる沖縄の、自費留学の学生さんたちとは、仲良くされてたんですか。

仲良くはしてないけど、交流はありましたよ。早稲田では大浜奨学生、特待生と言ってね。各学部に毎年必ずひとりはいましたね。私の那覇高の同級生、それで来ている人がいました。今でもつきあいがあります。

――沖縄学生会[17]には入っておられましたか。

そういうのには、私は入っていなかった。だから私は、二重差別とは誰にも言われはしないけど、差別を受けるのではなく、私自身が沖縄とは一線を画して、あまり入らなくてね。俺は現地（東京）受験で、彼らは違うんだから。あっちは特待生だ。そういうのはあったね。

だけど、クラスでは「重田は沖縄だ！」って見られる。沖縄の会に対しては、私が距離を置いていてね。

15―一九六六年二月四日、早稲田大学における授業料値上げの説明会において、学生による授業料値下げの要請をはねつけた大浜総長が退場するのを学生たちが阻もうとし、職員たちと壇上でもみあいとなった（同上：一五二）。

16―重田さんは、早稲田大学琉球・沖縄学研究所のシンポジウム（二〇〇八年）において、在学当時、一部の級友から「君は沖縄出身だから（大浜総長や大学当局に）あまり反対しないよね」と言われ、それへの抗議心で敢えて反対闘争に加わったことを語っている（同上：一六二）。

17―沖縄県学生会（のちの東京沖縄県学生会）は、沖縄復帰運動に注力し、夏休みの沖縄への帰省で演説会をもったり、沖縄の状況を本土へ伝えたりして、渡航制限下の本土―沖縄間の運動を架橋した（同上：一四一）。米軍当局のＣＩＣ（Counter Intelligence Corps＝対敵諜報部隊）が彼らの監視や情報収集を行い、「赤色」と見なした学生の渡航許可取り消しや学費打ち切りも行われた（同上：一五九）。

――沖縄の会に距離を置いていたのはどうしてですか。

なんというか、沖縄じゃないっていう意識があったのよ。少し違和感、みたいなね。

――違和感。

なんというか。

――他の学生たちが熱心にやっていた沖縄復帰運動とか学生運動に対してですか。

というより、他の学生のような特典が私にはなかったからね。ところがクラスでは、「重田は沖縄だろう」って言われる。沖縄では「大島！」って言われるでしょう。東京に来ると「沖縄」ってね（笑）。

13 起業後に沖縄とのつながりが深まる

――東京で沖縄の人たちとのつながりが深まったのは、起業した後になるんですか。

そう、会社を経営して、沖縄から人を採るようになってからだね。（東京沖縄）県人会[18]を通して採ったこともある。沖縄からの雇用をやりだしてから、沖縄時代の高校の同期がものすごく大きな意味をもつようになったの。

18―東京沖縄県人会は、一九五六年九月九日に設立された。二〇一八年七月二日には、東京、板橋、練馬、江東の沖縄県人会を束ねる沖縄県人会連合会が設立した。会長は仲松健雄氏である（沖縄タイムス二〇一八年七月二十一日）。

第4章

移動の中で育つ

（2017年9月24日インタビュー）

満洲、奄美、沖縄

1 最後だと思って安謝を走る

実はこの間、ガンが再発していないかを調べるマーカー検査の数値があまり良くなかったんですよ。今、私は腫瘍マーカー六・五で、五を超えると危険値らしい。だから、これが最後になるかなと思って、今朝、安謝《あじゃ》から、五十八号線の下のトンネルを潜り走ったんです。でも走っていたら〝まだ行けるかな〟とか（笑）。泊まっていたホテル出発が四時半、戻ったのが六時半でした。

私は、生まれたのはハルピンで、六歳まで大連にいました。七歳から十二歳までが奄美大島。沖縄では「奄美出身」なんてよく言われていたけど、実際には奄美にいたのは、沖縄にいたよりも短かかったんですね。

小学校六年の時に父が仕事を求めて沖縄に来て、私たち家族も呼び寄せられました。終戦後の奄美大島には大勢の満洲移住者が引き揚げてきて、島は不況で、失業者で溢れていましたが、沖縄では米軍基地建設で、人手不足による旺盛な雇用需要がありました。

奄美は、沖縄と同じように本土から切り離され、本土には働きに渡れませんでした。たくさんの人が、男性は軍作業建設など、女性は米兵相手のサービス業の仕事を求めて、続々と沖縄に移住しました。正月の休みなどに、沖縄からコカ・コーラやアイスクリームなどのお土産を持参して奄美に帰郷する女性たちの、アメリカ人払い下げのそれまで見たことのない華麗な衣装姿は忘れられません。この帰郷者の姿に「沖縄は凄い！」と魅せられ、みな沖縄に渡りました。それも同郷の親戚、友人に誘われてのことでした。私の父も、先に沖縄で働いていた母の弟、叔父たちに誘われて行きました。

中学、高校をどこで出たかというのは、その人にとって非常に大事ですね。私には沖縄での中高校時代に育んだ人間関係があるんです。十九歳からは東京ですね。

沖縄では、安謝小学校の前に自宅があって、学校に行き来するたびに我が家を見ていた人たちが、「重田さんの家、ちょっと変わっていた」って今でも言いますね。「あの家にはガラス戸があり、その奥に障子があった」って。そういう家風は、当時の沖縄にはなかったんですよ。

あとは、通るたびにうちのお袋が、ほうきで家の前を掃いていたとか。あんまりそういう習慣、ほうきで掃くというのが沖縄では普通じゃなかったのかな。

一度、家の前を通る人の「ここには琉大生がいるよ！」という声が聞こえたことがあるって。あの頃、安謝から琉球大学に行く人なんて、ほとんどいなかったのですね。表札の名前も「重田」で、沖縄の姓とは違っているでしょう。差別ではない意味合いで、「沖縄とは違っている」という印象があったようです。

今日、[1]渡嘉敷守良、[2]二代目の襲名披露で公演をする花岡さんは、私の小・中学校の後輩なんです。今日のプログラムに、私は祝辞を書いて、それで招待を受けているんですね。

この公演のために沖縄に来て、終わったらすぐに（東京に）帰ります。

以下、その時、花岡さん公演のプログラムに書いた私の祝辞です。

重田辰弥さん寄稿――安謝中同窓の誉れ！〝渡嘉敷守良〟襲名

関東沖縄経営者協会　名誉会長
沖縄県功労受賞（平成二十八年）
重田辰弥

花岡勝子様、この度は栄誉ある琉舞「渡嘉敷守良」二代目襲名披露〝源遠長流〟公演、おめでとうございます。

今回、二代目をご襲名出来たのは渡嘉敷流で、唯一の「県指定無形文化財・伝統舞踊保持者」であることに加え、流祖ご令孫や直弟子さんのご同意、推挙によると伺っています。これは花岡師匠の舞踊力に加え、お人柄の良さもあったと思います。

琉舞に疎い私ですが、二代目渡嘉敷守良・花岡師匠は小学校の頃から存じ上げています。今でこそ那覇市発展をリードしている新都市「おもろまち」は私達が小中学を過ごした安謝村。当時は鉄条フェンスで囲まれた〝マチナト〟[3]と呼ばれた米軍族住宅と安謝川に挟まれた那覇南端の〝飛び地〟でした。後に私が生徒会長を務めたこの小中併設の安謝校は後に安謝小学校と安岡中学として分離しますが、一学年二〜三クラスの小中併設の狭隘地区であればこそ、学年を超えた交流も盛んで村の一体感も強いものがありました。

中でも村の公民館で行われる十五夜祭に毎年決まって出演、琉舞披露する天才少女が住民誰ひとり知らない者はいない普久原（後の花岡）勝子さんでした。十五夜祭だけでなく、当時の〝一号線安謝トンネル〟沿いのご自宅庭で度々踊る勝子少女を私は何度も見た記憶があります。以来、今日までその安謝に住まわれ、道場を設立、お弟子を育てられる花岡さんであればこそ、今回の栄誉ある「渡嘉敷守良」二代目襲名は私達小中同窓の喜悦と誇りです。

本当におめでとうございます。

平成二十九年九月吉日

安謝——港と米軍住宅地 2

安謝っていうのは、泊《とまり》ができるまでは那覇の港町だったのです。自然の地形に恵まれて、船が着進できる安謝湾があったのですね。今は埋め立てられて曙町になりましたけど。当時の安謝、浦添、城間には、港や米軍基地で働く奄美大島、宮古、八重山出身の人たちが大勢住んでいました。真和志《まわし》は、那覇市と合併する前の真和志村で、奄美や先島出身者が多い、租界地の色彩が濃い地域でした。その後、泊港ができてからは、以前のような港町・安謝はなくなりました。

安謝小学校のすぐ裏からフェンスで囲まれた、マチナトという米軍住宅がありました。私は、安謝の自宅から、真和志村の銘苅《めかる》、平野、内間を通って首里の琉大まで一時間近く、『Jack and Betty』という中学校の英語教科書を暗唱しながら通学しました。おかげで英会話は結構、得意になりました。

マチナトの米軍住宅に住むアメリカ少年とフェンス越しに話して親しくなり、基地内の住宅に招待されたことがあります。当時、沖縄少年が基地内住宅に招かれるということはほとんどなかった。友人から「本当？　嘘だろう！」と言われ、証拠にそのアメリカ少年のご家族と撮った写真を見せて、友だちを驚かせました（写真20）。今、この米軍住宅地帯は返還されて、那覇市新都心「おもろまち」になり、銘苅、平野、内間は消えています。

――宮古、八重山の人ともお付き合いありました？

あまりなかったですね。八重山の人はまたちょっと違っていましたね。知的で。高校の時も、教室では八重山出身は、雰囲気も訛りも「ヤマト風」で、一目置かれていましたね。

1―二〇一七年九月二十四日、国立劇場おきなわ大劇場において、渡嘉敷流二代目渡嘉敷守良襲名披露公演が行われた。

2―渡嘉敷流二代目 渡嘉敷守良（花岡勝子）：渡嘉敷流流祖・初代渡嘉敷守良の流れを汲む新垣文子、渡嘉敷守章、玉城須美雄、平良リヱ子、金城唯仁の各師に師事し、渡嘉敷流の技と心を磨く。二〇一七年一月二日に渡嘉敷守良を襲名した。162頁にコラムを掲載している。

3―「マチナト」の語源は、「牧港住宅地区」から来ていると考えられる。安謝は一九五三年に軍用地接収され、米軍の「牧港住宅地区」の一部となった。そこでは約三〇〇〇人の軍人・軍属が生活し、住宅、ゴルフ場、プール、ＰＸ（基地内の日用品店）、小学校が建設された（奥浜・尾方二〇一六：六三）。

米軍統治期における安謝商店街の風景。
安謝誌編集委員会編『安謝誌』（2010年12月24日発行）より転載

3 奄美出身者の結びつき――「奄美部落」

両親が沖縄に来たのは、お袋の兄弟が先に沖縄に来て、「沖縄には仕事があるよ」って言うからね。奄美の人たちは、米軍の住宅建設業の清水建設、大林組など、大手ゼネコンの下請け会社に勤めていました。当時、ほとんどの人が基地関係の建築の仕事をしていた時代だね。

　終戦後、大連から奄美に引き揚げた父は、農協の事務や、屋根瓦を葺く前の土台工事をしたり、水を引いてもやし栽培をして、お袋と一緒にそれを販売したり、色々やっていました。当時、沖縄にはもやしはなかったですね。

　父はいろんなことをやったけれど、最終的には沖縄で、鉄工所の経営を委託されました。「南西鉄工所」のオーナーは当時の琉球臨時政府副主席、立法院副議長だった泉有平さん（99頁）でした。泉さんは私たちと同じ奄美大島の加計呂麻島《かけろまじま》の須子茂《すこも》出身の遠戚です。当時の須子茂は五十世帯弱の小さな集落で、皆、兄

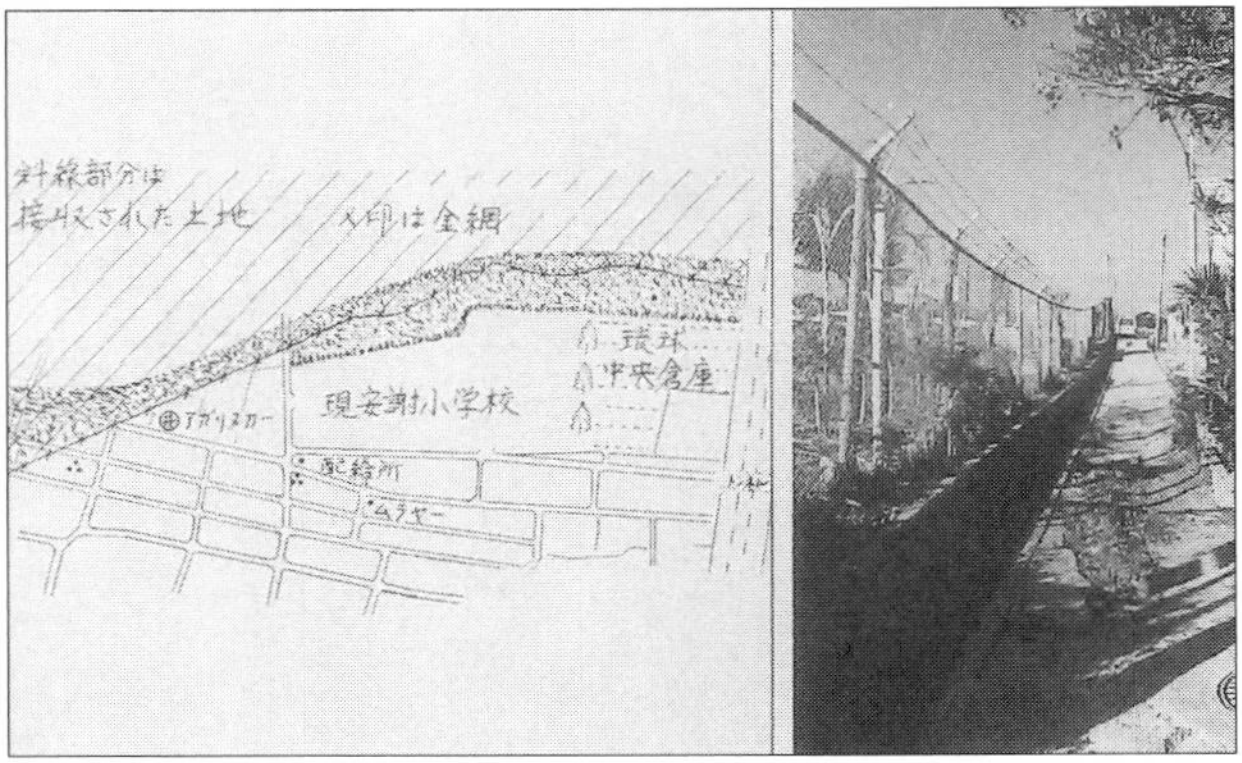

弟親戚のような村でした。泉有平さんは、私たちにとっては村の誇り、英雄みたいな人で、その人が我が家に来て、父に「鉄工所を経営してくれないか」と言ったのです。泉有平さんのお祖父さんは、うちのお袋のお祖父さんと兄弟です。泉有平さんとお袋は二従兄妹で、親父は、泉さんと血縁はないけれど「従妹の亭主」ということで、父に目をかけてくれたんです。

鹿児島大学卒[4]の泉有平さんは、須子茂では伝説の人でした。あの当時、鹿大は大変な名門で、宮城仁四郎[5]のような、沖縄の実業家の御三家と言われる人の出身校ですからね。それから有平さんは、米軍の指名で琉球立法院の議長になられました。戦争で失われた沖縄の山林を育てていくという農学部卒の専門的な使命を担ったと思います。それで、鉄工所のほうはうちの父親に経営を委託されました。この南西鉄工所のおかげで、私は琉大を辞めて早稲田に行けるような経済力に恵まれました。とはいえ、後でわかったことですが、鉄工所経営者としての父はゆきづまり、鉄工所を辞め、のちに私が埼玉に母と共に呼び寄

4―卒業当時は鹿児島高等農林学校。泉の最終学歴は九州帝国大学である（瀬戸内町誌歴史篇編纂委員会二〇〇七：七六〇）。

5―宮城仁四郎（一九〇二～一九九七年）：大東糖業、琉球セメント、リウエン、波照間製糖、玉城園地 社長。那覇商工会議所会頭、中琉協会会長、琉天会会長、日韓親善協会会長、沖縄経営者協会会長などを歴任した。

安謝小学校裏のフェンス。
安謝誌編集委員会編『安謝誌』（2010年12月24日発行）より転載

せて同居しました。

父親は、安謝で、須子茂部落出身の人たちの集まりの幹事を引き受け、よく人が集まる家でした。

我が家には、当時、杵と臼があり、正月に餅をつくのは、安謝では我が家だけだった。近所の人がその餅つきを見に来ていました。沖縄にはああいう「餅つき文化」はなかったですね。当時、沖縄では、米を砕いた粉を煮て、丸めてお餅、饅頭を作っていたのです。杵と臼は、めったに見ることのない珍しい道具だったのですね。当時、我が家は、安謝にこうしたヤマト文化を発信する家だったようです。

――どんな人がお正月の餅つきには集まっておられましたか。奄美の方ですか?

須子茂部落というのがあって、我が家に集まってね。当時、須子茂の人口の、三分の一くらいは沖縄に来ていたかな。とくに加計呂麻島の外海は沖縄に向かっているから、こっち(沖縄)にどんどんやってくるのです。諸鈍《しょどん》とか、みんな沖縄へ。父親は、こっち(沖縄)で、実久村《さねくそん》会の会長もやっていました。沖縄から本土へ引き揚げるときには沖縄の実久村会から感謝状も頂きましたね。

――お家に集まってくる皆さんは、どんなお仕事をされていたのですか。

大島の人は、半分以上は軍基地の仕事ね。基地建設の工事で働く。これは、条件も良かったし、お金も良かったしね。地元（奄美大島）には産業がなかったから。

――じゃあ、現場で建設に携わっている人たちが集まって。

いや、もっと雑用もありますね。屑鉄を拾って、道路工事の下請けなんかをね。この時に、清水建設、大林組、本土の大手の建築会社が来てね。大島の人たちは、その下請けで現場の土木作業とか、ほとんど肉体労働ですね。

――重田さんは、奄美の音楽とか芸能とか唄に親しまれたことはありますか？

それはないですね。昨日、たまたま関東沖縄経営者協会の総会で宮崎緑さんと、奄美の音楽と沖縄の音楽の違いについて話したのですが、「沖縄の音楽はラテンで、奄美はブルースだ」って私が言ったら、「それ初めて聞きましたけど、わかります」って（笑）。奄美には、返しバチ[6]がある。沖縄にはないのです。薩摩から長きにわたって搾取、圧迫された、われわれ奄美人の〝嘆き節〟ですね。

6――三味線の弦を、下から上へはじき返す奄美独特の技法。

――子どもの頃にそういう音楽を耳にされることはなかったですか。

あまりないの。むしろ大人に、経営者になって、つきあいが広がってからですね。

4 植民地文化――米軍払い下げの「輝かしい」装い

米軍の直接の仕事っていうのは、「アギヤー」[7]って言いますが、まあ〝戦果〟ですね。いろんなものを米軍から貰ってくる。別に、盗んだわけじゃなくて。だから豊かでね。

私、奄美の須子茂にいたとき、沖縄から奄美に帰ってきた人たちがみんな輝いていたのね。服装が違うの。彼らの服装は、米軍の払い下げですね。当時の奄美から見たら、履いている靴だとか、着ている上着だとかが全然、違うのです。「あ、これだったら沖縄に行こう！　行こう！」と、次々と沖縄に渡ったのですね。奄美大島っていうのは、米軍統治下だから本土には行けないし、地場産業は全然、農業しかないから。ところが沖縄から帰郷する人たちは、それまで見たことのない、洒落た姿でした。

奄美で、皆から下に見られていたような女性が、沖縄の特飲街[8]で働いて、奄美に帰ってきたらもうびっくりするような洒落た格好をしていて、田舎の人達はみんな仰天しました。うちの母の弟たちも沖縄に行ってね。沖縄から帰ってきたら、服から靴から、まるっきり違うの。輝いているの。全部、米軍の払い下げのだけど。これも植民地文化ですよね。で、次々に沖縄に行って。もう、十万人近い奄美人が沖縄にいたのですね。[9]

そういう人たちが、安謝には集まっていた。こっち（沖縄）の人は、差別とは言わないけれど、「オオシマ！　オオシマ！」みたいに言ってね。

7―「戦果あぎやー」という言葉は、米軍統治下の沖縄で、米軍基地内から食品や生活用品を奪取してくる人という意味で用いられることが多いが、無断持ち出しだけでなく、米兵やその家族から物をもらうことも多かった。

8―特飲街は、米軍統治下の沖縄における現・那覇市、浦添市、宜野湾市、嘉手納町、沖縄市、うるま市、金武町、名護市などの基地周辺地域で広く発生した、米兵を客とする風俗街である。「一般婦女子」に対する性暴力を防ぐ「性の防波堤」として「特殊婦人」を特定の場所に集めようという行政と住民の動き、基地周辺の風俗店を特定の場所に囲おうとする警察や教育委員会の動向、仕事を求める人びとの流入など、さまざまな背景をもって発生し、また形成されてきた（吉田二〇〇六）。

9―一九五三年の奄美群島本土復帰時点において、在沖奄美人は「正式移住者」だけで三万七五〇〇人に達していた（瀬戸内町誌歴史篇編纂委員会二〇〇七：七九二）。「正式移住者」とは、沖縄の雇用主が発行した採用通知などの必要書類を準備して渡航許可を得た人びとであり、それ以外の在沖奄美籍出身者は「無籍者」と位置づけられ問題視されていった（249頁）。「無籍者」数はたびたび沖縄の警察当局によって発表されたが、警察発表そのものが奄美籍者を他者化する政策の一環であった。無籍者の正確な数は不明である。

5 奄美と沖縄――「満洲帰り」の母は沖縄を崇拝しない

でも正直言って、私の両親も私もそうだけれど、私はずっと劣等感なんかなくて、むしろ優越感を持っていたの。

大島は、北と南で、かなり意識が違うのです。北は、本土志向が強い。今でも、名瀬《なぜ》、龍郷《たつごう》ではそういう意識を感じるね。徳之島は沖縄寄りで、民謡なんかも沖縄寄りで、徳之島や与論島は、祝いの幕開けには沖縄と同じようにかぎやで風を踊りますね。加計呂麻島では、踊らない。「あれは沖縄の踊りよ」って言ってね。

ただ、私、記憶ありますが、まだ奄美が本土復帰する前に、私がいた古仁屋《こにや》に沖縄の乙姫劇団がやってきて公演したら、うちの祖母ちゃんがもう、「あれは素晴らしい！」と感激していました。祖母ちゃんには、琉球王朝に対する崇拝というのがあったね。乙姫劇団を、もう、神様が来たような感動で迎えていてね。天皇よりも琉球王朝を崇拝していましたよ。両親は天皇崇拝、祖父ちゃん祖母ちゃんは琉球王朝。

なぜかというと、加計呂麻の諸鈍《しょどん》というところは、琉球王朝から遣わされた人が住まう常駐地だったからね。今、琉球の舞踊で「諸鈍」というのを、奄美のことだと知っている人はほとんどいない。これは諸鈍の女性の美しさを礼賛する歌だね。また諸鈍の人にね、琉球に「諸鈍」という歌があるのを知らない人が結構いる。私が文章を書いたらね、諸鈍にいた同級生が、初めて知ったって。「諸鈍みやらびや色ぬ白さよ」[11]っていう歌が沖縄にありますが、琉球舞踊の中でも一番難しい、格式の高い踊りだね。動きがすごく少なくて、一番、難関だね。技量があるということだよ。「諸鈍」を踊れるというのは。

加計呂麻島に諸鈍という部落がある。マーラン船[12]が経由して、奄美大島の南の方に城があって、加計呂麻で一番美しい浜、諸鈍長浜っていうの。加計呂麻では諸鈍出身っていうのはエリートなんです。憧れの場所だな。

10―乙姫劇団は、一九四九年に上間郁子を団長として結成された女優だけの劇団で、琉球歌劇で人気を集めた。最終公演は二〇〇二年五月（琉球新報「乙姫劇団」二〇〇三年三月一日）。

11―「諸鈍長浜にうちゃ引く波の、諸鈍みわらべの目笑て歯ぐき　諸鈍みやらべの雪のろの歯ぐき、いつし世の暮れてみくち吸はな」諸鈍節（坂井友直一九九二：三四六）。「諸鈍美人」には、「大島征伐」に来た琉球王府の武人との間に子を設けたなどの逸話がある。

12―マーラン船は、戦前、沖縄本島北部と中南部を結んでいた帆船で、北部からは木材や炭を、中南部からは生活物資などを運んだ。マーランは中国語で「船」を意味する（沖縄タイムス二〇一四）。

6 大連からの引揚者——植民地の洗練

小学校のクラスの中でも、私はちょっと違っていたみたいでね。要するにヤマト風というか、垢抜けしている。それというのも入学した古仁屋小学校一年の時、先生からいきなり「辰弥君、開演の挨拶をしなさい」と言われ、全校学芸会で入学したばかりの小学一年生の私が挨拶させられたことが忘れられません。

今、思うと、大連引揚の私は島訛りがなく、都会っ子の雰囲気があったのかもしれません。小学四年の時は、学芸会で主役をやりました。それもこれも植民地効果の一側面かもしれません。残念ながら戦後間もないその頃の写真は残っていないのです。

大連から引き揚げてきてね。植民地というのは、その時その時の、先端文化がある場合がありますね。台湾もそうだけど、大連も、近代化の先端があったという面も否定はできない。

大連というのは、戦後の沖縄の米軍統治もそうだけど、支配者が自分たちの理想の土地をつくろうとするという面もあったのね。それがおかしくなって占領ということになったけれど。そういう、近代化の先端というか、理想を追い求める文化の影響を、大連に住んでいた人たちは受けたのですね。東京も、GHQによる占領が始まる前にアメリカから来ていた人たちは、本国でできなかった近代化を日本でやろうとするわけでしょう。農地解放とか、男女平等とか財閥解体とかね。理想を託するんだね。ところがだんだん、朝鮮戦争があって変わって行く。満洲もそうでしたね。日本でできなかった協和とか大同の理想を追い求めてね。それがおかしくなっていくのではあるけれど。戦争にもなるけど。

でも、大連で過ごした私が奄美に来て、沖縄に来て、「違っていた」「輝いて見えた」と

重田さんの父が勤務していた大連都市交通本社全景、常盤橋を走る電車。
秦源治・劉建輝・仲万美子著
『大連ところどころ――画像でたどる帝国のフロンティア』（晃洋書房、2018年）より転載

いうようなことを言われると、そういう、植民地の洗練みたいなものがあったのかなと思いますね。

大連は「ロシアが設計し、日本が築いた」といわれます。[13] 革命前の海洋都市建設を目指した当時のロシアがパリそっくりの大連建設を目指したが、後に日本陸軍の占領により、日本都市〝大連〟になったようです。大連のネーミングも元々はロシア語の〝ダーリエン〟によると聞いたことがあります。

7 大連の記憶、沖縄の「アメリカ文化」への憧れ

私は、自分の体験を考えて、なんで私はあんなふうだったのかなと考えると、そこに行くのです。

母も大連から奄美大島に帰ってきたら、周りとは全然違う。それはどうしてだったかと考えると、大連での白系ロシア人[14]とのおつきあいの一面かもしれない。満洲にいる白系ロシア人というのは、ロシア帝国から流れて来た元のロシア貴族だったのではないか。私が幼い頃、非常に可愛がられたハルピンのアパートの大家さんは白系ロシア人で、そうした縁で母も父もロシア語をちょっと話せました。ロシア語の会話を少しね。

幼少の頃、その大家さんから私はたびたび、「ハラショー」(可愛い!)と言われたと母から聞いたのを、かすかに覚えています。

大連というのは、そういう交流の場所でした。街は、パリと同じように全体が設計されている。もともと漢文化とは少し違う清文化。今でも大連は非常に親日的ですね。日本企業がたくさん入っていて。大連にいる中国人の人たちも、色は白いし背は高いし、白人に近かったよ。私たち一家はそういうのを背負って引き揚げてきて、米軍統治下の沖縄に来たのです。

13—漁村であった現・大連を、日清戦争時に日本軍が占領し、戦後、割譲されたが三国干渉で清に返還した。一八九八年にロシアが清から租借し、ダルニーと名づけ、自由貿易港として港と市街を建設した。一九〇四年の日露戦争で日本が占領し、一九〇五年に大連とした。一九〇七年には南満洲鉄道(満鉄)本社が東京から大連に移された。日本は大規模な投資をしてヨーロッパ風の美しい市街をつくり、湾港施設を整備し、大連は中国東北部侵略の拠点となっていった。一九四五年の人口は八十万人、日本人二十万二〇〇〇人、中国人五十八万五〇〇〇人、朝鮮人六七〇〇人、その他一二〇〇人であった(木村一九九六:二十三)。

14—「白系ロシア人」とは、一九一七年のロシア革命勃発後にロシアから亡命せざるを得なかった、または在外中に帝政ロシア国籍をなくしたロシア人で、ソ連政権の赤系ロシアと戦った旧帝政ロシア白衛軍の名から「白系」と呼ばれた(ドミートリエヴァ二〇一八:七十九)。

8　植民地文化について、考えたらいい

――じゃあ、沖縄に行くって聞いたときは、心が躍りましたか？

いや、それは憧れていたのは沖縄っていうよりは、一種の米国の植民地文化、アメリカ文化ですね。植民地がいいと言っているのではなく、ある別の側面があるのではないかということ。ただ、植民地というのは、背後に軍隊がありますね。そういう面がありますが、満蒙の植民地政策について「もう黙っておこう、取り上げるのは止めよう」じゃなくて、歴史的な作用としてあれは何だったのか、植民地文化というのは何なのかというのは、もっと考えたらいい。

9　「満洲から」――「満洲の思い出」

私は、中学二年の時に、「満洲へ、満洲で、満洲から」っていう作文を書いて、那覇地区の中学生で一等になって、那覇地区入選作文集『千鳥』に掲載されたことがあります。「満洲へ、満洲で、満洲から」って書いたら、先生が、「重田、これ〝満洲の思い出〟っ

ていうタイトルにしてくれ」。え、私は「満洲へ、満洲で、満洲から」っていうほうがいいと思うのです。「いや、わかりにくい」と。那覇地区の作文として文教局に行ったのは、「満洲の思い出」です。

「満洲の思い出」

ハルピンでは、同じアパートの子らと夏はキャンデーを食べ、秋にはトンボとり、春には吉野桜、八重桜が満開となりお花見など、ゆとりのある生活だった。四歳、はしかから腸炎を患ったため身体が虚弱だった私は、やはり体調がすぐれなかった母と一緒に故郷で半年、静養した。元気になって満洲へ戻ったが、郷里の方言を覚えていてそれを話して人びとを惑わし面白がらせたと後で祖母に聞いた。父親は満洲鉄道傍系のハルピン交通の電車部の助役。生活には困らなかった。経済的にゆとりがあり、人とつきあうことも多かった。つきあう人びとはみな良い人ばかりだった。なかでもクーさんという中国人にはよく可愛いがられた。満洲には本国を追い払われた白系ロシア人が大勢住んでいた。とくにハルピンには多かった。私たちのマンションの大家はロシア人であったが、親切でよい人たちばかりだった。ところが突然、父の仕事のため、一家三人は大連に引っ越しました。

満洲にしかない楽しみもあった。道路に雪が積もるとそれを丸めて打ち合って泣いたりした。当時、日本は太平洋戦争に突入しており、日本の雲行きも怪しげであったが、学生たちは予科練に憧れ、次々と霞ケ浦へ行った。康介兄さんも予科練に行ったときには沖縄はすでに米軍の手に落ちて、本土進攻が始まっており、満洲にも空襲があった。敗戦後、数か月で父は除隊して自宅に戻って来ました。帰って来た父の姿を見て、母は大喜びでした。それから引揚の辛酸をなめる同胞も多かった。

満洲引揚者の集いには入っていない 10

——重田さんは、満洲引揚者の会[15]みたいなのには全然、入られてないですか。

それがね。入りたいのだけど、入ってないですね。知らないのですよ。

——声がかかったら入ったかも？

もちろん、もちろん。沖縄の満洲引揚者の会に、私は行きたいと思って、ところがスケジュールが合わなくて。満洲はどことか、経験を共有したいんですけどね。奉天とかの人が多いだろうけど。北の方の人は苦労している訳ですよ。うちは大連で、もう、すぐ港だから。[16] 私は、母が七十歳の時に大連に連れて行って、非常に思い出があります（重田二〇〇八a：一一一）。

——お母さまを連れて引き揚げるまで住んでいた「澤ビル」を見に行かれたのですね。

そうそうそう。その他にも旧満洲のあちこちを見て歩いて、母親は非常に感激していましたね。澤ビルは、「昔、住んでいたのです」と言ったら、そこの中国人の人が温厚な人で、中に入れてくれて。風呂場が倉庫になっていて、文化の違いだなと思ったけれど、澤ビルの部屋からの眺めは、私が覚えているのと全く同じだった。こっちに大連運動場があったと思ってみたら、そこに今もあるんですね。本当にいい親孝行をしたと思いました。

——個人的にも、引揚者の方と交流されたことはないのですか。

ないですね。したいとは思っていてね。聞いてびっくりしたけど、元知事の稲嶺（恵一）さんは、満洲生まれなんですね。お父さんは満鉄で。うちの親父は満鉄の子会社、大連鉄道で、もちろん稲嶺さんのお父さんとは格が違っているけれど。

15—沖縄満洲会は、二〇〇一年に、満洲引揚者、関係者の情報交換と親睦を目的として発足し、二〇一五年に会員の高齢化を背景として、会としての活動を閉じた（松島二〇一五）。

16—大連引揚者がまったく引揚の労苦から無縁であったわけではない。戦後の大連では、生活に困窮した日本人が衣服を中国人に立ち売りする姿が見られた（水野二〇一五：七）。

――覚えている方は、ご両親がつきあっていた白系ロシア人の方とか、かわいがってくれた中国人の方とか。

そうそうそう。非常にかわいがられて、いじめられたような記憶は全然、ないね。

――一緒に遊んでいた友達は？　地域の。

いや、それはあんまり。

――近所で遊んだ友達とかは覚えてないですか。

覚えてないですね。幼稚園に入って間もなく引き揚げたから。

11 父の移動――満鉄の子会社へ

父・禎二は、三歳の時に生まれた奄美の須子茂村で両親を亡くし、小さい頃からいろんなところで手伝いをし、そこで食べ物をもらって生きてきたの。親の代わりに、兄や姉が育ててくれてね。親が亡くなった時、長男の兄さんもまだ十三歳だった。兄姉弟の結束がとても強い。父と母は、大連で父の兄さんの子ども、自分の甥をずっと育てていたからね。私の従兄弟に当たるその甥兄を私は小さい時から「けん兄さん」（名：賢孝）と呼んで、自分のお兄さんだと思っていました。私の両親はその「けん兄さん」を大連の中学、工業高校に通わせてね。

今、兄貴の子どもを、学費も出して育てるとは考えられないでしょう。現在兄さんは八十一歳だけど、今でも私を「たっちゃん」って呼ぶし、私は「けん兄ちゃん」っていうの。私たちは大連を共有したのね。

奄美から満洲に行った人は、大体、次男か三男が多いのです。長男はあとつぎというので、奄美に残るでしょう。家屋敷があっていいなぁと思ったんですけど、島を出たほうが資産を形成して、気がついたら長男の方が、島に家屋敷はあってもそこから先がない。次男、三男は、「俺はもう仕事もない、島の中では行くところもない」というように追い込まれて島を出ていくんだけど、実際は、（人生の岐路が）広がって行きますね。私の父も、弟だから島を出て、長男の兄さんが島に残りました。

うちの親父は、小さい頃から両親がいないから、周りの人の気持ちを掴むというか、甘え上手というか、可愛がられるのが上手だった。周りに奉仕して食べていくからね。その代わり、酒を飲むともう嘆きばかりが出る。大変だったんでしょうね。

父は、高等小学校を出て、徴兵されるわけね。徴兵が終わった段階で、自分が小さい時から可愛がられてきた従姉のお姉さんが満洲にいて、ご主人が満鉄で働いているからというので、呼ばれたの。そのご主人の紹介で、満鉄の子会社の大連都市交通に採用されたようで、入社式の写真を父は大事に保存し、今、私が持っています。

母は、その父の従姉のお姉さん、叔母さんが奄美に里帰りしてきたときに、たまたま出稼ぎ先の大阪から、母も奄美に戻っていてね。叔母さんは、母がすごく垢抜けしているのを見て、あぁこれは禎二の嫁にいいと思ってね。父も母も須子茂だから、昔からお互いに知っているのね。「満洲に禎二がいるけれど、どう?」って言ったら、「禎二兄さんならいいですよ」って母は答えて、叔母さんが母を満洲に連れて行ったようです。あの頃、須子茂の人は、必ず須子茂の人どうしで結婚していたのね。

母は奄美で、学校を卒業すると、島に来た近江絹絲社の紡績工スカウトの勧誘に応じ、近江に行き、紡績工場に勤め、その後、大阪で女中を勤めたようです。母はその大阪の富家の女中経験で、島では味わえない家事やカルチャーを身につけたようです。島に帰った時は、島にはない垢抜けした洋装、雰囲気だったようで、従妹伯母のウフミ伯母さんはそういう母を見て、「この娘」と思って、従弟である父の嫁にと母を誘ったようです。

のちに母が語ったことですが、大連で父に会った母は、島では相撲取のような隆々とした体格だった父が、ほっそりとインテリジェンスになっていて、その変容に、人違いではと驚いたとのことです。

さらに、父の住む家を見て、独身男性の部屋とは思われないくらい、炊事場、箪笥、玄関が端正に整えられている様子に、「ひょっとして、誰かと同棲していたのでは」と思ったそうです。実は、父は陸軍時代から整理整頓を徹底訓練され、自分のズボン、下着などをきちっと折りたたみ、棚に積み上げて整理していました。のちに私は、「重田さん、本や書類の整理整頓がいいですね」と言われることがあって、父から受けた躾を思い出しました。

――お父さんから、子どもの頃にしつけられたこと、伝えられた価値観はありますか。

親父は自分が、子どもの頃に両親を亡くして進学できなかったから、学歴にコンプレックスがあるから、それが私に対するいろんな気持ちにつながったんじゃないか。

――成績、大学に行きなさいとか、上京とか具体的に言われたことはありますか。

いいや、それはない。大学も東京も、私が行きたいと思って行ったんですね。親にしたら、意外に（笑）出来が良くて、クラス委員長したり、生徒会長したりするでしょう。自分たちの想像以上に、というのがあったんじゃないかな。

12 奄美の草履が大連の線路の上に落ちる

親父が繰り返し私に言ったのは、大連のことでね。まだ小さい頃、奄美大島に、母親と私が一緒に里帰りして、お祖母ちゃんから草履をもらったんですね。島では皆が下駄よりもよく履くもの。奄美の言葉で、サバというんですね。それを履いていて、大連に帰ってきて電車に乗るときに、私が「サバ、サバ！」って大きな声を出してね。車掌がびっくりして、何だろうと思ったら、それは奄美大島でもらった草履が脱げて、落ちたんだね。私は全然、覚えていないんだけど、私が「サバ！　サバ！」って言って、車掌が、「あぁ落ちていますね、坊や、どうぞ」って渡してくれた。それを親父がよく、私に語っていましたね。私が覚えていないことをね。須子茂に帰った時に、お祖母ちゃんが「辰ちゃんに」って、手製の草履をくれて、それを私は気に入って使っていたらしいんだね。

それを聞いて、そういうことがあったのか、と。あの草履は、奄美でそのまま履かれていたら、あそこには路面電車はないから、線路の上に落ちたのを拾ってもらうようなことはなかったでしょう。そう思うと、一種の文化の接点のような風景ですね。

「サバ！　サバ！」って、辰弥は大きな声で言って、周りの人たちはみんな、「なんだろうこの子は」。何を言っているのかわからないでしょう？　大連には、「サバ」はないんだから。そうしたら子どもは、祖母ちゃんからもらった草履を、ちゃんと返してもらってね。それを、親父がすごくよく覚えているんですね。

私は、須子茂に帰ったこと自体を覚えていないんですが、あの頃は、道中、大変だったと思います。満洲から奄美大島まで、小さい子どもを、生まれた孫を見せに行ったんだね。

お父さん、徴兵ではどこで何をされたか聞いておられますか。

鹿児島四十五連隊なのよ。大陸でも、鹿児島四十五連隊って聞くだけで中国の人たちは怖がって、撤収したっていう説を聞いたことがある。

薩摩の精神で、自分の命を惜しまない。「死ぬことと見つけたり」の武士・薩摩の伝統を引き継いでいるから。親父は、酒を飲むと鹿児島四十五連隊自慢する一方、「またも負けたか八連隊！」と、商人出身の多い大阪部隊を揶揄していました。

鹿児島で初年兵として訓練を受けてから、満洲に行かれたんですね。

鹿児島で訓練を受けて、兵役終了後、従姉のウフミ叔母に呼ばれ、満洲に行ったようです。

そのウフミ叔母の旦那さんが同じ加計呂麻の表出身の岡留さんで、ハルピンの満鉄に勤めており、両親はこの岡留夫妻を兄姉のように慕って、長くお世話になっています。

我が家は終戦後、大連から奄美に引き揚げ、奄美の古仁屋に住んだ頃、一時この岡留夫妻と同じ家屋に住んでいました。これは、結婚から私の出産までお世話になった父の、岡留従兄姉夫妻への恩返しだったようです。父母の成婚、私の誕生写真にはいつもこの岡留従姉兄が一緒に写っています。父は除隊したときに、このウフミ叔母さんに呼ばれて渡満していますから。

――お父さんの最終学歴というのはどうなるんでしょうか。

父は幼いときに両親を亡くしていますから、兄姉ともに皆、小学校で終わり。うん。だから学歴コンプレックスがあって、自分の息子が、私が大学に合格したのがずいぶん自慢だったみたい。

――お父さんご本人は、満洲で、満洲鉄道系列の、大連都市交通、車掌か運転手を。

だけど本人は「満鉄にいました」って言うの。自慢をしてね。満鉄子会社でも、なかなか入れなかったのを、叔父さんの推薦があって入れたのだけれど、その前に軍隊にいて、そこで鍛えられたのもよかったみたい。

そこで働いて、また招集されて、今度は捕虜になってシベリアに抑留されるところを逃げて、大連まで帰って来たというけど、本当のところはよくわからない。母親が「お父さん、帰って来ない！　帰って来ない！」と言っていたら、ある日、「帰って来た！」って。既にその時は、ロシア軍に日本は負けているから、私たちの「澤ビル」アパートに中国の人が夜、襲ってきたりするわけよ。四階建の当時は高層マンション。澤ビルの人は自衛団を組んで、中国の人を追い払ったり。ロシア兵が入ってきて我が家の空気銃を取っていったのを覚えています。

13 母の移動――近江、大阪、満洲へ

母親・奥ヤス子は、奄美大島から風呂敷ひとつで近江へ行った。繊維工場の女工ね。両親の反対をものともせずに、っていうベンチャースピリットがすごくある。どこ行ってもすぐに地元に馴染むんだね。

――近江絹絲でお勤めだったんですね、お母さん、出稼ぎに行かれて。

奄美大島に、女工を募集に来ていたの。おふくろは、友達と三人くらいで、家出みたいにして行ったんだって。親に言ったら反対するから。そういう冒険スピリット、私らきょうだいには、昔からあったね。妹が一番、母のそういうところを引き継いでいますよ。仕

事も、独立して自分でどんどんやっていく。

――お母さん、何人きょうだいでいらっしゃいましたか。

六人、男三人、女三人ですけども、三人姉妹はみな大阪にいる。母は兄姉の次三番目の子どもですね。弟ふたりも大正区。お兄さんも、尼崎か大正区。親父の兄の子どもたちも、みな尼崎ですね。大阪に行くと、みんな親戚ばっかりなのよ。大島の人で、関東に住む人は少ないですね。

――ご両親は皆がいる関西へ、というようにはならないんですね。

そう。あまりつるまない。ひとつの要因は、私が東京の大学に行ったからというのがあるんですけどね。ただ、私に「関西の大学を受けなさい」というのは全くなかった。なんていうのか、ひとつのエリート意識みたいなものがあって、それがバネになっていったんですね。

――でもお母さん、関西に土地勘があるはずですよね。若い頃、近江絹絲で。

そう、近江絹絲を辞めた後も、どこか大阪で、女中をやっているんですよ。その女中生活で、すごく富裕層の文化を身につけて、いろんなしきたりとかをね。だから須子茂に帰った時には、非常に輝いていたという。服装から何から。

母は、女中体験をあまり語りたがらなかった。いろんな人から聞いたら、その家はすごいお金持ちで。まぁ一年くらいでやめたみたいだけど、大阪の上流家庭の文化を身につけてね。服装から、姿勢から、言葉遣いから、台所とか家の中のしつらえからね。満洲、大連に行ったときにそれを真似て、実現していくわけだ。沖縄に来てからは、それが誇りになっていく。我々は周りとは違うんだっていうね。

いつかまたそこ（本土）へ戻ろうというのが潜在的にあって、それが我が家の、両親のバネにもなっていたと思う。

――本土で、一流の文化を身につけてこられたという意識ですね。

一流じゃないんだけど一流のそぶりね。だけど、沖縄に引き揚げてきたら、周りと明らかに違う。母の両親、祖父ちゃんと祖母ちゃんが沖縄に来たことがあるんだよ。このふたりは逆に、琉球、首里っていったら凄いと崇拝している。

――お母さん方のおじいさん、おばあさんは、奄美でどんなお仕事をされていましたか。

母親のお父さん、祖父ちゃんは、須子茂で尊敬されていたよ。当時、うちの部落が豊かなところは、部落で漁船をもっていたのです。萬宝丸っていうのが、須子茂のカツオ漁船です。母の父親、私の祖父は、萬宝丸の「一番竿」[17]だった。名は直隆《なおたか》といってね。勤勉でね。

そして、うちの親父の兄が、その萬宝丸の船長だったの。この人は、須子茂で相撲が一番強かった。重田貞一《さだかつ》といって。須子茂では尊敬されていましたね。当時村の漁船・萬宝丸の船長や「一番竿」は村の英雄だったのです。

――重田さんは沖縄奄美会[18]には入っていますか？

奄美会の新年会なんかには、必ず顔を出しますよ。

――こっち（沖縄）でやるやつですね？

ううん、あっち（東京）だよ。こっち（沖縄）のは、なかなかそれだけのために出席というのは難しいからね。ただ、うちの父親は、昔、実久村《さねくそん》会の世話をずいぶんしていたよ。

――お父さん、お母さんは、代々、実久のご出身なんですか？

実久村の須子茂ですね。父も母も須子茂出身。お祖父ちゃんお祖母ちゃんの上までさかのぼるとわからない。重田も、昔は「重」だけだった。いつから重田になったかはわからない。

満洲引揚――遠足に行くような気持ちで

14

――満洲引揚の具体的な経緯をお聞かせいただけますか。お父さんが、現地徴用されてしまうんですよね。

そうです。だけど引揚のときは、タイミングよく親父が帰って来たの。脱走して帰って来たって本人は言ってるんだけどね。本当かわからないけど。

17―カツオ漁船には釣りの力量による序列があり、船上の釣り位置も定まっていた。土佐における近世のカツオ漁船について、「比較的若い漁師は船首近くに陣取り、ベテランは船尾を占める。その並び順には厳密な序列があり、その序列にしたがって賃金が決まっていた。船首側は舳に近いほど釣り上手であり、舳に陣取るのがヘノリと呼ばれる若手一番の釣手である」という記述がある（松田二〇一四：一二五）。この「ヘノリ」の位置は、現代の三重県のカツオ漁船でそのまま見いだせる（若林一九九一：九十三）。現代の沖縄県池間島のカツオ漁船では、「一番竿（ジャウ）」の位置は船首の左舷である（藤林・宮内二〇〇四：二四〇）。

18―沖縄における奄美出身者の郷友会は、一九二四年に沖縄沖州会が発足し、出身地の字や家族・親族を中心とする集いができていったが、一九五三年の奄美群島復帰によって、沖縄における奄美籍者の処遇問題（254頁）が生じたため、居住地ごとに沖縄奄美会を組織し、その連合体として沖縄奄美連合会を設立した。情勢が落ち着いてきた一九六〇年代半ばから沖縄復帰（一九七二年）後、出身地（市町村・島）ごとの郷友会として再結成され、復帰に伴って渡沖した奄美出身者を含めて成員としている（沖縄奄美連合会二〇一三：六十五）。

普通、日本が敗戦して満洲から引揚っていうと、満蒙開拓団の人たちはすごく苦労しているんだけど、私たちは、大連ってもう海と非常に近いから、しかもうちの親父が日本引揚の隊長みたいになってね。私の中では、あまり苦労というようなものはないんです。私は、引揚の時、リックサックをかついで家を出たのを覚えているんです。なんか遠足に行くような、歌を歌うような気持でね。私はね。

――何歳の時でしょうか。

六歳。私は大連の幼稚園の入園式を覚えている。親父たちは上の方に座っていて、ところが私は不安で、泣き出したの。六歳で幼稚園に入って、七歳の時に引揚ですね。満洲の人はみんな大連に来て、大連埠頭から船に乗るんですね。そこまで来るのが、北満にいた人たちは大変だった。日本に帰れなかった人たちもいましたよね。

15 病院船

――上陸したのは佐世保[19]ですか。

そう、大連から佐世保に行って、佐世保から奄美大島へ行ったんです。

その船が、「病院船」[20]と言っていて、引揚船ね。そこに看護婦さんがいて、その若いお姉さんがずっと、しょっちゅう、私をかわいがってくれたのを覚えているのよ。

――それは佐世保で乗り換えた船ですか、それとも大連から佐世保までが病院船ですか。

大連から。それは戦争の時の負傷者を運ぶ船だったみたい。

――私、この前、この佐世保の引揚資料館を見てきましたよ。あそこに揚がられたんですね。

そう。佐世保に揚がってからいろいろトラブルがあってね。中国の味方をしたとか言って、そこで乱闘が起こったり。いじめられた人もいたりしてね。[21]

19―佐世保の引揚援護局は主に民間の引揚者を担当し、一九四五年十月から一九五〇年四月までに一三九万一六四六人（うち満洲引揚者はおよそ五十二万人）を上陸させた（谷澤二〇一五：一五二）。

20―病院船は、傷病者の収容・搬送用の艦船で、二十世紀初頭に各国海軍と赤十字社によって活用され、第二次世界大戦後はほとんどなくなった（柳川二〇一三：六十二）。ブラジル移民船として高名な笠戸丸は、かつてロシアの海軍用病院船で、日露戦争の戦利品として日本軍に引き渡され、日本陸軍の兵員運送船として大連と広島の宇品を結び、戦後は東洋汽船に払い下げられ、横浜、神戸からハワイ、ブラジルへ移民を運んだ（宇佐美一九九八）。

――実際にご覧になったんですか。

うっすらとしか覚えていない。そこで見たちょっとしたことが、後で聞いた話と結びついているから、あぁそういえばあそこでわぁわぁと、なんか騒ぎがあったなというのがね。実際に見たことと、後から聞いたことが混ざっているだろうね。

――やっぱり、ＤＤＴをかけられて。

それ、引揚のときのことは覚えている。アメリカ兵が待っていて、こう、ＤＤＴをかけてくるっていうのを。

――で、今のハウステンボスのところへ、山道を歩いて疫病の検査に行ったんですよね。

それは覚えてない。佐世保と病院船っていう、このふたつのキーワードはよく覚えている。

――病院船という名前ではあるけれど、その船に、病人さんとか苦しんでいる人とかは。

ではないですね。もともとの用途がそうだったということで、それを引揚船に転用していた。覚えているのは、看護婦の若いお姉さんがずっと海を見ていて、私をしょっちゅうかわいがってくれた。気分としては、一週間ぐらいかかっているんですね。本当はそんなにはかかっていないんだけどね。そのお姉さんがずーっと海を見ていて、そこへ私が行くとかわいがってくれたという。引揚というと、そういうイメージがありますね。

——じゃあ、一緒に乗っておられた方も、大連で、街で生活をされていた方が多かったんですね。

そういうことです。どういう人たちだったかは覚えていないけれど。親父が世話役をしていてね。というのは、親父くらいの年齢の男の人は他にいないわけですよ。戦争にとられているとか、まだ引き揚げできるところまで来られていないとか。

21—重田さんが乗った引揚船は、元病院船の高砂丸であったかもしれない。一九四六年三月二十六日出航の便では、元陸軍少尉が首謀者となり、戦後の大連で民主運動指導者であった五名を暴行した。船長、復員官らは黙認し、佐世保では援護局員が公然と扇動したという（木村一九九六：三十八）。引揚者収容所では、共産主義の「活動分子」と見なされた引揚者への監禁・尋問が行われていた。引揚者どうしの争いの背景として、終戦後の大連では、ソ連軍司令部に認可されて大連日本人労働組合が結成され、二十万余の日本人市民と満洲北部から南下してきた難民を守る日本人居留民団として活動した。大連の富裕な日本人は、組合活動によって家屋を没収され、中国人に再配分されたり、難民救済資金の拠出を強いられたりして満洲で築きあげた財産を失っており、ソ連軍に協力した日本人活動家に対する怨恨があった。

――お父様は、シベリア抑留とか、ソ連兵につかまってはいないんですね。

いないですね。抑留される前に部隊から、本人は脱出したって言っていましたが、そういう英雄伝じゃなくて、終戦だから抜けてきた、みたいなのかもしれないですね。

――沖縄に来てから、米軍統治下で、お前はアカになったんじゃないかというように尋問されたりして、シベリア抑留経験者の方は苦労されるじゃないですか。ああいう経験は、お父さまはないんですね。

そういうのは一切、ないですね。

――引揚の時も、ご両親がすごく切迫していたり、これからどうしようみたいなのは。

なかったですね。そういうのは、私には伝わってないですね。

引揚者――一目置かれて特別扱い

16

私は、満洲から引き揚げてきて、一目置かれてね。奄美大島の学校では特別扱いだった。満洲の大連というのは、洗練された大都会だから、奄美に帰ってきたら、そこから来た私らは超エリートなの、垢抜けしていて。植民地の一側面だね。

私は奄美大島の古仁屋に引き揚げたら、一年生だよ、なのに、すぐ先生に、学芸会の開会の挨拶を、全校代表でさせられた。二年生になったら、学芸会の主役だった。やっぱり都会っ子で、話し方その他のことが非常に垢抜けしていたんじゃないかな。

沖縄に来ても、それがあった。大島出身っていうよりは、どちらかというと大連引揚のためにね。植民地にはそういう作用があったみたいだね。そういうのが安謝に移ってからも残っていたみたいね。

――周りの子どもと、お家でご両親が話される言葉が違ったというのは。

違いましたね。忘れられないのが、私はよく父親に、「辰弥、床をとりなさい」と言われて寝る前に布団を敷いていたのですが、安謝で学校の先生が、「皆さん、〝床をとる〟っていうのはどういう意味ですか」と聞いたら、なんと私以外の全員が「布団を畳むこと」と答えたんです。先生も、「辰弥くん、いつも、床をとってるの?」と、興味があるようでした。沖縄は暑いから、ムシロやゴザの上に寝ていて、布団を敷くこと、「床をとる」と言うことはなかったのかと。

――奄美大島でのお住まいはずっと古仁屋ですか。

小学校の入学式は、須子茂でやっているの。だけど、入学式が終わって二週間か三週間で、古仁屋に来た。古仁屋小学校で一年生ですね。それからずっと古仁屋。

奄美と沖縄の違い　17

古仁屋小学校で六年生の一学期までいて、沖縄に引っ越して、安謝小学校に入ったでしょう。そこでびっくりしたのは、私はまず、「このクラスで一番喧嘩が強いのは誰?」って聞いたら、「んー、誰かな?」「どうしてそんなことを聞くの?」みたいな反応だったんです。沖縄と奄美との違いを感じたね。

それは別に、強い奴を見つけてどうこうしようじゃなくて、そういう奴には気をつけないといけないからね、奄美の場合は。

そういう序列というか階層意識、成績でも一番、二番ってこうして競争させようというのがないのよ、沖縄。やっぱり「命《ぬち》どぅ宝」、命より大切なものはないという、ところが薩摩は「名こそ惜しめ、命を惜しむな」というのがあるのね。どっちがいいということではない。命を惜しむなというのは、潔いようだけど、自分の命を惜しまない生き方は、人の命も惜しまないことにつながるからね。

宮古には、「あららがま精神」というのがあるでしょう。奄美諸島でも、徳之島には「スットグレ」。「なにくそ、がんばるぞ！」っていうのがあるね。奄美ＩＴ懇話会をしていても、徳之島の人はやっぱり迫力があるなと思うことがありますね。

あとで気づいたことですが、これは奄美全般の価値観と言うより、わたしの住んでいた古仁屋町の風土だったかもしれません。あとになって沖縄で会った名瀬の奄美出身者から、「古仁屋ヤバン」というのを聞いて、奄美でも古仁屋はヤクザが多いというように、そんな風に見られていたのかと驚きました。あとで知ったことですが、湾労働者が集う港町は古仁屋に限らず、ヤクザなどが集う、野蛮な暴力の町という様相を育むようです。当時の古仁屋には、マジ兄と呼ばれたヤクザの親分が君臨していました。そうした風土を受け、当時の古仁屋小学校でも各クラスでも当然のように、喧嘩一番、二番という順位決めの風土がありました。私は沖縄の小学校に転校入学して、沖縄には全くそういう風土がないことにビックリしました。

18 長男のミッション——両親を本土に引き揚げさせる

私は、両親が奄美から満洲へ行っていたから、満洲で生まれて、みんなで奄美へ引き揚げてきたでしょう。次に、米軍統治の奄美では仕事がないから、両親と私は沖縄の安謝へ行く。それから、私は琉大へ入学するものの一年で辞めて、早稲田大学へ行くんだけど、最後に、両親を沖縄から本土へ呼び寄せます。つまり、沖縄から東京へ進学した私は両親のところへ帰るのではなく、両親をこっちへ呼び寄せたの。両親もそれを期待していてね。

奄美では「親元は帰るところではなく、親は呼び寄せるもの」というカルチャー、価値観があったんですね。これは私だけでなく、本土に移住した奄美出身の多くの同期が、両親を呼び寄せていますね。沖縄のUターンという慣習は、当時の奄美にはなかったですね。奄美はそれだけ貧しかったのでしょう。

私は、先に妹と弟を、大学在学中に呼び寄せて、仕事を始めてから両親も呼び寄せたのです。長男としてね。私は大学を出ているけど、弟は専門学校卒、妹は高卒で、重田家では、長男の私だけに教育投資をしたように見えるだろう。これは南西諸島独特の長子相続という過剰な価値観があるんだね。

19 過剰郷愁の戒め

奄美というのは、薩摩に対するコンプレックスと憧れの両方があってね。やり方をマネする。親族で優秀な子がひとりいたら、親族みなで出資して応援する。当然、その子は出世するけど、ある程度の地位になったら恩返しをしないといけないから、それがネポティズム[22]になって、地位を廻る利権の独占になったりするんだね。奄美群島のひとつの島にある病院、みんな親族がやっているでしょう。こういうのが恩返しなんですね。

——重田さんも、血縁の人たちに投資しないと、採用してあげないと、っていうお気持ちはありましたか。

それはありましたね。なぜかというと、皆さんからお世話になったから。でも、過剰郷愁というのは本当に注意しないといけない。宮古、八重山にもある。故郷に過剰貢献して、足元がおろそかになったり。同族主義、血の繋がりばかりを大事にするようなネポティズムがはびこったりする。親戚の面倒をみないのは最低だという価値観は経営の論理とは逆だから難しいのです。

地位を築いたらそれを利用して家族を助けないといけないという価値があるけれど、最悪、汚職になるでしょう。私自身、ずいぶん自分を戒めて来たところがあります。

私は沖縄と深くつながっている。でも、私の会社の沖縄事業所、これは本当に経営に役

22——ネポティズムは、自分の地縁・血縁者、身内を重用する慣習を意味する。

立ったのか。WUB世界大会（17頁）の会長をやったことは、経営には役立ったのか。「また沖縄ですか？」って社員に言われたこともあるよ。企業の社会貢献って言いながら、早稲田大学琉球・沖縄研究所[23]のことを助けてきたということもあります。

今でも、関東沖縄経営者協会、琉大同窓会、沖縄ファンクラブ、奄美ＩＴ懇話会、東京奄美会、東京瀬戸内会、埼玉奄美会、加計呂麻会、これ全部、年会費をおさめていますよ。毎月のように例会もありますね。こういうの、経営的にはどうなのかというのもある。

地元縁故採用には功罪があります。中学の同期、高校の同期、県人会経由で採用し、沖縄出身者を採用することができたことは凄く大きいんだけど、地元だから採る、縁故だからとにかく採るというようになっていくと、非常に危うい。

20 中国人社員に「ハルピン生まれだよ」と話しかける

――会社を経営しておられた時に、中国進出で一回だけ、赤字を出されるじゃないですか。その前に中国人の社員さんが増えていくんですよね。

もちろん、もちろん。

――そのときに、懐かしいとか、満洲ルーツつながりで感じられることはありましたか。

こっちはそうでもないですが、私が「生まれたのはハルピンだよ」って言うと、先方は「ええ!」って。中国の人には凄くお世話になったたっていうことで。そのときリーダーだった人は、今、沖縄にある中国の会社で働いています。

21 海外移民は「雄飛」と「悲劇」だけではない

私は、安謝中学の同期、那覇高の同期の沖縄出身で、南米に行った友達がいるんです。ブログに書いて、写真も載せている。田仲君。[24]

WUBでブラジルに行ったとき、[25]田仲君のことを聞いたのですが、ボリビアかブラジル

23―早稲田大学琉球・沖縄研究所は、沖縄研究を通じてアジア研究の一翼を担うべく設立され、総合講座「沖縄学」の設置、若手沖縄学研究者の育成、伝統芸能と現代芸術の相互交流、沖縄学国際ネットワークの構築などを行ってきたが、二〇一六年三月に閉じられた(早稲田大学琉球・沖縄学研究所HP)。

24―重田さんは、ブラジルへ移民した安謝中学校の同級生の消息を求めてきたが、ブラジル沖縄県人会の協力にもかかわらず、いまだにつかめていない。

かわからないんだけど、写真があるから必ず行方がわかるだろうと思った。でも、見つからなかった。

私は、移民研究をやる人は、移民の成功談だけの話をするのじゃなくて、ブラジルで消息がつかめなくなっている人たち、そういう移民の側面も研究してほしいと思っている。「海外雄飛」というでしょう。有名な言葉があるね。金武《きん》の「いざ行かん、我らの州は五大州[26]」という。みんな沖縄の人は志をもって（海外に）行ったと。でもね、たとえば、米軍基地建設のために土地を接収された人[27]と移民との統計比率をつくるべきだと思う。戦後の南米移民は、ある時期に集中しているでしょう。また、基地に土地を提供して移民に行くのを、喜んで応じた人もいるんですよ。行ってみたら話と違ったとしても、全然、被害者意識がない人もいる。南米に移民してきている人たちの中には、土地代の収入をもらっている人がいる。南米から戻って東京で生活している人も、依然として（軍用）地主で、かなり豊かな生活をしている人も、中にはいる。

だから、勇躍、海外雄飛だけでもないし、被害者だけでもないというのを、冷静に、感情を抜きにして、垣花《かきのはな》とか金武村とか、そういう、米軍に基地を接収された人と移民した人の比率を調べる必要がある。その人たちは接収されて、お金をもらって、移民もかなり厚遇されて、米軍と琉球政府の恩恵によってね、そういう人も、中にはいる。勿論、皆がそうではない。

それは一歩間違うと、米軍の土地接収を正当化するような研究になるから、やりにくいと思う。だけど、そういうのをやるべきじゃないのか。調査をね。「雄飛」と「移民の悲劇」だけじゃなくて。

25―重田さんは二〇〇八年、沖縄ブラジル一〇〇周年記念式典にWUB東京会長として出席した。

26―「いざ行かん、我らの州は五大州 誠一つの金武世界石」は、金武村出身である「沖縄移民の父」当山久三が詠んだ短歌で、海外雄飛の象徴とされている。

27―沖縄の戦後移民は、琉球政府による過剰人口の排出を企図した政策という面をもっている。戦後沖縄の過剰人口は、引揚・復員によって膨張し、米軍による土地接収と軍解雇によって深刻化した(281頁)。

column

小・中学校の後輩・花岡勝子さん……（安謝[28]）

花岡勝子さんは、琉球舞踊の一派である渡嘉敷流で、二代目渡嘉敷守良を襲名している。重田さんの安謝小・中学校の後輩で、安謝ではお互いの家が近かった。重田さんが東京で起業した後、東京公演をしようとしていた花岡さんが重田さんを訪ねて行ったことから、ご縁が深まった。二〇一七年の渡嘉敷守良襲名披露公演では、重田さんがプログラムに祝辞を寄せている。

また花岡さんの夫は奄美大島、それも重田さんと同ルーツの加計呂麻島出身だった。花岡さんは、重田さんがあまり経験していない奄美の習慣や伝統芸能についても話してくれた。

＊

私は、生まれ育ちは安謝ですが、生まれ落ちたのは戦争中で、やんばるを逃げ回っている時に、艦砲射撃のまっただなか、みんな逃げてしまった中で母親は私を産んだようです。昭和二十（一九四五）年生まれで、「勝子」なんです。勝子っていう名前、この年生まれの子どもには多かったですよ。

両親は戦争の前は、農業をしていましたね。安謝はこのあたり、全部、昔は畑だったんですよ。それが、戦争が終わって戻ってきたら、安謝小・中学校の裏から向こうはフェンスが張り巡らされて、米軍の土地になって、地域住民は入れなくなりました。

この辺にも米兵やその家族がたくさんいて、米兵の子どもが駄菓子屋に買い物に来たり、フェンスにあいた穴から手を入れてこっちの子とあっちのアメリカ人の子がビー玉なんかをやりとりしたり。そういうのを見て育ちました。

私は、小さい時からもう踊りが本当に好きで好きで、両親が見かねてけいこをさせてくれたんですが、そのお師匠さんの家に入り浸りでした。うちに帰ってきても、庭で踊り続けているんです。それを近所の人が見に来たりしていました。何十年かぶりに重田さんに再会したとき、「花岡さん、覚えているよ。僕もあなたが庭で踊っているのを見たことがあるよ」と言われました。舞台は十五夜祭くらいしか当時はなくて、それもドラム缶を並べた上に板を敷き詰めてね。なにもかも、工夫して手づくりでした。

重田さんは、私よりも五学年、年上です。小学校のときも中学校の時も生徒会長さんで、だから覚えているんですね。朝礼では、運動場の一番前の壇上に、生徒会長が立って、今週の週訓を話すんです。それが、ラジオから流れてくるような標準語で、よどみ

28—二〇一七年十一月十五日、安謝の渡嘉敷守良舞踊道場にて聞き取り（当時七十二歳）。

なくしっかりと話すので、すごいなと思っていました。それに、学校のすぐ横にある、ガラス戸の家の子でしょう。ガラス戸なんて、このあたりにあそこのお家にしかありませんでしたから、私たちは、おぉ～ガラス戸、これがそうかと思って見ていましたよ。

私たちの時代は、週訓はほとんど、標準語励行だったの。方言をやめましょうってね。方言札もありましたよ。でもみんな、やっぱりうっかり方言をつかったり、お互いに叩き合って「あがっ」って言わせて札を相手にかけたり、そういう時代に、奄美から来た人たちは標準語がうまくて、重田さんはなかでも特別でした。

生徒会長は、運動会の時にも壇上に立って、こう、腕を大きく振りかぶって、「前へ進め！」って号令をかけるの。廊下ですれ違っても、気安く話なんかできないですよ（笑）。

子どもの頃は、重田さんは五歳も年上だし、男性だし、一緒に仲良く遊んだりしたことはないんです。喋ったこともないかもしれないくらい。久しぶりに再会したのは、私が踊りで、初めての東京公演をしようというときですね、重田さんのことが思い浮かんだんです。重田さんはよく新聞に紹介されていましたので、「先輩、すごいな」と、みんなの尊敬の的でした。私の門下生に、重田さんの妹さん（私の一期先輩）と同級生の方がいて、同期会などで会ったりして仲が良かったそうです。その方がまず妹さんに連絡をして、重田さんの連絡先を教えてもらいました。重田さんは、覚えていますよ、ぜひいらっしゃいとお返事をくださいました。

五反田の会社に、東京公演の二か月前に訪ねました。そしたら玄関に、「ウェルカム花岡さん」ってメッセージが飾ってあったの。私も弟子たちも、ちょっと感じ入ってしまってたたずんでいたら、社員の方がすぐ出てきてくださって、案内をしてくれました。

お会いすると、やっぱり昔の面影がありましたね。誰か公演を手伝ってくれる人を探していますと言ったら、丁度いい人がいると言って、安謝小中学校の卒業生で東京に住んでいる方を紹介してくれたんです。重田さんはこういうふうに、東京でも沖縄の人たちとつながっていて、助けたり助けられたりしているんだな。ちっとも偉ぶらずに、懐の深い方だなって思ったら、その直後に私、重田さんに叱られたの（笑）。「こういう訪問の時は、ちゃんと着物を着て、身なりを整えて来るものだよ」って。私たち、ものすごい荷物を抱えてふーふー歩いてきて、旅行用の動きやすい洋服でしたから。

ご縁って面白いですね。重田さんと私には、どっちにもなんの義理もなくて、ただ小学校中学校が一緒で、安謝ではご近所で、お互いに覚えていて、ふっと頭に浮かんだら会えて、助けてくれて、あぁうれしいと思ったら次の瞬間、叱られて（笑）。でも、私が他所で恥をかかないようにっていう気持ちが、やさしいのね。重田さんを頼ってきて本当に良かったなと思いました。

それから、公演のたびにお世話になってきました。去年、横浜に教室ができた記念公演の時もお会いしました。県功労賞を受賞された時は、付添人に選んでくださって、会場まで出かけて行きました。私は、重田さんはもっと早くもらってもいいくらいなのにと思っていたんですが、それでも他の受賞者の皆さんより若かったですね。二代目渡嘉敷守良の襲名披露公演のときは、プログラムに祝辞を書いてくださって、東京からそのために、沖縄に公演を見に来てくださってね。これからも、重田さんの依頼があったら、何をおいてもかけつけますよ。有り難いご縁ですね。

私の夫は、祖父が徳之島出身で、加計呂麻島に移住しているんですね。夫の母方は加計呂麻島出身です。結婚してから、お祝い事で加計呂麻島を訪ねたことがあるんですが、最初に行った時は昭和四十七（一九七二）年でしたが、夫の母方の祖父母の家が花富村唯一のお店をやっていて、そこにだけ電話があって、誰かにかかってくると「〇〇さん～電話がかかっています～」と放送で呼び出すの。時間が止まっているような集落でした。

安謝港には古仁屋との間に船があったんですが、昭和四十七年ごろになくなって、名瀬にしか船が着かなくなったので、加計呂麻島まで行くのがたいへんでしたね。でも村内は、誰も留守をするときに家に鍵なんかかけないし、気持ちが温かで、昔の沖縄みたいでした。

夫は五歳で加計呂麻島を離れて安謝に来ているので、奄美の言葉はほとんど聞き取れませんでした。それでも郷友会に入って、古仁屋班の一員として、奄美郷友会の運動会にも参加していました。おばあちゃんは一銭まちやぐわぁ[29]をしていました。おじいちゃんは職業軍人で、戦車隊だったんですよ。それで夫はずいぶん厳しくしつけられたようです。

奄美はけっこう、あの頃まで、男尊女卑があったんですよ。あるお家で、男性は玄関から入って、女性は勝手口から入るというのを初めて体験しました。

主人にもありましたね。昭和四十四（一九六九）年に結婚したんですが、そういう時代には珍しいくらい、煙草を吸っていて私が灰皿をもって差し出さないとそのまま灰が床へ落ちるような。奄美出身の人にも、あなたのお家は今時、ちょっと珍しいと言われました。おつきあいしていたときは、私が座る前にさっとハンカチを敷いてくれたりしたんですよ（笑）。結婚したらこうですからね（笑）。

私はもともと、踊りをやるので歌がとても好きなのですが、奄美の民謡も大好きで、テープを買って聴いていたんです。それで、夫よりも奄美の言葉は耳で拾えるんですよ。奄美の歌って裏声が特徴で、旋律も、すごく哀愁があって美しいですよね。

忘れられないことがあります。奄美の人どうしの模合とか、郷友会関係の集まりで、女の方たちが台所とか一か所に集まっていると、そこへ男の方がお酒を注ぎにやってき

29——生活雑貨、駄菓子などを扱う小規模商店。

て、なにか、こう言葉をかけて、それが、歌の掛け合いになることがあるんです。すべて即興で、男の人が女の人に歌って、女の人が歌い返して。いつも喋っているのとは全然違う、あのなんともいえない裏声でね。ああ、これは大島の歌垣[30]だ。私は今、本物の歌垣を目の前で聴いている。そう思って、ものすごく感動しました。「歌垣ですね」って言ったら、「あんた若いのによく知っているね」って。そのへんにいるおばさんたちが、もう普通のおばさんに見えないの。あんな声で、即興で歌いあえる人たちなんだと、心から尊敬しました。

contribution

重田辰弥さん寄稿——米軍統治時代を振り返る

私は、一九五二年、十二歳のときに、奄美から沖縄へ移住してきました。小学校六年生でした。

当時のアメリカは、沖縄の人を、日本とは違う独自の文化をもつ民族とみなし、沖縄を、ハワイ島やグァム島のように合衆国の州や準州、あるいは信託統治領として治めていくことを目指していたのではないでしょうか。そのため、米国民政府は延べ一〇〇〇人を超える沖縄の優秀な若者を、ガリオア資金[31]を活用して米国留学に送る一方、ミシガ

島袋村に新しくできたプラザハウスに買い物に出かける米兵。
（沖縄県公文書館ホームページより転載）

ン州立大学のサポートを受けて琉球大学を設立しました。これらはいずれも、沖縄を日本から引き離し、親米的な人材を育成することを目指していたと思います。しかしその結果は、大田昌秀知事に代表されるように、米留経験者が基地反対闘争者になることもあり、必ずしも米国民政府の思惑通りにはいかなかったのです。

私が入学した当時、琉球大学の優秀な学生は、卒業後、米国留学を目指しました。しかし、奄美出身の私には、その受験資格もありませんでした。この「米留組」は、帰沖すると金門(ゴールデン・ブリッジ)クラブを形成し、我が母校である那覇高校裏のハーバービューホテルに集っていました。このハーバービューホテルは、一般の沖縄の人は、なかなか入れなかったのです。

同じように、当時のコザ市に所在したプラザハウス[32]は、駐

30—男女の間で歌を掛け合う問答歌。日本列島には、つれあいを求めて不特定の男女が市(いち)や山野に集って行う原始形態は残っていないとされ、古事記や日本書紀に跡をとどめている(工藤二〇〇二)。中国大陸や朝鮮半島、ミャオ族などの少数民族にも見いだせる。

琉米軍家族しか出入りできないショッピングセンターでした。米軍基地で働いていた私の叔父が「プラザハウスに行ってきたよ」と自慢したときには、エー！と驚きました。そこは、一定の条件がなければ地元の沖縄の人は入れない、憧れの「聖地」だったからです。米国出身のビジネスマンが開設したこのプラザハウスは、復帰後、地元コザ市の平良商工会長に譲渡されるのですが、この平良会長の奥さんは、私にとっては同じ奄美出身というご縁もありました。現在、このショッピングモールの経営に奮闘しているのは、平良会長夫妻の娘さん、由乃社長です。彼女の案内でこの憧れのモールを案内された時は、往時を思い、言い知れぬ感慨に浸ったものです。

こうした沖縄施政を展開した沖縄民政府の政策の背景には、ジョージ・H・カー[33]に代表される、薩摩藩時代にすでに始まっていた日本による搾取・差別についての沖縄史研究があったのではないでしょうか。私が中学三年生の時に、このジョージ・H・カー著『琉球の歴史』の翻訳教科書が無料で配られ、読んだ記憶があります。また、中学、高校のころ那覇の安里三叉道路・泊の崇元寺にあった「琉米文化会館[34]」にはよく通い、『TIMES』誌をめくって眺めました。これは私

の米軍の沖縄占領・駐留に関する拙い感想ですが、これ以外に、私の高校同期が強く影響を受けたアメリカン・カルチャーもあります。

私の中・高校同期生には、長く沖縄ジャズ協会長を務めたジャズピアニストの屋良文

31—ガリオア資金（GARIOA: Government Appropriation for Relief in Occupied Area Fund）とは、第二次世界大戦後の合衆国による占領地救済政府基金である。同資金による米国留学制度は「米留」と称され、一九四九年から一九七〇年まで実施され、フルブライト・プログラムの前身となった。

32—一九五四年七月四日に香港籍のローヤル・トレーディング・シンディケイト株式会社によって設立されたショッピングセンター。当初、顧客は「非琉球人」に限定されていたが、一九六六年に限定が解除された。現在、プラザハウス三階にあるギャラリー「ライカム・アンソロポロジー」では、米軍統治時代の沖縄を伝える琉米写真展を常設している。

33—G・H・カーは台湾史と沖縄史の研究者である。著作、Okinawa: the History of an Island People と Ryukyu Kingdom and Province before 1945（いずれも一九五三年）には、琉球の独自性を描き、しばしば日本からの切り離しと米軍統治を正当化する根拠とされてきたという批判があるが、真摯な学究・研究者としての再評価もなされている（比嘉・林二〇一八）。

34—那覇の琉米文化会館は一九五一年に設立された。米国民政府渉外報道局が直轄したアメリカ式の情報・文化センターで、統治者によるプロパガンダという側面と、地域住民がアメリカ文化に接し、統治者との間で相互交渉的なコンタクトを行うコンタクト・ゾーンという側面の両方を有していた（森田二〇一五）。

那覇琉米文化会館と崇元寺石門。
（那覇市歴史博物館提供）

雄君がいます。彼は、中学時代から音楽が好きで、安謝中学の教室でよくオルガンを弾き、那覇高校の時は吹奏クラブに属し、琉球大学教育学部でも音楽を学び、ジャズピアノに興じ、コザのクラブでジャズ演奏のアルバイトをしていました。当時はベトナム戦争時で、米兵でクラブは賑い、彼は空前の高収入を得て、琉大を中退しジャズ演奏にのめりこんだのです。彼は、その収入で那覇市にジャズ喫茶「寓話」を開設し、沖縄ジャズ協会の会長に就任しました。全国からファンを得て、毎年のように銀座や新橋でも定期演奏を開催し、私もしばしば出席しました。

また、全国的にも有名な沖縄出身のジャズシンガーに、与世山澄子さんがいます。実は彼女も私の那覇高校の同期で、中学時代からコザのジャズクラブで歌い、その後も圧倒的人気を得た伝説のジャズ歌手です。八十歳を迎えた今も、那覇市安里のミュージックラウンジ「インタリュード」で演奏活動をしています。彼女は、コザで得た英語力で、全国英語スピーチ大会でも優勝していました。屋良さん、与世山さんおふたりとも、たびたび日本のマスコミで取りあげられた沖縄を代表するジャズ演奏家ですが、私にとっては高校同期ですから何度かお会いし、お店にも行っています。

親友のジャズ奏者、屋良文雄さんと「寓話」にて。
2010年4月13日ブログ「追悼！屋良文雄君！」より転載

音楽だけでなく、スポーツにも、米軍占領時代の「植民地文化」の影響を感じることがあります。ゴルフ業界では、宮里藍に代表されるように、多くの沖縄出身ゴルファーが全国的に活躍しています。藍さんのお父さん兄弟は、幼い頃から家の近くにあったゴルフ場に親しんでいたと言われますが、そのゴルフ場は、駐琉米軍属向けに開発されたものだったようです。

南沙織や安室奈美恵などに代表される沖縄出身の多くのタレントやモデルにも、そのルーツや、彼らを育んだ文化の背景に、米軍による沖縄占領や駐留があったと思います。

米軍による沖縄占領は、土地の強奪や婦女暴行など、数多くの人権侵害をもたらしました。私は、そのような占領、植民地政策を決して是とする訳ではありませんが、私自身が育った大連と、青春時代を過ごした沖縄のことを思うたびに、「植民地文化」というものを感じるのです。

令和二年四月二十二日　新型コロナウィルス三密対応の自宅にて　重田辰弥

那覇高校周辺。那覇（真和志市）城岳高台より市北方を望む。（那覇市歴史博物館提供）

第5章

沖縄と海外をつなぐ

（2016年2月20日インタビュー）

WUB東京初代会長として

1 「社長、また沖縄ですか！」

私は「本業がありますから」と、全ての沖縄関係団体の会長を辞退していたのですが、二〇〇四年、関東沖縄経営者協会で当時、監査役を務めていた那覇高校の金城勇二先輩から「重田君、君、会長をやって！」と言われました。当時、創立二十二年目で売上十五億の経営者としてとても無理と何度か断りましたが、沖縄在住の関沖経営協創業者の仲本潤英顧問からの督促もあり、引き受け、以来二〇一四年に辞任するまで足掛け十年間、会長を務めました。

一九九九年には、ＷＵＢ（Worldwide Uchinanchu Business Association）東京の会長を引き受けていますね。

2 「移民」を超えた「琉僑」の世界

——重田さんにとってＷＵＢとはどういうものでしたか。

私個人にとっては、これがあればこそ、インターナショナルな人脈が広がった。

「移民」という言葉だと、発展途上国から先進国に行くイメージだけど、それを超えた「琉僑」の世界というのかな。同時に、海外の沖縄県人会とWUBの間に微妙な何かがあってね、WUBという集まりは、それまで県人会活動に加わってこなかった沖縄系の人たちの受け皿になっている。そういう意味でも大事ですね。

――沖縄県人会とWUBは、どのように違いますか。

WUB東京のメンバーでも、東京沖縄県人会には全然、出席しない人たちもいます。県人会は、集まることが大事です。沖縄出身だという属性で集まりますね。WUBは、どちらかというと機能的、経営的なのね。ゲマインシャフトとゲゼルシャフト[1]という言葉を使って言うと、WUBはゲゼルシャフト的で、県人会はゲマインシャフト的なんだと思う。

ところが、WUBのBはビジネスのBだけど、最近、東京のWUBは、どうもビジネス交流ではなくて県人会とは違った別の集まりになってきたなという感じがしますね。

もともとWUBを立ち上げたのは、ロバート仲宗根さんという人で、移民二世のマサ

1――社会学者テンニースが用いた集団の二類型。ゲマインシャフトは原初的共同体、ゲゼルシャフトは人為的結社である。

チューセッツ工科大学卒、ハワイ州政府の経済部長までなっているわけですね。そういう人ですが、ハワイの沖縄県人会の中心で活動して来た人ではないんですね。

3 沖縄系組織の対立を融和させる

――日本国内にも、県人会とＷＵＢの違いがありますか。

東京でいうとＷＵＢだけじゃなく、関東沖縄経営者協会もゲゼルシャフト的ですね。だからゲマインシャフト的な沖縄県人会と経営協の会長を兼ねるというのは、今の仲松さんが歴代でたったふたり目ですよ。

もともと、関東沖縄経営者協会と東京沖縄県人会というのは、相対立する組織だった。このふたつの組織は、はっきりと分かれていた。[2]

東京沖縄県人会は、人民党[3]からの流れがあった。西銘さん[4]なんか、自民党の保守系は来ない。逆に、経営協の方には一切、革新の政治家の人たちは来ない。そういうふうに、とくに復帰前は対立していましたが、今は融合するようになりました。

――関東沖縄経営者協会が保守で、東京沖縄県人会が革新だったのですね。

そう、復帰する前にははっきりとそうでしたね。その両方に出る人は少なかった。私は両方に出ていたけれど。

――重田さんはどうして両方に出ておられたのですか。

2―重田さんが東京沖縄県人会五十周年記念誌に寄稿した「「東京沖縄県人会」と関東沖縄経営者協会」によると、東京沖縄県人会は一九五六年に神山政良氏を初代会長として発足したが、その前身は一九四五年発足の「沖縄人連盟（初代会長・伊波普猷）」であった。東京沖縄県人会は、沖縄の日本復帰を目標として結成され、初代会長自らハンストに参加するなど、激しい政治運動を展開した。初の県知事選では、革新の屋良朝苗候補を強力に支援した。本土復帰後、同会は主要な政治目標を失い、政治色が薄まって芸能と親睦に比重が移っていった。一方、関東沖縄経営者協会は一九六六年に、川崎在住の県出身経営者らが尽力して発足し（初代会長は中田匡彦氏）、当初から政治的には保守系であった（重田二〇〇八b：二六三）。本土復帰後は、県内経済界が直接、本土財界首脳と交流するようになり、同協会は設立時の勢いを失っていく時期があった（同上：二六八）。両者の和合は、沖縄の本土復帰による組織目標の見直しの中ではかられていったと考えられる。

3―一九四七年に現・うるま市で瀬長亀次郎らによって結成された左翼政党で、強い影響力を持つ大衆政党として反米運動を主導したため、米軍当局による厳しい監視と弾圧を受けた。一九七三年に日本共産党に合流した。

4―西銘順治知事：一九七八年十二月十三日～一九九〇年十二月九日在職。那覇市長、自由民主党衆議院議員を経て県知事となり、のちに衆議院沖縄及び北方問題に関する特別委員長を務めた。

別に、どっち側の人とも、どっち側とも思わずにつきあう（笑）。

私は、それとは別に在京の沖縄出身者による異業種交流の三月会《みつきかい》という会を作って融和をはかってきたんです。そこに、今は沖縄県でよろず支援拠点所長を務め、かつてはわしたショップ銀座店の初代店長だった上地哲さんのような、経営マインドを持った人たちがいたのです。私も経営者だから、「集まるために集まるみたいな、集まりが自己目的化するのはちょっと」と思い、関東沖縄経営者協会でも、新進気鋭の経営者を講師に招いてセミナーをしたりしましたね。関東にいる沖縄出身の経営者たちが、沖縄にいる経営者たちと機能的につながれる。プラザハウスの平良由乃さんに話してもらったときは大好評だったよ。

これとは別に私は、関東沖縄ＩＴ協議会を立ち上げ、初代会長を務めました。

4

ＷＵＢ東京で世界大会（二〇〇一年）を主催する

ＷＵＢは、ハワイでロバート仲宗根さんが立ち上げて、ブラジルへ、他の南米へ、北米へも広がって行きますが、日本国内の支部がなかったんですね。私がＷＵＢ東京の会長を引き受け、沖縄以外の本土内・初の支部が出来ました。ＷＵＢ東京大会、日本国内で最初のＷＵＢ大会を主催しました。

――どういう経緯で、初代の東京のＷＵＢ会長になられたのですか。

ＷＵＢを立ち上げたロバートさんは、日本で支部をつくりたい。あちこちまわって、沖縄県人会等で「趣旨が分からない！」と全て断られたようです。そのときに、私は三月会の会長のとき、ブラジルから（引き揚げて）来て当時ブラジル銀行東京支店におられた「三月会」副会長の長嶺爲泰さんが「是非やりましょう！」と督促、激励され、後は海外勤務経験のある会員の新垣由紀子さんや小嶺宏さん、武原さんに担がれました。武原さんは、元琉球放送（ＲＢＣ）の大阪営業部長で、後に㈱沖縄物販売を立ち上げています。小嶺さんは、那覇高先輩で、当時貿易会社をやっていた人です。この人たちと一緒にＷＵＢのハワイ大会に行ったのです。

そこでロバートさんの自宅に招かれて、「重田さん、来年東京でＷＵＢ世界大会をやりましょう！」って言われて、「ええ！」ってなって、そこから始まったの。

ＷＵＢ東京会長を務めた中で最も印象に残っているのは、「第5回ＷＵＢ世界大会東京二〇〇一年」大会です。ＷＵＢ東京メンバーの中には、沖縄の物産に関係して、自分たちのビジネスにつなげようとした人もいた。でもうまくいかなくて結局、私はＩＴを使ったこれからのネットワークということで、ＩＴのパネルディスカッションを企画してね。「ＩＴで結ぶ二十一世紀」という大会スローガンを掲げました。それで私は、当時島田懇談会[5]の座長をしていた、慶應義塾大学の島田晴雄さんを訪ね基調講演を依頼し、当時日本経済新聞でＩＴ関連記事を担当掲載されていた中島洋さんの御母堂が沖縄出身者であることがわかり、中島さんを訪ねてパネルディスカッションの司会を依頼しました。

また、現在ＩＢＭの社長をやっているポール与那嶺さんとか、全部、私が直接訪ねて行って、大会の趣旨を説明、パネリストを依頼し、実現しました。

大変でした。当時、うちの社員からは、「社長、また沖縄ですか！」って言われたことがあります。私がＷＵＢのことで忙殺されているから。社員と話す暇がなく、毎週、会社の会議室を使い、ＷＵＢメンバーと打ち合わせしていました。今、思うと、会社を経営しながらよくあそこまで出来たものだと、社員の同意と協力に感謝です。

――ＷＵＢの日本における支部というのは東京が最初で、重田さんがその初代会長ということですね。

そういうことです。ここにＷＵＢ東京の世界大会の報告書があります。こういう報告書を出したのも、東京大会が初めてだった。

こういう企画、報告の仕事をしてくれた人は、蝋山由美さん、彼女は武蔵野美術短大出身のデザイナーでした。もうひとりは映像・音楽プランナーの湧川ふき子さん、おふたりとも私の高校の後輩ですが、おふたりとも若くして逝去されました。

また、上地聡子さんは、名護高校出身で、私の紹介で早稲田大学の琉球・沖縄学研究所に入ってね。東京に、沖縄出身でこれだけの人材が偶然、揃っていました。これ以外にも沢山の人達に助けて頂いたというより、皆で協力して実施、達成したのです。

――この東京大会は、他所でやった大会よりも参加者が多かったですよね。

そうですね、その後の大会は、この東京大会がひとつのモデルになったのではないでしょうか。

――この大会の後というのは、ＷＵＢの活動としてどのようなことをされましたか。

ブラジル、ハワイ、上海に行ったし、そういうおかげで、海外との人脈ができるようになったんです。

5――一九九〇年代後半から二〇〇〇年代前半にかけて実施された沖縄懇談会事業は、座長である島田晴雄氏の名から島田懇談会事業と称される。およそ一〇〇〇億円の総事業費で、基地が集中する沖縄の未来につながるしくみづくりが目指された（内閣府二〇〇八）。

重田辰弥さん寄稿——大会を終えて[6]

contribution

二〇〇一年二月九日　重田辰弥

「第五回ＷＵＢ世界大会・東京二〇〇一」は同時多発テロという思いもしないアクシデントを乗り越え、大過なく終わることが出来ました。開催を支えたスタッフ有志の間で、ご協力頂いた方々へのお礼の意味も含め大会報告書をまとめようという声が上がり、出来上がったのが本書です。大会開催を引受けた際、参考にしたいと過去の開催状況を調べましたが報告書の類が見つからず困りました。本書の一つの目的はそのような経験から、今後大会開催を担う支部の皆さんへ参考に供することでした。会員同士の今後のビジネス資料とも考えました。ご参加いただいた人々との「時代の証・記念碑」といううたいそうな思い、さらには目的を共有した同士の苦労と自慢の記録を残したいという思いもありました。それらの思いがどの程度実現したか皆様のご批判を仰ぎたいと思います。

そもそものはじまりは二〇〇〇年一月八日の夕、ホノルルはロバート仲宗根ＷＵＢインターナショナル会長宅のホームパーティでした。会長の「二〇〇一年の大会を東京で引受けてほしい」という発言に当初私は「エエー！　東京は発足したばかりで組織自体もまだまだで、とても無理です」と再三辞退しました。この年、ハワイで沖縄県民移住百年祭が行われ、県からも稲嶺知事、市町村長はじめ百人以上が参加していました。これを機にWUBインターナショナル・ミーティングが開催され、WUB東京からは私と小嶺・武原両副会長（当時）が出席していました。すでにプレサミットイベントとして二〇〇〇年WUB沖縄大会が決まっていました。会長が東京開催にこだわった理由は二〇〇一年の「第三回世界ウチナーンチュ大会」に多くの参加者が成田に入ること、過去多くの支部が開催運営を通して組織を強化したという事情がありました。出席の各支部長の意向をバックにした会長の粘り強い要請と同行していた両副会長の「やりましょう」という督励に大きな不安を感じつつも受諾しました。こうして翌日、シェラトン・ワイキキホテルで行われたWUBインターナショナル早朝会議で「第五回WUB世界大会・東京二〇〇二」が正式決定しました。

大会は引受けたものの会場、出席者、テーマ、経費等何をどうしていいのか全く見当が付きませんでした。第三回ロスアンゼルス大会や第四回沖縄大会がモデルになりそうでしたが、これらの大会はいずれも沖縄県民移住記念式典や北米県人大会、サミット等他の式典とのリンクの下で開催されていました。東京大会はプレ世界のウチナーンチュ大会として多くの参加者を見込めるという相乗効果はあったものの日程や経費面ではむ

6—『「第五回WUB世界大会・東京二〇〇二」大会報告書』掲載原稿。

しろ多くの制約条件を背負うことになりました。前年の北米や沖縄大会に倣って二〜三日の日程を考えましたが、「世界のウチナーンチュ大会」を後に控えた海外や沖縄からの参加者は、世界一物価の高い東京に何日も滞在できない等の理由で、結局すべて一日で実施することになりました。

大会開催のHow（どのように）という手続・手順論もさることながらWhat（何を）というコンセプトやスローガンに大いに悩みました。物産展やバザー、沖縄移民記念誌、インターネット・ミーティングやライブ等が提案され、予算、会場、日程等の可能性が議論されました。こうした曲折を経て最終的にはITをキーワードに、パネルディスカッションとビジネス交流会を主軸とする大会となりました。その過程においてメンバーの意向を十分汲み上げず、独走過ぎるとの批判も一部頂きましたが、人が人を呼ぶ形で多くの有能な先輩、同輩、後輩の参画と協力を得ました。ことに大会実行委員長を引受けていただいたブラジル銀行の長嶺氏には、会計および南米各支部との窓口として貴重な役割を果たしていただき、大会成功に大きく貢献していただきました。

大会を終えたいま、「困難は逃げれば倍になり、立ち向かえば半分になる」という言い古された諺をいまさらのように実感しています。参加したスタッフ有志は達成感に止まらず、お互いの連帯と信頼に基づく戦友ともいうべき貴重な財産を得ました。信頼とは目的の共有もさることながら、それに至るプロセスの共有の上にこそ築かれるということも痛感しています。それはお互いのビジネスの展開にも豊かな土壌を提供してくれるという予感があります。
最後に大会開催にあたりご支援・ご協力を頂きました内閣府、沖縄県、東京コンベンションビジターズビューロー、仲村正治内閣府副大臣（当時）はじめ県選出国会議員の先生方、各国大使館、無償で協力頂いたパネリストの方々、パーティ出演者および広告出稿者等多くの方々へ厚く御礼申し上げます。

5 海外移民をビジネスにつなげる難しさ

――ＷＵＢ東京の活動を通じて、成し遂げたいと思っていたことはなんでしたか。

本当は、ハワイとブラジルをつないだりして、ＩＴだから、物理的な距離が縮まるから、ビジネスをしたいと思っていた。でもビジネスにはなかなかうまく結びつかなかったですね。結局、成し遂げられたことは、ＷＵＢがあったからこそ、自分の、海外に対する心理的な抵抗感がなくなってね。インターナショナル・マインドになったと言えると思います。中国にも行けたし、ブラジルにも行けたし、海外にいる沖縄の経営者達の特色、課題等々実際に足を運んで、会ってみてわかりました。

WUBは、どちらかというと成功した人たちの集まりですけどね。私が小、中校同期をブラジルで探しても、全然、どこに行ったかわからない。もうひとつは、私自身が満洲から引き揚げたという体験から外に開いているマインドがあるのかもしれない。

WUBのBはビジネスのBだけど、今は、実際にはビジネスじゃないのよ。単なる集まりのようになってしまっている。WUBを通じて、具体的にビジネスが成功した事例は今のところ少ないですね。ただ、東京のWUBなどは、県人会には来ない、あるいは来られない沖縄の人たちが誼を通じるもうひとつの組織になっていますね。WUBがなければ沖縄と関わることができなかった人たちを吸収できたということは言えると思います。とくに、若い人たちをね。私の後は長嶺さんが会長になって、今井さんという女性から元NTTデータ出身の平良君が会長を継承しています。

contribution

重田さん寄稿――日本の近代史に翻弄された南西諸島の我々

私は早稲田に入学して、出生から小中高、大学ひたすら東京で育った同級生の何人かに接し、改めて満洲〜奄美〜沖縄〜東京と紆余曲折、変遷の我とわが身の生涯を思いました。とはいえ、これは私だけが選択したライフ遍歴ではなく、奄美の親族にも似たようなライフ遍歴をした人が何人もいました。

最も衝撃を受けたのは、WUBに入って、私より三歳若い沖縄出身の知花弘さんが私と同じハルピンで生まれ、私と同じ一九四六年に満洲から沖縄に引き揚げ、十六歳の読谷高校二年の時、ボリビアに移住、以来二十八年現地で暮らされようですが、日本は高度成長を迎えた一九八八年、人出不足に合わせ海外からの日系人出稼ぎブームに乗り日本に帰り以来二十五年間横浜市鶴見で暮らされたようですが、何と二〇一三年、「終の住処」として再度ボリビアにUターン移住されました。

実は知花さんは単身移住ではなく、ご両親御兄弟、祖母、叔父家族九名、ご一族で移住されています。三名の娘さんたちは鶴見でご結婚し、お暮しなので知花さんは数年に一度の割合で、ボリビアと鶴見を行き来しておられるようですが、現在はボリビアに暮らしておられ、今後は多くの親戚が住まわれ、古い沖縄の雰囲気・思い出が残る彼の地のボリビアで自らの終末を迎えたいとのことです。

地球を横断移住するこの知花さんや私の様に、満洲、奄美、沖縄、東京往来というライフは、WUBに入ったからこそ知り得た、日本の近代に翻弄された南西諸島民の典型モデルと思わざるを得ません。

第2部

論考篇

第1章

島を出る女性

本土出稼ぎという「冒険」

1 本土出稼ぎから満洲渡航へ

重田辰弥さんが幼少期から青年期にかけて経験したダイナミックな空間移動は、重田さんの両親の世代から始まっていた。父の禎二さんは徴兵され、奄美から鹿児島に移動し、除隊後、南満洲鉄道会社（満鉄）系列である大連都市交通に勤務した。母のヤス子さんは、近江絹絲紡績株式会社（以下、近江絹絲と表記）の「紡績女工」になって奄美から滋賀へ、さらに「女中」に転職して大阪へ移動し、奄美への里帰りを経て、満洲へ結婚移住した。重田さんの両親がふたりとも、戦前から、複数回に及ぶ移動経験をもっていたことは興味深い。

ヤス子さんの満洲渡航には、それに先立つ本土出稼ぎが影響を及ぼしていた。彼女は、大阪から奄美に里帰りしたときに、島の女性たちからひときわ抜きんでた容姿の洗練を見せたことによって、たまたま同時期に満洲から里帰りしていた親戚の女性の眼鏡にかない、満洲への結婚移住へとつながったのである（138頁）。

一方で、満洲で禎二さんと会ったヤス子さんもまた、奄美で漁労をしていた頃とは全く異なる彼の容姿に驚いている。同郷の若者たちは、お互いの洗練された姿に驚いたであろう。その変化をもたらしたのは、出郷と移動の経験であった。

2 一九三〇年代の「紡績女工」という経験

重田さんの母、ヤス子さんは、一九一五（大正四）年生まれで、一九三九（昭和十四）年に満洲に渡っている。彼女が滋賀県の近江絹絲で紡績の仕事をしていたのは、一九三〇年代であると考えられる。

近江絹絲（創立時は近江絹絲株式会社）は、一九一七年に滋賀県の彦根町で設立された（藤川一九六七）。翌年、第一次世界大戦の終戦の反動で絹糸価格が暴落したが、近江絹絲はむしろ資本金を倍増して不況を乗り切った。紡績機は、一九二〇年の三〇〇〇機が一九二八年には六〇〇〇機に、一九三一年には一万二〇〇〇機、そして一九三五年には二万一〇〇機に増設された（同上：一〇〇）。急速な増産を支える大量の紡績女工を採用すべく、募集人は奄美の加計呂麻島まで足を運んできたのである。ヤス子さんは募集人の勧誘に応じ、反対しそうな親には無断で、島を「飛び出した」という（143頁）。

近江絹絲の社史には、女工についての記述はほとんど見当たらないのだが、当時、近江絹絲と同様に関西に所在した大企業、尼崎市の東洋紡績で働いていた女性たちの経験が、研究者によって聞き取られている（松井二〇〇〇）。

紡績工場は全寮制で、労働力の流出を防ぐため、寄宿舎と外との自由な出入りは禁じられていた。それでも女性たちは、日曜日には外出許可を取って市場へ出かけ、ガラス容器に入ったビスケットや洋服の布地を買ったり、時には規則を破って平日に抜け出して大福餅を買い食いしたり、塀の下を掘って作った穴からアイスキャンデーを受け取ったりしていた。回想には、食べ物のエピソードが多い。お菓子やアイスは、飢えを満たすものではなく、規則破りのスリルや解放感、都市文化の象徴として想起されている。

紡績女工というと、「女工哀史」的な、悲惨な境遇がしばしば想起される。しかし、一九二九年には工場の深夜業が廃止され、一九一六年から十三年間に及んだ二交代制の十二時間労働は行われなくなっていた。二交代制の時期、紡績工場の女性たちは、午前六時から午後六時、または午後六時から午前六時まで、ときには食事をとる暇もなく、作業に追われていたのである（山田一九八九：一六七）。二交代制が廃止された時期、大企業の労務管理は、工員を短期間で酷使しきるより、勤続年数を高めようとする方向へ転換しつつあった（松井二〇〇〇：七〇）。近江絹絲は寮の中に教室を設け、それを発展させて工業学校と家政女学校を設立している。[1] 後発の中小企業であった同社は、このような福利厚生によって働き手を惹きつけてきたのであろう。一方で、当時の紡績工場では、他社からの引き抜きや自由意思による転職を防ぐため、女性労働者を寄宿舎の中に閉ざす労務管理は続いていた。

ヤス子さんと同郷の奄美大島、現在の瀬戸内町《せとうち》から、大阪の富士煉瓦紡績に出稼ぎにきていたひとりの女性は、八時間労働になったために「手にする金が少なくなって損をしたような気がした」と回想している（山田一九八九：一六七）。この語りは、労働条件の改善が、働いていた女性には必ずしも歓迎されなかった事例があることを示唆している。ヤス子さんの、「女工」から「女中」への転職の背景には、奄美にいた頃に聞いていた、二交代制時代の女性たちのようには、もう紡績では稼げなくなっていたという時代背景もあるのかもしれない。

3 紡績工場からの脱出

ヤス子さんは、滋賀の近江絹絲の「女工」から、大阪の裕福な家庭の「女中」へと、職業移動と空間移動をしている。それが自由意思で敢行されたのなら、ヤス子さんは、寮の禁忌を破り、寄宿舎の塀の外へ脱出したことになる。

ヤス子さんが働いた頃より前の、二交代制時代の経験であるが、紡績工場からの逃亡が命がけであったことを示す語りが研究者によって聞き取られている。

「寄宿舎からは、外出を利用して逃げる人が絶えなかった。塀の釘にひっかけ、着物も破れ大けがした人もいる。逃げようとしたら交番でつかまって叩かれ、連れ戻されて工場で袋叩きにあう。逃げようと思えば殺されるの覚悟だ」

（酒井一九九四：四十三）

これを語ったのは、徳之島出身の一八九八（明治三十二）年生まれの女性である。「ヤマト」の女性たちが要領よく、「島」の女性たちに協力させ、小分けにした荷物を持ち出させて逃亡

1―近江絹絲は、一九三八年に従業員男女が働きながら学べる近江実修工業学校と近江実践家政女学校を設立した。両校は一九四八年に近江高等学校となり、現在も存続している（藤川一九六七：三十）。

するのに対し、島の女性たちは身ひとつで逃げていたという回想も興味深い。この人は、母親が死んだと嘘をついて帰郷し、「もう大阪には出さん」と両親が言って、そのまま島で暮らしたという。

ヤス子さんは、どのような機略を用いて紡績工場を出たのだろうか。彼女は、寄宿舎の塀の外へ出て、しかし帰郷せず、大阪へ向かった。その足どりは、現代日本における留学生や技能実習生が、日本語学校や研修先の宿舎から脱け出し、新しい仕事を求めて移動していく姿にも重なって見える。

4 出稼ぎの背景——女子教育の近代化と女子雇用の遅れ

女性の出稼ぎを、社会的な背景と関連づけて把握する研究も進んでいる。

大城道子は、沖縄出身女性の紡績出稼ぎを、オーラルヒストリー調査によって研究している（大城二〇〇九）。大城によると、沖縄における女児の義務教育の就学率は、一九二七年には九九％にたっした一方で、義務教育を了えた若い女性の受け皿となる雇用は、県内には整っていなかった。そこには、女子が近代的な基礎教育を受け、しかし、卒業後の働き口はほとんどないという状況があった。

大城による紡績出稼ぎのとらえ方は、沖縄における女子教育が、女性の雇用の整備に先立って近代化され、その間隙に、県外出稼ぎが現れたと見るものである。これは沖縄女性についての知見であるが、奄美大島の女性たちにもあてはまることが多いと考えられる。

5 戦前出稼ぎの一典型としての「紡績女工」

戦前、大正期の出稼ぎ者は、全国で約七十万五〇〇〇人に及び、その八割を占める農林漁業外の職種のうち、製糸業は三六・四%、女性がその九割を占めていたという（山口二〇一一：六十九）。戦前の出稼ぎでは、この「女工出稼ぎ」が重要な位置を占めていたのに対し、戦後の出稼ぎは、ほぼ男性に担われるようになった。

労働力の供給源である出稼ぎ者の出身地域も、戦前と戦後では大きく変化した。戦前は、最大の出稼ぎ供給県は新潟であり、富山と石川を含めた北陸地方が、最も大きな出稼ぎ供給地域であった。そして広島と島根を中心とする中国地方、とくに瀬戸内海諸県と、南九州の三つが大きな拠点であったという。戦後、とくに高度経済成長期以降は、出稼ぎは「周縁部から大都市部への大規模な労働移動」を意味するようになった。その最大の供給地は東北地方であり、一九七二年の農林省調査によると、出稼ぎ者の九割強が男性、主要な職種は建築業と製造業であった。

戦後にも出稼ぎ女性は存在したが、女性の雇用は、景気感応性が男性よりも高く、さらに、飯場の賄いや旅館の客室清掃など、「女性化された職種」に集中してきたという。女性の出稼ぎは、未婚や離婚の女性を除けば、家計補助が多かった。また、家事労働につながる「女性化された職種」への就労は、性役割規範の再生産をもたらした。山口恵子は、このような女性の出稼ぎを、「家（イエ）に埋め込まれた」出稼ぎと表現している（山口二〇一一：八十一）。

ヤス子さんの出稼ぎ経験は、日本における戦前出稼ぎのひとつの典型であるといえる。

まず、「紡績出稼ぎ」は、戦前期の出稼ぎ全体において、かなりの比重を占めるものであった。「紡績女工」は、男性が中心となった戦後の出稼ぎだけを前提にすると見落とされがちな、「女性の出稼ぎ」の主流であった。ヤス子さんの「女工」から「女中」への転職も、一九三〇年代の紡績工場において、二交代制はすでに廃止され、女性たちを囲い込む労務管理は継続していたという時代状況に照らして考察することができる。

戦前の出稼ぎの三大供給地のひとつが南九州であり、もうひとつの供給地である中国地方も、瀬戸内海に面した地域が多くの出稼ぎ者を出してきたことも重要である。鹿児島県出身、さらに「島」の女性であったヤス子さんの経験は、当時のたくさんの出稼ぎ女性たちに共通するものであった。

6　島の女性にとっての出郷

宮本常一は、西日本の村から都会へ奉公に行った女性たちの経験を、「逃げる」という表現で描いた。親に黙って出郷した娘に、父親は激怒するが、母親はわかっていて、さほど案じない。外の世界から帰ってきた娘は、ぱりっとした標準語を必要に応じて駆使できる、見識のある女性になっている（宮本一九六〇）。ここに描かれている女性の成長ぶりは、奄美に里帰りしたヤス子さんのあか抜けた様子にも通じるものであるように思われる。

大城道子は、沖縄女性にとっての紡績出稼ぎが、憧れのヤマト風の着付けをし、新しい習慣に「切り替え、切り替えして」いく、異文化摂取の経験でもあったことを聞き取っている（大城二〇〇九：二三二）。奄美大島の女性たちにも、同様なことは起こっていたであろう。

ただし、ヤス子さんの出稼ぎ経験を、「女性の解放」という文脈で過大に評価することは適切ではない。ヤス子さんが就いた「紡績女工」と「女中」は、いずれも、端的に「女性化された職種」であった。ヤス子さんは、重田さんに、仕事の内容をほとんど何も語っていない。そこには、出稼ぎにおける負の側面もあったのかもしれない。

また、ヤス子さんの出稼ぎ経験は、彼女を島や家から離脱させるものではなかった。帰省をきっかけとした同郷者どうしの紹介婚へと、地縁・血縁関係は再生産されていったのである。その意味では、ヤス子さんの出稼ぎは、いったん女性が単身で郷里を出るものの、その経験が郷里の地縁・血縁関係へと回収されていく、「家（イエ）に埋め込まれた出稼ぎ」と言えなくはない。

7 「冒険スピリット」の次世代継承

一方で、ヤス子さんの出稼ぎは、ひとつの「冒険」として生きられ、回想され、次世代に引き継がれている。重田さんの中で、母の「冒険スピリット」は、女性実業家である妹さんに色濃く引き継がれたという意味づけがなされているのも示唆的である（143頁）。

重田さん自身にも、ヤス子さんの「冒険」は、小さからぬ意味をもっていたのではないかと思われる。

その「冒険」の物語は、本土出稼ぎという出郷が、満洲結婚移住へとつながっていく移動の連鎖や、同郷の男女が、再会した相手の洗練された容姿に驚くというエピソードを含んでいる。一方で、出稼ぎの仕事内容そのものは、ほとんど語られることがなかった。出郷し、広い世界で自分を試していくことの能動性と積極性を肯定するかたちで、記憶の継承がなされているのである。

このような母の移動の物語は、沖縄から単身で上京し、身を立ててきた重田さんを励まし、叱咤するものであったように思われる。

第2章

島人《しまんちゅ》の同族結合

出郷する弟、家守の兄

1　地縁・血縁が支えた渡満と階層上昇

重田さんの父・禎二《ていじ》さんは、奄美大島の地縁・血縁に支えられて移動してきた。禎二さんは徴兵され、鹿児島連隊に配属されたが、その後、満洲に移動し、南満洲鉄道会社（満鉄）系列の大連都市交通に勤務する。その背景には、同郷・血縁の親戚夫婦による呼び寄せと引立てがあった。従姉であるウフミさんが禎二さんを満洲に呼び寄せ、その夫である岡留氏が、勤務していた満鉄の系列会社へ、禎二さんを就職させた。ウフミさんはその後、奄美への帰郷に際して禎二さんの妻となる女性、ヤス子さんに目を留め、満洲に伴っている。

禎二さんは、引き揚げ後に移住した沖縄でも、同郷者による大きな引立てを受けている。加《か》計呂麻《けろま》島、須子茂《すこも》出身の大先輩で遠縁にあたる泉有平氏から、鉄工所の事業を譲り受けたのである。重田さんの上京と大学進学は、禎二さんが鉄工所の経営者となったことで、経済的に可能になった。

禎二さんは、奄美の地縁・血縁によって空間移動と社会移動を支えられつつ、自身も、同族や同郷者を支えてきた。この章では、とくに兄家族との関係を中心に、地縁・血縁に支えられ、それを力の限りに支え返していく、出郷者にとっての同族結合を明らかにしていく。

2　「兄さん」をもつ長男

重田さんは長男であるが、ひとり、「兄さん」がいる。禎二さんの兄である貞一《さだかつ》さんの息子、「賢孝兄さん」である。幼児期の重田さんは、満洲で従兄の「けん兄さん」と一緒に暮らし、実の兄弟同様に親しくなった。禎二さんは、甥を奄美から満洲に呼び寄せ、中学校と工業高校に通わせた。禎二さんにとって貞一さんは、早くに亡くなった両親の代わりに「自分が食べなくても」食べさせてくれた兄である（136頁）。満洲時代の禎二さんは、その兄の息子を、実子と同様に育てていた。

「現在兄さんは八十一歳だけど、今でも私を「たっちゃん」って呼ぶし、私は「けん兄ちゃん」っていうの。私たちは大連を共有したのね」（137頁）

賢孝さんは、満洲から奄美へ引き揚げた後、しばらくは父親と一緒に海上運輸の仕事をしていたが、台風による被害をきっかけに尼崎へ出て、鉄工所を興して両親を呼び寄せ、一緒に働いた。禎二さんのもとで大連工業高校に通った経験は、鉄工所の仕事に活かされたと思われる。さらに禎二さんは、賢孝さんの妹、リツ子さんが結婚相手となる男性を家に連れてきたとき、その男性に対して「厳しい面接」を行った。リツ子さんは、その場面をはっきりと覚えている。

「私を本当に幸せにできるのか、財産はあるのかとか、聞いていましたね（笑）。禎二おじさんにはやられたなーって、主人はよく笑いながら言っていました」（211頁）

リツ子さんの実父、貞一さんはほとんど喋らず、その弟である禎二さんが、のちのち、リツ子さん夫婦の笑い話になるほどの厳しさで、リツ子さんの恋人を問い詰めたのである。

リツ子さんは「たまたま禎二おじさんがいて」と語っているが、こんなタイミングで、奄美の兄の家に沖縄から弟が、偶然に帰ってきたとは考えにくい。禎二さんは、おそらく兄の貞一さんから連絡を受けて、リツ子さんとの結婚を願いにやってくる若者を見定めに来たのであろう。その挙動は、実父以上に「花嫁の父」のものである。

3 兄弟の攻守分担

重田さんは、奄美の慣習にひきつけて、父の経験をとらえている。奄美から満洲に行った人は、長男よりも次男や三男が多い。長男は島に残って後継ぎになり、弟が島を出て、ときには島に残った長男よりも人生の岐路を押し広げていくというとらえ方である（137頁）。貞一さんは家守の長男、禎二さんは出郷し、成功した弟ということになるであろう。「兄は家守、弟は出郷・成功」という枠組みでとらえると、禎二さんが甥と姪を心にかけてきたのは、育ての親である兄への恩返しということだけでなく、兄弟が攻守の役割を分担する、「島人のイエ繁栄戦略」ともいうべき慣習として見えてくる。

とくに、リツ子さんへの結婚申込みの場面に、兄弟の役割分担がよく表れている。奄美の島で家守をしてきた兄は、出郷し、見聞を広めてきた弟に、見識と判断力を期待していたのではないだろうか。兄は弟を頼りにし、「面接」を一任しているように見える。この兄弟は、離れて暮らしていた期間が長いのであるが、相互の信頼関係は揺るぎないように見える。そこには、弟と兄が巧みに攻守を分担し、同族結合によってイエを発展させていく、島人の豊かな文化がうかがえる。

4 異文化衝突――島の文化と近代文化

重田さんの内面にも、島社会における同族結合の文化が存在する。しかし、近代的な競争社会において会社を経営するためには、島の文化とは距離をとらねばならないことがあった。経営者として、重田さんが直面した難題のひとつは、ネポティズム、同族主義に陥らないことであったという。同郷・同族の者たちを支援し、とりたてるあまり、公平で機能的であるべき経営者としての役割を果たせなくなるという弊害である。そのようなことにならないよう、重田さんは自らを律さなければならなかった。

「過剰郷愁というのは本当に注意しないといけない。親戚の面倒をみないのは最低だという価値観は経営の論理とは逆だから難しいのです」（157頁）

さらに重田さんは、沖縄からたくさんの若者を雇用した結果、「沖縄出身者のUターン」という難問にも直面するようになった。見込みのある社員が、雇用関係よりも地縁・血縁を重視するかのようにイエに呼び戻され、退社してしまうのである。

「県出身者は入社四～五年がひとつの節目で、この頃の退社が多い。単純に言えば、東京生活、四～五年もすると、物見遊山の気分も終わって、「大体わかった。もういい！」となる。

雇う側からすると、入社三年未満は養成期間で、いわばお客さん。ことばは悪いが、採算経費から見ると採算分岐点だ。四～五年目からミドル（中堅社員）として、そろそろ部下もでき、責任も重くなる。こうした試練を経て問題解決能力を身につけ、組織管理者として成長していくのである。

四～五年で離脱するもうひとつの理由は、こうした試練に直面したときの、親元の対応だ。沖縄出身の新人社員は、「だから言ったでしょう。もういいから帰ってきなさい」というオバア（祖母）のことばに、いそいそと退社、Uターンした」

（重田二〇〇八a：二十七～二十九）

もうひとつ、重田さんに島人の文化を省察させたのは、金沢出身の女性・一美さんとの婚姻であった（212頁）。金沢は、「小京都」と称される、高度に洗練された地方都市として知られている。その街で生まれ育った女性との結婚は、個人主義の都市文化と同族結合の島文化との異文化衝突、そして自文化を相対化する視点を、重田さんの人生にもたらしたように思われる。これについて重田さんは、「私は金沢の女性と結婚して、こういうのが当たり前ではないんだと、ずいぶん価値観が違うんだなと気づいたんですよ」と語っている。

重田さんは、会社を経営し、金沢の女性と添うことで、島の文化を捨て去ったわけではない。異文化と遭遇し、価値観を揉まれることで、島の文化は批判的に省察され、いくつかの要素は距離を置かれていった。一方で、重田さんの会社は、退社した元社員が「ＯＢ」として会社のパーティーに笑顔で集ってくるような、会社が会社でありつつ、あたかもひとつのシマであるかのような様相をも呈するようになった。重田さんは、Ｕターンに苦慮しながらも、沖縄からの採用と人材育成を続け、沖縄だけでなく奄美の地域振興にも尽力していくのである。

出郷者は、異郷で見聞を広め、成長を遂げ、郷里に還元をしていく。父である禎二さんが歩んだ「出郷の島人《しまんちゅ》」としての《生》は、重田さんによって豊かに引き継がれてきたように見える。

column

重田さんの従妹・上原リツ子さん（古仁屋[1]）

辰弥兄さんと親しく話すようになったのは、どちらも大人になってから。辰弥兄さんが東京に行って、仕事でたまに奄美に来るようになってからです。それからはいつもうちに来てくれて、そのときは近所だったもうひとりのいとこも来て、よく三人で話しました。だから辰弥兄さんが沖縄県から表彰されたときはうれしくて、すぐに電話しましたよ。

私は辰弥兄さんとひとつ違いなんです。でも、うちの家族は、私が中学一年生になるまで加計呂麻島にいて、それから古仁屋に来ていて、辰弥兄さんたちはほとんどずっと古仁屋にいて、私たちが古仁屋に来た時にはもう沖縄に行っていましたから、すれ違いなんです。私は須子茂小学校で、辰弥兄さんは古仁屋小学校でしたね。

私のお父さん（重田貞一）は、辰弥兄さんのお父さんの兄で、長男です。下に妹がいました。父は、まだ子どもの頃に両親を亡くしてから、弟妹を、ずいぶん苦労して育ててきました。自分が食べなくても弟妹には食べさせたって、何度か聞きましたよ。

私のお父さんは、萬宝丸というカツオ漁船の船頭でした。カツオの一本釣りをする船です。須子茂には鰹節工場はなかったから[2]、食用でした。

私の長兄の賢孝は、禎二おじさんが大連にいるときに呼んでもらって、辰弥兄さんたちの家に一緒に住まわせてもらって、大連工業高校に通いました。引き揚げた後に尼崎に行きました。今、八十九歳です。辰弥兄さんは、私の兄のことを賢孝兄さんと呼びますよ。

主人がうちの家に、リツ子さんと結婚させてくださいって申し込みに来たとき、たまたま、辰弥兄さんのお父さん、禎二おじさんがいて、主人は禎二おじさんに、それは厳しく、面接をやられたんです（205頁）。父はあまり娘の結婚には意見を言わない人で、静かに座っているのに、父の弟の禎二おじさんの方が花嫁の父みたいでした。私を本当に幸せにできるのか、財産はあるのかとか、聞いていましたね（笑）。最後は、自分は沖縄にいるから、ふたりで沖縄に遊びに来なさいと言ってくれて、面接は合格だったんですけどね。あのときは、禎二おじさんにはやられたなーって、主人はよく笑いながら言っていました。

1──二〇一七年十月八日、上原鮮魚店奥の居間でインタビュー（当時七十七歳）。
2──戦前、須子茂には鰹節工場があったが、この時期にはすでに閉鎖されていた。

contribution

重田辰弥さん寄稿——女房との出会い～加賀・前田文化との出会い

独立創業する前のビジネスコンサルタント会社に勤めている時、知り合いの小母さんから「重田さん、良い人いるから会ってみない」と言われ紹介されたのが妻でした。北陸気質というか内気な女房は、当初、ほとんど自己主張やアッピールは無かったのですが、会う度に、さらに共に暮らすうちに〝へー、こんな長所、強気があるんだ!〟と魅せられました。ただ、女房の親族は私達の婚約を聞き「え!一美、何で、よりによって奄美大島出身者と結婚するの!」と懸念、反対の声があったようですが、それに対し、義母は「皆さんの懸念もありましょうが、これは娘が決めたことですから」と説得されたと後で聞きました。

金沢生まれの妻は大阪で短大を卒業後、公証人事務所に勤め、知り合った時は東京で働いていました。その会社の社長と妻の叔父が金沢県人会で知り合っていて、その縁で入社したようです。大阪勤務の時、妻は観世流の仕舞教室に通い、その時の眩しい位の舞姿写真が何枚かありますが、結婚後は止めて残念ながら私はその舞姿を一度も見ていません。女房は結婚後、二十年近く、さいたま法務局人権相談事務所に勤務しました。そのため人権問題には鋭敏で、私はしばしば口にしたことを注意されました。

終戦後海軍兵から帰還した妻の父は両親が設立した漁業オーナーを引継ぎ仕事をしていましたが、豪快さと人の良さで、多くの知人の借金保証を繰り返し、借財を背負い倒産し、自宅を差し押さえられ、義母が嫁入り道具として持参した琴やタンスを差し押さえられ、夜逃げする様に義母の親族が住む大阪に転居した辛い思い出があるようです。こうしたことから妻にとって幼時に暮らした波乱万丈の金沢生活は〝懐かしさと辛さ〟が共存するようです。

私が三十四歳、妻が二十七歳で結婚した時には、私はビジネスコンサル会社で売上トップの実績を上げており、結婚式では会社の上司から「重田さんは、いずれ会社を背負う管理職になるでしょう」等の祝辞を聞き、妻は期待したようです。その私が結婚後三年目に独立するとき、妻は不安に襲われ猛反対でしたが、それはこうした義父の倒産による差し押さえ、夜逃げ等の辛い経験が背景にあったようです。

金沢工業大学出身の義母の弟・叔父も不動産、印刷出版、飲食店と様々な企業を創業、閉鎖、倒産を繰り返すベンチャー・ビジネス経営の企業家でした。実はこの叔父の紹介で私は独立前も独立後も様々支援サポートを頂きました。

独立前のコンサルタント会社の営業担当時代の最も顕著な一例は当時バブル崩壊で、日本経済が不況で、会社の受注業務が低迷する最中、私は国鉄（JR東日本）から〝積算システム開発〟業務を受注、会社の売上大半に貢献しました。この業務受注のライバルは日立製作所でしたがここととの受注合戦に競り勝ちました。この受注成功の要因は幾つかありましたが、その理由は、当時私が務めていたITコンサルタントに東大工学部卒のシステム・エンジニアが入ったことと、行政管理庁で行政監察作業を三年経験した私の官庁営業攻略のノウハウあったが為と思います。そして何より妻の叔父の大学時代の同期である当時のJR東京局長を紹介された縁も大きかったと思います。八重洲北口のJR東京本社に局長を訪ねた記憶が今でも鮮明に残っています。こうした実績が評価され私は後に営業部長に昇格し、さらに独立のきっかけになりました。また、創業して東京三田にオフィスを開設した時には叔父から社長デスクをプレゼントされ、そのデスクを今も使っています。

このように女房との出会いと縁が、その後の私の創業・独立の支えになりました。

女房の出身地である金沢との出会いにも、様々、魅了されました。義父は先に書いたように金沢の漁船主でしたが、妻の母の出身家・米村家も金沢で義母は金沢最初の女学校一期生です。妻との成婚で私はそれまで接したことのない様々な加賀・前田文化に出会い、奄美、沖縄の南西文化との違いに、衝撃、新鮮さを満喫し、世界が広がりました。

そのカルチャーの違いを最も感じたのは結婚式でした。妻の両親、親族は定刻前にズラーっと着席するのに対し、私の親族は少し遅れた人もおり、着席順も三々五々とチグハグ鷹揚でした。後で聞いたことですが、妻の親族着席順で甥が伯父よりも上席に座り、このことが長い間、一族から咎められたとのことです。また、披露宴の席上で女房の親族が余興に謡を見事に連吟しました。謡を初めて聞いた私の親族は「あれはなんだ！

お経のようだ！」とビックリしていました。

義父の三津守家と義母の米村家は何かとお互いに上手くいってなかったようですが、私達の結婚を切っ掛けに、両家の縁は復縁親和し、このことを義母は最も喜んでいたようです。


この時、沖縄や奄美の結婚式は大らかなフェステバル（祝宴）要素が大きいのに対し、北陸・金沢では時間・席順に厳粛なセレモニー（儀式）様相が大きいのを感じました。その後、女房親族の葬儀に参列した時にはお坊さんのお経に合わせて参列の縁者ほとんどが合唱するのを聞いた時も驚きました。女房も「門前の小僧、習わぬ経を覚え」の例えの通り幼少より朝な夕なに聞かされ自然に諳んじたという。改めてその昔、守護大名富樫氏を放追し信長、秀吉、家康に果敢に抗し続けた真宗一向宗徒と前田藩の本拠地・金沢の祖先が血を流し守り抜いた法灯がいまに続いているのを味わい、組踊りと能、紅型と加賀友禅、赤瓦と黒瓦、琉球漆器と輪島塗、壺屋と九谷とまことに対照的な琉球・沖縄文化と北陸・金沢文化の違いを満喫しました。

京都公家文化を継ぐ金沢と〝イチャリバチョウデー〟の大らかな奄美・沖縄文化の違いは大きく、奄美の長男家に嫁いだ女房は大変な苦労をしたようです。例えば婚礼祝いに我家を訪れた私の親戚は宿泊ホテルの予約などはせず、当然の如く我が家に宿泊しようと〝え、泊まれないの！〟と狼狽していましたが、金沢から来訪の女房の親族は、全て近隣にホテルを事前予約していました。また我が家に来た私の叔母連はあたかも自宅の如く我が家の冷蔵庫やタンスを勝手に開ける振る舞いにショックを受け、来訪した親戚の退去後に女房がバッタンと床に伏した姿が忘れられません。私の親戚は脱いだ靴が玄関にバラバラだったのに対し、金沢の親戚の靴、草履は全て外向きにきっちり並べられ、行儀の違いにもビックリでした。

また、後年年老いた義母を埼玉の自宅に引き取り、一緒に暮らしましたが、朝出勤する私を玄関間に正座して〃行っていらっしゃい〃と頭礼される御姿には驚愕でした。

結婚した数年後、大阪在住の義弟とふたりで当時金沢市に住んでいた義父の弟（叔父）に招かれ、日本の三名園のひとつ兼六園を散策、見学の後、市内花柳街の茶屋に招かれ、生まれて初めての金沢芸妓の演舞と加賀懐石膳を接遇された時は〃これが加賀文化か！〃と生涯忘れられない思い出です。五十七歳で逝去した先年の岳父の葬儀の際には、お寺参りに続く会席膳は日本海の提供する素材を生かしつつ巧みな加工技術による独特の食文化を表現、これを盛る器として九谷焼、輪島漆器を生みました。それまで全く接することのなかった異文化ともいうべき、室町以来、今日まで連綿と匂う絢爛たる北陸文化に接し、我と我が世界の広がりをもたらしてくれた女房との出会いに改めて僥倖を痛感します。

「重田さん、なぜ沖縄や奄美の人ではなく、金沢の人と結婚したの?」と聞かれ、もちろん出会った女房に魅かれたのが大きな要因でしたが、事後いろいろ考えると〃外界志向、異界への関心〟という私の性向があったのではと思いました。それは満洲、奄美、沖縄という移動漂流によって培われ、これが後の琉大、早稲田、中央大への転学、新聞記者、公務員、コンサルタントから企業経営者への転身、そしてSDGsとまでは言わずとも経営者協会、ＩＴ協議会、ＷＵＢ東京等々の会長、早大琉球・沖縄研究所支援委員長、沖縄協会評議員、沖縄ファンクラブ理事受任から県功労賞受賞に繋がったのではと思い巡ります。

この閲歴が創業による資産形成より幅広い多彩な人脈形成に繋がったのではと思う昨今です。（二〇一九年十月四日）

第3章

奄美の漁業と本土・沖縄文化

1 カツオ漁船・萬宝丸を率いた人びと

重田さんの奄美の島人としての血脈は、カツオ漁業を率いたリーダーたちの中に見いだすことができる。

ご両親が生まれ育った加計呂麻島の須子茂は、リアス式の湾に穏やかな波が寄せる、小さな漁村である。そこには、カツオ漁を中心とする漁業文化が息づいていた。

須子茂には、泉シマ子さんという重田さんの親族が暮らしている。九十八歳（二〇一七年調査時）の古老で、奄美の伝承の生ける宝庫として尊崇を受けている方である。シマ子さんは、須子茂におけるカツオ漁の最盛期、一九二〇年代の様子をよく覚えている。

「辰弥さんの母方のお祖父さん、奥田直隆さんは、若い頃、萬宝丸というカツオ漁船に乗っていて、栄えある一番竿だったんですよ。萬宝丸は、大漁のとき、一万斤なら一万両、二万斤なら二万両といって[1]、船からご祝儀の餅撒きをしたんですよ」（234頁）

カツオ漁と鰹節製造業は、集落を支える主要産業であった。最も威勢のあるカツオ漁船、萬宝丸が大漁旗をたなびかせて凱旋すると、集落全体が祝祭となった。その船の「一番竿」が、どれだけの尊崇を受けていたかは想像に難くない。その直隆さんは、重田さんの母方の祖父なのである。また、鰹節工場が閉まった後のことではあったが、重田さんの父の兄、貞一さんも、萬宝丸の船頭であった。重田さんは、集落で最も尊崇された萬宝丸の一番竿と船頭が父母の祖先であることを後に知り、驚くとともに誇りを感じたという。

全国においても、鰹節製造業は、水産業の近代化を牽引する位置を占めていた（宮内・藤林二〇一三）。後発地域の鰹節業者は先進地域から講師を招いて技術を学び、品評会の上位入賞を狙い、行政は産業振興の助成金を投じた。奄美は静岡から講師を招き、奄美からは沖縄に講師が出向いている（昇一九七五：五四三）。鰹節の日本帝国圏内における生産量は、一九三一年に一万トンを突破した（宮内・藤林二〇一三：四十）。

他県の同業者との間には、激しい競争も存在した。奄美群島が属する鹿児島県は、一九一〇年代に先進地域であった和歌山県や静岡県を抜いて全国一位となり、一九二〇年代は盛り返した静岡県、新興の岩手県と首位争いを繰り広げた（同上：四十五）。

海上にも競争があった。紀州のカツオ漁師は、江戸時代から三陸海域まで「他国出漁」をし

1―『瀬戸内町誌（民俗編）』には、カツオ豊漁の「マンユエ（万祝い）」についての記述がある。カツオの漁獲高が一万斤以上になったら、浜にゴザや畳を敷き、船員やその家族、村人たちを呼んで、計算度外視で盛大な祝宴を張ったという（瀬戸内町町誌編集委員会一九七七：七十）。カツオは近海にいくらでもいて、最盛期の漁船は日に二、三度も大漁旗を立てて帰ってきた。大正中期の瀬戸内沿岸村は「ビールで足を洗う時代」と言われるほどに繁栄し、須子茂にも民家を改良した料亭が二軒も建ち、徳之島から芸者を呼んで大尽遊びがなされていた（同上：七十二）。

ていたが（川島二〇一六：六十七）、明治期以降、漁船の動力化に伴い、宮崎県などのカツオ漁船が奄美や沖縄まで出漁し、現地に鰹節工場を建て、女子労働者まで移入し、地場資源と収益を丸ごとさらっていく「根拠地漁業」が興った（若林二〇一八：四）。このような状況下で、奄美のカツオ漁業のリーダーには、優れた釣りの技能だけではなく、同業者に競り勝ち、商品経済の中で抜きんでるための力量が求められていたと考えられる。泉シマ子さんは、「東京に特上品として売られていた」という言葉で、須子茂産鰹節の品質の高さを語った（235頁）。その語りは、「東京」を頂点とする全国区の序列という商品経済の価値観が、須子茂の集落に浸透していたことを示している。

2 戦後におけるカツオ漁業

萬宝丸の操業は、戦前だけではない。戦後におけるカツオ漁業の再開は、奄美において、きわめて重要な意味をもっていた。

奄美大島は、第二次世界大戦後、沖縄とともに米軍統治下に置かれ、大量の復員・引揚者を抱えた上に、本土出稼ぎは封じられていた。カツオ漁業と鰹節製造業は、救荒植物であるソテツの実が採りつくされるほど困窮した奄美において、命綱ともいうべき役割を果たした。カツオ漁業と鰹節製造業は、さまざまな雇用をもたらした。カツオ船の船員と鰹節工場の労働者だけではなく、エサとなるキビナゴ漁の漁船、さらには造船所三カ所、鉄工所三カ所、製材所二カ所で、人びとは働くことができた（徳永二〇〇三）。

奄美大島のカツオ漁業は、一九五〇年代の初頭に、戦後の最盛期を迎えた。萬宝丸は、奄美全域のカツオ漁船二十一隻のうち、一九五〇年上半期の漁獲高で、七位であったことが記録されている（藤原一九八〇：一七九、徳永二〇〇三：二一三）。

しかし、奄美大島のカツオ漁業と鰹節製造業は、労働力不足によって、まもなく衰退に転じた。終戦後、余剰人口に苦慮したことが嘘であるかのように、奄美からは、若い労働者が払底していったのである。

戦前の奄美大島の人口は、十八万九〇二九人（一九四一年）であった。それが復員・引揚によって膨張し、一九四七年には二十万三十一人にのぼっている。一九四九年がピークで、二十二万六六六二人に達した。それが一転して、一九五三年には二十万二九九人に減じている（加藤二〇一二：九）。

奄美の人びとは、大挙して、沖縄に出稼ぎに行ったのである。当時の沖縄には、米軍基地を中心とする労働力需要があった。奄美出身者は、沖縄で米軍基地などの建設労働者となり、あるいは基地周辺の歓楽街で、サービス業に就いた。

人口流出は、奄美における戦後の産業復興に打撃を与え、人手不足は、収益をあげていた漁業にも及んだ（市川一九九一：一二八）。奄美の産業は衰退し、ますます人口流出が加速するという、負の循環が構造化されていったのである。

戦後、奄美から沖縄へ移動した人びとの中に、重田さん一家がいた。重田さんの父、禎二さんは再び出郷し、兄の貞一さんは奄美に残ったのだった。

3 本土系カツオ漁業と糸満系追込み網漁業

奄美大島の漁業史からは、奄美と沖縄の密接なつながりが見いだせる。戦後、奄美から沖縄への人口移動が起こる前に、沖縄から奄美へ、漁師たちの移動と漁業技術の伝播が起こっていた。奄美の、とくに漁労に携わる人びとにとって、沖縄の人びとと共に海で働く生活は、明治時代から続いてきた日常の一部であった。

薩摩藩が奄美大島を統治していた時代、薩摩藩は奄美諸島に対し、サトウキビ栽培に専念させる「糖業政策」をとったために、奄美は海に囲まれた島であるにもかかわらず、漁業が、産業としては発展しなかった。商業的な漁業が発展するのは明治三十年代以降のことで、それは北(「本土」)からのカツオ釣り漁業と、南(沖縄)からの追い込み網を中心とする糸満漁業の伝播によってもたらされたという(市川一九九一:一二三)。

須子茂で興隆したカツオ漁業は、「日本漁業の近代化路線に沿っており、村落共同体を基盤にした血縁・地縁関係の経営組織によって急激な伝播・普及を」遂げたものであった(同上:一二四)。こちらは「北」、もともとは「本土」系の漁業技術と、商品製造・流通のしくみであった。[2]

それに対して、「南」(沖縄)、糸満系の追い込み網漁は、水揚げされた魚のほとんどを島内で鮮魚として消費するもので、当初は、糸満の「出稼ぎ漁民」によって営まれていた（同上）。食卓にのぼる様々な魚は、こちらからもたらされた。その意味で、「南」（沖縄）からの漁労文化と出稼ぎ漁民の到来は、奄美の食文化や日常生活により近接したものであったと言えるだろう。

一九五〇年代の前半において、奄美諸島には追込み網漁をつかさどる「追込網組」という組織が十三、存在しており、うち九組は、沖縄出身者が責任者を務めていた（同上：一三二）。彼らは、サバニという小舟二・三隻、漁夫十四・五人という、戦前の半分にあたる規模で追込み網

2―奄美大島におけるカツオ漁業の始まりは一九〇〇（明治三十三）年とされる。鹿児島県肝属郡佐多村の前田孫吉が、西方村西古見を拠点に帆船で試漁し、七十余日で約一万尾のカツオを、沿岸十海里を出ることなく漁獲したことで地元の漁師がカツオ漁の可能性を知り、同村の朝虎松《あさとらまつ》が中心となって奄美カツオ漁業の組合を組織化していったという（昇一九七五：五四二）。朝虎松は、沖縄の国頭郡運天港に招へいされてカツオ漁業の指導にあたり、現地で客死している（藤原一九八〇：一七七）。鰹節製造は、当初、鹿児島県坊津・枕崎などの先進地のやり方を模倣していたが、一九〇三年から水産技手を置き、各水産組合に技術員を配置し、製品の検査、「削節工女」の講習、静岡県焼津町からの講師の招へいによって品質を向上させ、一九一七年には大島水産信用販売利用組合を設立して東京への販路を確立したため、「大島節」は甚大な利益をあげるようになった。一九一八年以降のカツオ漁獲高は、毎年、一〇〇～一六〇万円を上下したという（昇一九七五：五四四）。戦後は米国軍政府がカツオ漁業復興の助成を行い、一時は戦前以上に興隆したが、鰹節は沖縄市場に出るだけで、戦前のような東京市場への流通は再現できなかった（藤原一九八〇：一七七）。

漁を行った。漁場は、カツオ漁業を支えるキビナゴ漁との競合を避けて選ばれていた。

須子茂にも、漁期間である九月下旬から六月初旬までは、網組の操業基地が設けられていた（同上：一三三）。集落の人びとは、追込み網漁に従事している沖縄の人びとと接していたであろう。

それでも、須子茂の漁業といえば、やはりカツオ漁業であった。それは商品経済に直結した近代的な漁業として、奄美における漁業発展の中核を担ってきた。そのカツオ漁業が、「北」、すなわち「本土」系の技術、商品化と流通のしくみの伝播によって興ったことは興味深い。重田さんの奄美における血脈、母方の祖父である奥田直隆さん、父の兄である重田貞一さんは、この「北（「本土」）」系の、近代型漁業のリーダーたちなのである。

4 「北（「本土」）」を向く視線

奄美から出郷するとき、「北（「本土」）」と「南（沖縄）」のどちらを向くのか。そのことは、境界の変動に左右されつつ、就労機会の多寡だけでなく価値志向ともいうべき文化的な要素をはらんで、出郷者の岐路を左右したように思われる。

青年期の重田さんが沖縄から「北」を目指し、上京したことには、さまざまな背景があった。米軍統治下の沖縄で、先に本土復帰した奄美本籍者は「非琉球人」とされ、米国留学、国費留学、公務員や教員になる可能性が閉ざされていたこと。沖縄の米軍統治がいつまで続くかが見通せないことによる閉塞感。両親が、満洲の大連での生活を経て、都市文化、そして「本土」文化に高い価値づけをしていたこと。重田さんの語りからは、これらの要素がうかがえる。

そこにもうひとつ、奄美におけるカツオ漁業の、「北（「本土」）」系の近代型漁業としての成り立ち[3]と、そのリーダー層の男性たちが重田さんの血脈であったことが付加できるように思われる。重田さんの一族は、奄美大島において、「北（「本土」）」系の近代的な技術と商品経済の文化を、カツオ漁業を介して身につけ、そのリーダーとして、人びとを率いていたのである。

カツオ漁船、萬宝丸のルーツは、重田さんの《生》を成り立たせてきた重要な系譜のひとつであるように思われる。

3―奄美大島におけるカツオ漁業創発の地、西古見からは、初代琉球銀行総裁となった池畑嶺里（一九〇八～一九六二）が出ている。『瀬戸内町誌（歴史篇）』は、カツオ漁業の急成長期に西古見で育った嶺里が、その風土・環境によって培われた「自立の心とどめがたく、一躍東京を目指した」と記している（瀬戸内町誌歴史篇編纂委員会二〇〇七：七六二）。

第4章

人口流出の島

奄美・瀬戸内町のいま

1　生活保護と「長子のUターン」

戦後の奄美からの人口流出は、郷里の島に何をもたらしたのか。

重田さんの両親が生まれた加計呂麻島《かけろまじま》の実久村《さねくそん》、須子茂《すこも》集落は、一九五七年に市町村合併によって瀬戸内町《せとうちちょう》の一部となった。[1] 瀬戸内町は、鎮西《ちんぜい》・実久・西方《にしかた》・古仁屋《こにや》地区によって構成され、奄美大島本島の南端部分と、加計呂麻島・請島・与路島という三つの離島を含む、二四〇平方キロメートルの自治体で、現在の人口はおよそ八七〇〇人である。

瀬戸内町は、全国屈指の高い生活保護率を示している。その主な要因のひとつは、人口流出であった（松浦一九九〇、山田一九八九）。瀬戸内町は、奄美大島全域と比べると二倍、鹿児島県との比較では七倍弱、全国とでは十倍も、生活保護率が高かったのである（松浦一九九〇：十六）。瀬戸内町の生活保護率は、松浦勲が一回目の調査をした一九七七年には全国二位で、旧炭鉱地域の筑豊に次ぐ高さであった。松浦は一九八七年に追跡調査を行い、生活保護率が十年で二十六・五パーミリア[2]上昇したことを発見した（同上）。須子茂のある実久地区は、瀬戸内町の四地域の中で、最も保護率が高かった（山田一九八九：一五三）。

瀬戸内町という地域の貧困は、町内の八七％が山岳で、耕地が三・二％しかないこと、「離島の中の離島」（加計呂麻島・請島・与路島）を三つも抱える離島自治体であること、樹木のほとんどが商用に適さない広葉樹林であることなどの自然条件を背景としている。[3] 生産年齢人口の流出は、そのような厳しい自然条件に根ざして、大正末期にはすでに始まっていた（松浦一九九〇：二）。瀬戸内町の人口減少は、沖縄の米軍基地設営が大量の労働者を吸引した一九五〇年代前半、そして日本の高度経済成長期（一九六〇年代）に加速した。島からの人口流出は、厳しい自然条件だけではなく、島外における労働力需要の高まりによって生じた、社会現象であった。

若年層の人口流出は、いちじるしい過疎と高齢化をもたらした。瀬戸内町の生活保護受給世帯のおよそ半分は高齢者世帯で、うち八割は、高齢者単身世帯である（松浦一九九〇：八）。若

1—瀬戸内町沿革史によると、一六〇九（慶長十四）年、大島全島は薩摩藩の行政支配により、七間切に区分された。一七二〇（享保五）年、薩摩藩は糖業政策を徹底するため区域変更を行い、瀬戸内地方は東方《ひがほう》（現在の古仁屋地区）、渡連方《どれんほう》（現在の鎮西地区）、実久方《さねくほう》（現在の実久地区）に区分された。一九〇八（明治四十一）年に町村制となり、加計呂麻島では渡連方と実久方を併せて鎮西村とした。一九一六（大正五）年、鎮西村と実久村が再び分離した。一九五六年、町村合併促進法により、瀬戸内町が発足した（藤原一九八〇：一六七）。

2—パーミリアとは分母を一〇〇〇とする比率で、生活保護については人口一〇〇〇人あたりの生活保護受給者を表す単位として用いられる。‰と表記する。

3—加計呂麻島を含む奄美大島南部は、古代においては北と南を結ぶ海上交通の要所であった。『おもろさうし』巻十二「船えとのおもろさうし」には、喜界島、笠利の辺留《ひる》、中瀬戸内、徳之島、沖永良部島、与論島、沖縄国頭辺戸の安須杜、今帰仁の金比屋武、那覇泊に至る船旅が謳われている（瀬戸内町誌編集委員会一九七七：十七〜十八）。この地域の近現代における貧困は、自然条件によって宿命づけられてきたというよりは、歴史的、社会的に生み出されてきたと考えられる。

い世代の出郷は、郷土の産業発展に打撃を与えてきた。農業と商業はいずれも零細、家族自営の規模のものが多く、雇用の乏しさは次世代の出郷につながった。

松浦は二十二人の高齢受給者を対象とした生活史調査を行い、貧困の要因として、低学歴、多子、不安定就労、疾病、戦争被害などを析出した（松浦一九九〇：十〜十二）。《人の移動》というフレームでこのデータをとらえなおすと、半数以上の調査対象者に共通している重要な項目として、Uターン経験が浮かび上がってくる。二十二人中十三人は、本土を中心に、いったん島を出て、働いたり学校に通ったりしている。

調査対象者である二十二人のうち七人が、長子（長男・長女）および長男嫁であることも興味深い。重田さんの語りでは、長男が島に残って家屋敷と畑を守り、次男以下が出郷するという奄美の慣習が述べられていた（137頁）。しかし、松浦による調査データからは、長子がいったん出郷して帰ってくる「長子のUターン」が見いだせる。

Uターン経験者の中には、かつて東京で郵便局員だった人、大阪の鉄工所で働いていた人などがいる。もし移動先に留まれば、定年後も貧困には陥らなかったかもしれない人びとである。しかし彼らは帰郷し、最終的には生活保護受給に至っている。帰郷後、身体の動く間は零細な農業や小売業をしたり、紬を織ったりしていたのだが、老後の生活資金は蓄積できないまま、加齢によって働けなくなったのである。

さらに、「長子のUターン」は、子どもたちには継承されていない。数少ない次世代の帰郷者は、都市機能のある古仁屋に住む「Iターン」を選び、実久、鎮西、西方には老親が残されている。四~五十代には、「自分の家族の生活と子どもの教育に精一杯で老親扶養にまで手が届かない、「棄老」的別居」(松浦一九九〇:十六)が広く見いだせるという。

島人の同族結合という文化は、途絶えつつあるのかもしれない。家族・親族の相互扶助は、いくらかは継続しているとしても、そのセーフティーネットに守られていない高齢単身者が増加していることは疑いを容れない。

ただし、この状況については、「若者が出ていき、高齢者が置き去りにされている」という一元的なフレームだけに回収するのではなく、島で生きている人びとの《生》の多様なありようを丁寧に掘り起こしていくことが課題であろう。

2 奄美の過疎、沖縄の「過剰」還流

沖縄の本島北部とほとんどの離島においても、奄美の瀬戸内町で起こってきたことは、同様に見いだせる。

では、なぜ沖縄本島の中南部、すなわち那覇都市圏は、人口流出↓地域の貧困↓次世代の人口流出というパターンから逸脱してきたのだろうか。沖縄の全域が、人口流出による過疎と高齢化から免れているわけではない。那覇都市圏だけに、Uターン・Iターンが、「過剰に」、経済合理性からは説明のできない規模で、起こってきたのである(谷一九八九、岸二〇一三)。そのような「沖縄的Uターン」の特異性は、「兄弟島」である奄美大島について知ることで、

いっそう鮮明に浮かび上がってくる。「沖縄的Uターン」については第2部7章でさらに考察する。

column

重田さんの大叔母・泉シマ子さん……………………（須子茂[4]）

辰弥さんのお母さんのお父さんが、私の父の兄なんですよ。辰弥さんのお母さんも、お父さんも、優しい、いい人柄でしたね。辰弥さんは賢い子で、大人になったら思いやりのある人になりましたね。

辰弥さんの母方のお祖父さん、奥田直隆さんは、若い頃、萬宝丸というカツオ漁船に乗っていて、栄えある一番竿だったんですよ。萬宝丸は、大漁のとき、一万斤なら一万両、二万斤なら二万両といって、船からご祝儀の餅撒きをしたんですよ。[5]まず直隆さんが大きな餅を投げて、他の船員が小さな丸い餅を投げて、みんなでわーっと拾うんです。私も拾いましたよ。

萬宝丸は、須子茂の若い男の人たちは、こぞって乗っていましたね。二十人くらいいたんじゃないでしょうか。まず餌のじゃこを買うところに行って、それから沖へ行って一本釣りをするんです。私の父も兄も、乗っていましたよ。揚がったカツオは、須子茂にあった鰹節工場で加工して、鰹節は花鰹の特上品として東京に売られていました。鰹節に使えない腹身とか頭の部分をもらえるんですよ。須子茂の人たちは、畑もするし、いろんな種類の芋や菜っ葉はいつもあるし、食べ物には困らなかったですね。鰹節も、クズの部分をもらって出汁をとるんですが、それが美味しいんです。でも私が中学を出てから大阪に行って、戦争中に戻ってきた時にはもう、鰹節工場はありませんでした。

須子茂の公民館の裏に、小さな舟があるでしょう。あれで復帰前、ここから徳之島に魚を積んで行って、醤油とか、日本の物資を積んで帰っていましたよ。島の人たちは、みんな工夫をする。そして、舟でどこへでも行くんです。戦争で大きな船が軍にとられてなくなっていても、小さな舟でどんどん行くんですよ。

4―二〇一七年十月九日、加計呂麻島須子茂の泉さん自宅でインタビュー（当時九十八歳）。

5―加計呂麻島の北岸にある集落、芝では、「浜下《お》り」（春の佳き日に浜辺に集って飲食などを共にする行事）にカツオ漁の「模擬釣り」、カツオ船がカツオを釣竿につけて舳先に立ち並び、釣りのしぐさをするものがあり、そこでも餅撒きが行われてきた（川島二〇一五：二四九）。

今、きび酢、きび酢と言って、奄美の名産といって流行っているけれど、昔からサトウキビで酢を作る技術はどの家庭にもあって、全部、あたりまえに手作りしていたんです。なんでも買えるようになったら、どんどん忘れていったんですね。

私は、なにもかも、自分の手でできましたよ。味噌も作ったし、蚕を飼って繭から生糸をつむいで布を織って仕立てました。

どういう神さまが、いつ、どこにおられて、どうやってお迎えして、お祈りして、というのも、みんな伝えられて、知っていましたよ。今、たくさんの人たちが、大学の先生も学生さんも、聞きにくるんです。

わからないことはわからないと言い、知っていることはなんでも話します。できないことはできない、でも、できることはやりとげます。

そうしていたら、どこへいっても、誰かが声をかけてくれて、あの時はありがとうございましたとかね、私は忘れてもみんなは覚えていてくれるの。まだまだ、できることはやりますよ。

第5章

米軍統治下の奄美から沖縄へ

1 コンタクト・ゾーンとしての那覇市・安謝《あじゃ》

多様な背景を持った人びとが地域に流入すると、異なる文化が相互に触発しあって文化変容が起こっていく。そのような文化接触が起こる地域を、「コンタクト・ゾーン」という。安井大輔は、現代の横浜市鶴見区で、南米にルーツをもつ沖縄出身日系人移民の二世、三世をめぐる食文化の接触と変容を、「コンタクト・ゾーン」概念を用いて研究した（安井二〇一〇、二〇一二）。「コンタクト・ゾーン」は、地域だけではなく、軍隊のような組織（田中二〇〇四）や、アメラジアンスクールのようなエスニック・スクール（エイムズ二〇一三）に対しても用いられてきたが、安井によって沖縄研究の中に位置づけられ、越境がもたらした移民文化をとらえるのに有効な概念となってきた。

安井のフレームを用いると、重田さん一家が移住した一九五〇年代の那覇市・安謝もまた、ひとつのコンタクト・ゾーンとしてとらえることができる。そこには、米軍基地を背景とするアメリカ文化、「本土」文化、さらに移住者によってもたらされた奄美群島、宮古・八重山諸島の文化が混在していた。

米軍統治下の那覇市は、現在とはかけ離れた「基地のまち」であった。一九六四年六月時点で、米軍は那覇市全域の二九％を軍事使用区域としていた。これに対し、産業区域、商業区域、住宅区域はそれぞれ二％、八％、一九％にとどまっていた（Naha Ciry Office 一九六五：十九）。

安謝は、一九五三年、重田さんが中学一年生のときに軍用地接収され、米軍の住宅地区「牧港住宅地区」の一部となった。アメリカ人も沖縄の人びとも、この新しいエリアを「マチナト」と呼んだ（118頁）。「マチナト」は、現・沖縄市の「コザ」と同様に、米兵たちがそう呼び始め、沖縄の人の間でもそれで通用する「地名」となっていったと考えられる。「牧港住宅地区」には約三〇〇〇人の軍人・軍属が生活し、ゴルフ場、プール、PX（基地内の日用品店）、小学校までが備えられていた（奥浜・尾方二〇一六：六十三）[1]。もともと農業をしていた安謝の人びとは、土地接収によって農地を失い、米軍基地周辺街としての地域再編過程に直面していく（160頁）。

そこで重要な役割を果たしたのは、海への玄関口である「安謝港」であった。とくに米軍統治初期には、那覇の泊港の使用が認められなかったため、民間の用途は安謝港に集中していた（加藤二〇一二：十二）。そして、安謝港の中枢機能は、奄美大島と沖縄を結ぶ、「大島航路」の発着場であることだった。

「当時、極端に物資が乏しい時期であったが、大島航路が開設され、沖縄から貿易庁[2]売り出しの洋服類、布団カバー、毛布、反物等アメリカ製品が、大島からは米や木材が主で、牛、ビール等が輸出入され、交易が盛んに行われた。安謝港が商業基地として俄然、脚光

1―牧港住宅地区は、一九七五～八七年に五回に分けて返還され、「那覇新都心地区土地区画整理事業」が一九九二～二〇〇五年に行われた。

を浴びる」　　　　（安謝誌編集委員会二〇一〇：二二八）

さらに安謝は、安謝川をはさんで浦添村に隣接していた。浦添地域では、海側に広大な米軍基地、キャンプ・キンザーが広がり、軍道一号線（現在の五十八号線）を挟んで、基地向かいには急速に市街地が形成されつつあった（加藤二〇一二：十二）。奄美から来た人びとは、まず安謝港に降り立ち、浦添村へ、さらに沖縄本島の中・北部へ向かっていったのだが、安謝にも、「奄美部落」と呼ばれる集住地域が形成されていった。重田さんの父、禎二さんは、加計呂麻《かけろま》島《じま》、実久村《さねくそん》の村人会をとりまとめるようになり、家には同郷者がひんぱんに訪れていた（122頁）。安謝は、安謝港と「大島航路」によって、交易基地、さらには奄美群島をはじめとするさまざまな移住者たちの流入口として機能するようになった。重田さんは、新興の商業・住宅地区となりつつあった安謝で育ち、「マチナト」のフェンス沿いに那覇高校と琉球大学に通ったのだった。

2　女性の出稼ぎとコスメティック文化

奄美から沖縄へ、最も大規模に労働力を吸引したのは、米軍基地であった。一方で、重田さんの語りは、沖縄の米軍基地が、就労機会であると同時に、ひとつの文化として奄美の人びとを惹きつけたことを示している（115頁）。

ことに奄美の人びとが魅せられたのは、沖縄「固有の」文化やアメリカ「本国」の文化でなく、米軍統治下の沖縄における、基地払い下げのコスメティック（装い）文化であった。当時の奄美群島は、琉球列島とともに米軍統治下に置かれ、本土出稼ぎを封じられ、復員・引揚による過剰人口を抱えていた。奄美の人びとが沖縄からの帰省者の洋装やコカ・コーラ、アイスクリームに惹かれている風景は、きわめてコロニアルである。そこには、米軍統治が、政治だけでなく文化事象でもあったことが端的に表れている。

島に帰省した女性がひときわ垢抜けしている風景には、既視感がある。戦前、重田さんの母親であるヤス子さんが本土出稼ぎからの里帰りで、抜きんでた容姿の洗練を示したときの情景と、似通っているのである。

出稼ぎから帰省した若い女性は、身につけた都市文化を、装いに託して周囲に示すことがあった。その装いには、出稼ぎにおける「女性化された職業」が、シンボリックに表出していたであろう。それは、戦前の本土出稼ぎにおいては「紡績女工」・「女中」であり、戦後の沖縄

2—琉球列島貿易庁（のちの琉球貿易庁）は一九四六年十月二十五日に、奄美、沖縄、宮古、八重山の四諸島を管理する米軍政府直轄の機構として設けられ（三上二〇一三：一七三）、「外国貿易」として本土から日用雑貨を買い付け、一九四九年からは現在の沖縄県庁の所在地で、輸入業者に入札させた。牧志の商店街には生活物資を求める人びとが早朝から押し寄せ、「貿易庁ブーム」と呼ばれることもあった。（石川一九八七：十）。現在、県庁向かいに所在するリウボウ百貨店の「リウボウ」は、琉球貿易庁から来ている。

出稼ぎにおいては、基地周辺の歓楽街における「米兵相手のサービス業」であった。戦前における離島と「本土」との非対称的な関係、そして出稼ぎにおける「女性化された職業」は、戦後の沖縄出稼ぎにおいて、形を変えながら再生産されていた。

3 大連経由の奄美―沖縄移住

重田さん一家の事例は、奄美から沖縄への一方向の移動ではなく、奄美から満洲を経由し、大連という植民地都市を経験してから沖縄へ移住したという経路である。満蒙開拓団員ではなく、満鉄系列の会社員とその家族として大都市居住を経験したことが、沖縄における重田さん一家を、奄美出身者に多かった基地建設や軍雇用の労務者とは異なる生き方へと回路づけたように思われる。

大連もまた、さまざまな背景をもつ移住者たちが出会い、触れ合うコンタクト・ゾーンであった。重田さんの親は、白系ロシア人の大家と、簡単なロシア語で会話していた。幼少の重田さんは、この白系ロシア人の大家さんから「ハラショー（可愛い）」と声をかけられ、中国人の隣人にもかわいがられてきたのである。[3] 日本帝国下のコンタクト・ゾーンである大連から、米軍統治下のコンタクト・ゾーンである安謝へ、海に面したふたつの植民地都市の間を移動したのが、重田さん一家であった。

重田さんの父、禎二さんは、安謝において、さまざまな自営業を試みた。禎二さんが、自宅の扉にガラス戸をたてつけ、ヤス子さんが、自宅の周囲を掃き清めたのは、ふたりが内面化してきた価値志向の表現であっただろう。ガラス戸のある家は、当時の安謝においては異文化であった（3頁）。そのような家のしつらえや清掃の習慣は、ひとつの装いであると同時に、自身に、自分たちがどのような文化に属しているのかを、日々、思い起こさせる行為であったかもしれない。そこには、豊かな都市文化、とくに「本土」文化への志向と、上層に向かう意思が込められていたように思われる。

4 満洲引揚経験と方言札

重田さんは、両親が心を込めて整えた家で育った。小学校六年生のときに奄美から転校してきたばかりであったが、安謝中学校では生徒会長となった。

3――一九四〇年における大連の人口は六十五万六一八〇人で、内地と外地を含めた日本帝国圏内で第十位、外地都市としては奉天、ハルピンに次ぐ大都市であった（永井一九九八：七十四）。植民地都市の通例とされた民族別居住は、ロシアの残した街区デザインなどを用いて施行されたが、一部の経済的に成功した中国人が日本人居住区に住むなど、混淆的な現象があったという（同上：八十二）。水洗トイレとセントラルヒーティングの整った日本人住宅で育ったある引揚者は、「近代化の都市大連から戻って、帰国後に見た日本は田舎の感覚で、名古屋や東京の都会へ行っても、全く驚きも喜びも感じませんでした」と述べている（秦二〇一八：四十六）。

後輩の花岡さん（162頁）がとくに覚えているのは、重田さんが毎週、生徒会長として壇上で訓話をするときの、「ラジオから流れてくるような標準語」であった。週訓のトピックスは、ほぼ毎週、「標準語励行」である。生徒会長には、全校生徒に標準語の模範を示すという役割があったと考えられる。概して標準語がうまい奄美出身の生徒の中でも、「重田さんは特別」だったという（164頁）。

重田さんが生徒会長になったのは、安謝が軍用地接収され、安謝小・中学校のすぐ裏手にフェンスが張りめぐらされた、まさにその時代であった。空間的に米軍基地が拡張していた一九五〇年代に、沖縄の学校教育において「方言」の禁止と標準語励行が推し進められていたことは重要である。戦前・戦中の学校では、子どもたちに恥の意識を植えつけるために、「方言」を口にしてしまった生徒の首に札をさげて見せしめにし、生徒たちにお互いを告発させる「方言札」が導入されていた。[4]それは、日本帝国の臣民を育む同化政策の一環であった。[5]その「方言札」は、戦後、米軍統治下の沖縄で、本土復帰の希求という、戦前とはまったく異なる文脈のもとで、沖縄の教員によって学校現場に復活していた（164頁）。[6]

一九五〇年代の那覇市・安謝において、植民地都市・大連からの引揚者である重田さんが、標準語励行の模範生となっていたことは示唆的である。旧日本帝国の都市生活という経験、そこで培われた文化資本としての標準語は、もうひとつのコロニアルな空間である沖縄で、米軍基地に隣接した学校の中で、きわめて肯定的な意味を帯びたのである。その背景として、当時の沖縄では、公立学校の教職員を中心とする「祖国復帰運動」が、米軍統治から脱出する岐路を、日本という国民国家への再包摂として希求していたことが挙げられる。戸邉秀明は、その矛盾をはらんだプロセスを、脱植民地化が新たな植民地化へとねじれながら接合していく過程として論じている（戸邉二〇一二）。

標準語を介して、大連と安謝というふたつのコンタクト・ゾーンは、つながりあっている。日本帝国と米軍統治、旧植民地時代という過去と本土復帰という未来は、連続するものとして捉えられるのである。重田さんの一家は、日本帝国期の大連から米軍統治下の那覇市・安謝へ、本土の「標準文化」を媒介する移住者であった。

4—沖縄における「方言札」の使用の始まりは、一九〇三年前後とされている（井谷二〇〇六：五十七）。

5—井谷泰彦は、「方言札」制度の慣習的性格と、出現過程における自然発生的性格、沖縄県や師範学校によるトップダウンだけでなく、草の根的な普及経路も重要であると指摘している（同上：十九）。

6—近藤健一郎は、沖縄南部の小学校の記念誌を資料として、戦前・戦後の沖縄南部の公立小学校における方言札の使用状況を調べている。二十五校のうち、一九一〇年代後半に三校、二〇年代前半に四校、二〇年代後半に四校、三〇年代前半に四校、三〇年代後半に六校、四〇年代前半に八校で、戦後では六校で、方言札の使用が確認された（近藤二〇〇一：五十八〜五十九）。

5　安謝における出会い――オペラ演出家・粟國安彦

重田さんが安謝小学校に通い始める一年前、南大東島から安謝小学校に転校してきた小学五年生の少年がいた。のちに、イタリアで日本人初のオペラ演出家となり、一九七〇年代末から八〇年代にかけて国内外、沖縄でも活躍した、粟國安彦である（北川ほか一九九一）。

離島出身のふたりの少年は、一九五〇年代に同期として安謝小・中学校を卒業し、一九六〇年代には東京・中野の下宿で、学生生活を同室で過ごした（重田一九九〇：一五八）。

粟國安彦は、安謝出身の父親を持ち、両親がサトウキビ製糖工場の出稼ぎ労働者として渡った南大東島で出生した（北川ほか一九九一：一五五）。

幼児期、気管支炎になった彼を抱いて、製糖会社の医者のところへ駆け出す父親の背に、母親が叫んだ言葉が面白い。

「お父さんしっかりねえ、もうけてくうようじゃなかった、安彦たのむさね」

（同上：一五七）

とっさに母親の口をついて出た「もうけてくうよう」とは、「ジングワーウホーク、モーキティクーヨー（銭っこをたくさん儲けてこいよ）」という、移民の見送りで沖縄の人びとが呼ばわる定型のフレーズなのである（木下一九三四）。彼女も南大東島へ渡るとき、「もうけてくうよう」と送り出されたに違いない。それは、出郷者への励ましでありつつ、早く送金してくれ(でないと渡航費に充てた借金が返せない)という、留守家族の切実な声なのだった。イエの重大事でどこかへ向かう人の背に、思わず「もうけてくうよう」と呼びかける母の姿からは、粟國がまさに移民の子どもであったことがうかがえる。

粟國にとって、初めての音楽との出会いもまた、移民によってもたらされた。彼は南大東島で、伊豆の八丈島ルーツの少年から八丈太鼓の叩き方を教えてもらったのである。

南大東島には、沖縄出稼ぎ者よりも先に、八丈島からの移住者がいた。もともと、無人島であった南大東島を、漁場を求めての航海中に「発見」し、島で最初に製糖工場を建てたのが、八丈島出身の玉置半右衛門であったためである(北川ほか一九九一:一五八)。「内地人」と沖縄出身者とのあいだには軋轢も存在したが、[7]小学生の粟國にとって、いじめられがちな彼をかばってくれる頼もしい友達が、代々、島一番の八丈太鼓の名手を出してきた家の子ども、沖山

7——土井智義は、大東島における「八丈系」と「沖縄系」の関係がエスニックな相克として描かれがちであることを批判し、男性を主体とする沖縄系の「仲間」と呼ばれた契約労働者の経験、八丈系が米軍統治下において「非琉球人」として「外国人」化された経験、一九六〇年代から導入された台湾女性労働者の経験、日台国交断絶によって台湾人に代わって導入された韓国女性労働者の経験を織り込みながら「国民」/「外国人」、「琉球住民」/「非琉球人」、「日本国民」/「在日外国人」の関係を問うことの重要性を指摘している(土井二〇一二)。大東島もまた、ひとつのコンタクト・ゾーンであった。

進一であった（同上：一九三）。

沖山は粟國に太鼓の打ち方を特訓し、「太鼓叩いてひと様寄せて、わしも会いたい人があるよ」と歌った。南大東島における八丈島移民の望郷を、凝縮したような歌詞である。

そして粟國は、安謝に引き揚げたのちに八丈太鼓のバチをふり、「わしも会いたい人があるよ」と歌った。那覇の安謝に、大東島からの移住者を通じて、八丈島の文化までもが入り込んでいたことになる。コンタクト・ゾーンにおける多文化性がうかがえる。

一方で、粟國には、にぎやかな町なかで「海の底にいるような淋しさ」を感じることがあったという（同上：二〇二）。故郷喪失の感覚は、人懐こさや気配りとして発揮される半面、試験前に限って遊びに友達を誘う逃避傾向も、重田さんによって観察されている（重田一九九〇：一四九）。重田さんは、日常的課題から逃げ切り、「オペラ三昧」で疾走していった異才の生涯を温かい筆致で描きながら、「オペラの使者」の存在を十分に活かしきれなかった沖縄社会の課題を論じている。

6　「大島」という表象、奄美のリアリティ

米軍統治時代の奄美から沖縄へ、どれだけの人が移動したのかということは、正確には不明である。奄美大島の戦後人口のピーク、一九四九年における二十二万六六六二人と、一九五三年七月の二十万二九九人の差である約二万六三六三人は、ほとんどが沖縄へ移動したと推測さ

れている（加藤二〇一二：九）。渡航許可を得て移動した人だけでなく、無許可で「密航」してきた、警察当局（那覇署）によって「無籍者」と呼ばれていた人びとがいた。加藤政洋は、那覇署において、「無籍者」を犯罪者と同一視する傾向が強かったこと、一九五〇年時点で約一〇〇〇人の「無籍者」のうち「大島出身が約八百名、沖縄北部地区が二百名、宮古、八重山の順である」というように、離島出身が強調されていたこと、「大島」と一括された「無籍者」たちが、規模の大きさからも注目されていたことを記している（同上：七）。

『沖縄在住、大島出身者名簿』（推定一九六〇年代）に載っている奄美大島出身者は七〇七五人で、最大の出身地は名瀬市の一〇四六人、次いで古仁屋町の六〇三人、徳之島亀津町の五四四人である。加計呂麻島・須子茂がある実久村出身者は、四〇八人であった（同上：十二）。

そして沖縄の奄美出身者は、「米軍関連施設の設置によって市街地化した場所に集まる」こ

8―沖縄渡航は、一九四九年の九月時点では申し込み順に受け付け、船は軍政府に名簿を出し、許可を得て出航していたが、同年十一月には「沖縄に身寄りのない者、求職にいく者、その他正当な理由のない者」は渡航を制限され、働きに行く場合は採用通知と配給停止証明書を持参せねばならなくなった（仲地一九八九：一〇四）。

9―土井智義は、「無籍者」が、もともと沖縄戦による戸籍の滅失に対処するために編成された臨時戸籍に登録のない「非正規居住者」であり、本来は沖縄群島外からの移住者を意味するものではなかったことを重視している。「外来者」を「非琉球人」として管理する体制が進む中で、とくに奄美群島からの移住者が積極的に「無籍者」へと追いやられ、「無籍者」という用語そのものが「在沖奄美人」と同一視されていった経緯が論じられている（土井二〇一九a：二十七）。

とに特徴があった（同上：十一）。最多は那覇市の二六三〇人、次いでコザ・美里村の一三三〇人、浦添村の一〇四三人であった（同上：十三）。

仲地哲夫は、奄美大島の地元紙である『南海日日新聞』において、沖縄出稼ぎがどのように報じられたのかを研究している（仲地一九八九）。新聞の見出しは、あたかも沖縄の求人募集キャンペーンのようであったり、一転して出稼ぎ希望者の足止めのようであったりした。

一九五一年一月二十日「求職者は登録急げ」
　七月二十六日「沖縄、仕事は多い／沖縄の求人状況」
　十月二十五日「沖縄労務時給十円内外／今後は宿舎難で集団は不可能」
一九五二年二月七日「受けのよい大島側労務者／渡縄の際は必要書類を持って」
　四月九日「沖縄からの送金漸増／三月は百万円を突破」
　六月十四日「沖縄で労務者スト」
　六月十七日「労働争議解決＝驚く程悲惨な労働条件＝／大島労働者が大半」
　六月十九日「安易な考えは禁物　沖縄労務戦線報告書」
　七月九日「労務者の横顔／一かく千金も多い」
　十一月二十八日「細り行く大島／人口が減る《島の断面》」

『南海日日新聞』は、沖縄における「大島」の問題視をそのまま伝えることもあった。

「一九五一年七月四日　無籍七百十五名／沖縄渡航は必ず移動證明を沖縄警察本部では窃盗犯罪および密売いん即ちパンパン[10]の増加にかんがみ各群島から渡島する無籍者の調査を行った結果、他の群島に比べ本群出身者が断然多く七百十五名、捜査の線にもれたものを合わせると倍加するのではないかと言われている」

ここには、奄美諸島出身者を「大島」と一括する他者化が現われている。奄美出身者は、「無籍者」「窃盗」「パンパン」というスティグマによって、犯罪者とその予備軍としてまなざされることがあった。

一方で、沖縄には、奄美ルーツの若者と結婚し、奄美の文化に触れて深く心を動かした、花岡さんのような人もいた。

「ああ、これは大島の歌垣だ。私は今、本物の歌垣を目の前で聴いている。そう思って、ものすごく感動しました」（168頁）。

10―「パンパン」とは、第二次世界大戦後、米軍による占領下の日本において、「性的サービスを有償で行う売春婦、いわゆる街娼（街角に立って客引きをする娼婦）のことを、侮蔑的な意味を込めて」呼称するのに用いられた言葉である（茶園二〇一四：十～十一）。

在沖奄美出身者の研究は、人口移動、復帰と在留資格問題、密貿易に関して蓄積がある。一方で、ごく普通に沖縄で生活してきた奄美の人びとの経験や、沖縄における奄美文化の継承については、十分に研究されていない領域が残されている。

実際に奄美群島から移住してきた人びとの経験には、「大島」差別の表象に収まりきらないリアリティが含まれている。大連経由の奄美ルーツをもつ少年が、標準語励行の模範生となっていたり、奄美ルーツの若者と結婚した沖縄女性が、「本物の歌垣」に感動したりしているのである。沖縄で、《声》として語られる場をほとんど持たなかった沖縄と奄美にかかわる多様な経験は、豊かに広がっている。

第6章

境界の動態

奄美／琉球／日本

1　ふたつの復帰と「境界地域」

人が空間的に移動する一方で、境界そのものも動くことがある。帝国の解体による引揚・送還は、境界の変動によって人の移動がもたらされた現象である（蘭二〇一二）。地理的な境界だけでなく、制度としての境界も変動する。ポスト帝国期に国境の再編と国民の再定義がなされると、「国民」と「国民にあらざる者」との間に、線引きがやりなおされる。このとき境界は、それ自体が流動する、ひとつの動態となる。いくつもの境界線が錯綜し、地域そのものが帰属と処遇をめぐって揺れ動く、そのような地域は、「境界地域」と呼ばれている。たとえば中山大将は、近現代において日本・ロシア・ソビエト間で五度に及ぶ境界変動を経たサハリンを焦点化し、サハリン残留日本人の経験を中心とする境界地域史研究を行ってきた（中山二〇一九）。

沖縄もまた、幾度もの境界変動を経てきた境界地域のひとつである。とくに、米軍統治時代の境界変動を明らかにするためには、それを沖縄固有というよりも、《沖縄―奄美》に関わる現象として着目することが重要であると筆者は考えている。

沖縄における奄美出身者の人びとは、二度の「本土復帰」を経験した。一九五三年における奄美群島の日本への施政権返還と、一九七二年における琉球列島の施政権返還である。「在沖奄美籍者の処遇問題」は、このふたつの復帰の間の、地政学的なエア・ポケットともいうべき時空間において発生した。奄美群島の復帰後、米軍統治下の沖縄において「琉球人」よりも先に「日本人」になった奄美出身者は、多数が離沖して本土へ移動するが、沖縄に残った人びとの中からは、故郷の本土復帰を喜びつつも、「琉球籍をとりたい」という請願も起こるのである。米軍統治下の沖縄において「日本人」であることは、「非琉球人」という外国人扱いを意味した。土井智義は、米軍統治期の琉球列島における「非琉球人」を、「指紋押捺を含む個人単位の登録制を介して居住管理や強制送還の対象となり、参政権および琉球政府への就官、金融機関の融資からの排除など、ほとんど全面的な権利の剥奪を経験した人びとのことを指す」と定義している(土井二〇一九b:六十七)。

この章では、奄美出身者をめぐって「琉球人」／「非琉球人」の線引きがなされていく過程に着目することで、複数の境界線が錯綜し、人と境界のどちらもが動く、境界地域としての沖縄を解き明かしていく。

2 在沖奄美出身者にとっての奄美復帰

沖縄にいるすべての奄美群島出身者をとりまとめる「在沖奄美郷友連合会」は、一九五三年十二月一日、奄美群島の復帰まで一カ月を切った時に結成された。奄美群島の復帰は、在沖奄美出身者にとり、ひとつに結集せねばならない難局として立ち現れていた。

一九五三年八月八日に、奄美群島の返還声明(ダレス声明)が出されたわずか二日後、米国民政府は琉球政府に、「大島出身者の政府職員調査」を指示した。十一月十六日には、米国民政府は、奄美籍者は奄美の復帰後、沖縄で公務に就けないことを言明した(資料2)。そして十一月三十日には、翌年一月中に「臨時外人登録」をせよという指令が、奄美籍者に下った（337頁年表）。

多くの奄美出身者は、離沖し、本土へ移動していったが、沖縄に残る人びともいた。[1] 在沖奄美郷友連合会は、刻々と包囲の輪が縮まるかのように奄美出身者が「非琉球人」とされていく中で設立された。糸満、那覇、浦添、普天間、コザ、平良川、石川、名護（北部）に置かれた地区奄美会は、会員に対して「身元保証の問題、就職等、奄美・本土渡航手続き、外人登録（在琉申請）、パスポート申請」業務を行い、対外的には、「在琉者の身分保障、奄美―沖縄間の交易経済取引など特別措置」を要請した（沖縄奄美連合会二〇一三：一五四）。

米国民政府には、沖縄にいる奄美籍者を、国際社会の批判を避けてなるべく自発的に離沖させ、事実上は本土に「完全送還」するという構想があった（土井二〇一九b：七十六）。実質的に沖縄における生活基盤を奪うべく、まず「在沖奄美人」の企業活動が「外国人投資家」として制限され、軍雇用からの排除、琉球政府職員からの特例を除く排除がなされ、「外国人登録」には、雇用から解雇された際に取消可能な一時訪問資格が発行されることになった。

一九五四年には「永住資格」の指令が出された。それは、沖縄に残留した奄美籍者に、法的地位を保障する第一歩であった。しかし、一九六五年に那覇地区奄美会が琉球政府に出した請願書からは、その時点においてもなお存続していた厳しい状況がうかがえる（資料1）。そこには、税金は「琉球人」と同様に適用されるのに公民権はないこと、融資からの排除、軍雇用・公職からの排除と民間雇用の厳しさ、国費留学受験資格と奨学金制度からの排除、米国留学からの排除、集団就職と海外移民からの排除が列記されている。

形の上では、一九五四年の「永住資格」指令は、永住許可の申請という扉を開いた。一九五四年から一九六五年四月までに二六二〇人が申請し、二〇二四人が許可された。不許可は三三二人、取り下げは一一一人であった。しかし、表面的には高い許可率であるように見えていても、そもそも各種の排除によって、永住権申請が基準としている安定的な所得水準に到達できない奄美籍者も多かった。請願書の主訴は、「奄美群島復帰前から沖縄に居住していた奄美籍者に対する、無条件の永住権附与」である。

この請願書を作成した那覇地区奄美会の会長は、泉有平であった。彼は、重田さんの両親と同じ加計呂麻島の須子茂で生まれ、[2]九州帝大農学部を卒業し、日本帝国時代の朝鮮と満洲の農林試験場などで、技手から管理職へと経歴を積んできた。戦後はいったん奄美大島に引き揚げ、農林試験場長や農学校、高校の校長を務めた後に、臨時琉球諮詢委員会に奄美代表として加わり、一九四九年には琉球臨時中央政府の初代副主席（立法院副議長兼任）となり、参議院議長、立法院議長を歴任した（沖縄奄美連合会二〇一三：一八七）。泉は、第三代の在沖奄美連合会長と

1―那覇地区奄美会会長による請願には、奄美復帰時に三万八〇〇〇余名であった在沖奄美籍者が、一九六五年時点で九三〇〇余名にまで減少していたと記されている（資料1）。

2―私人としての泉有平は、同郷で、満洲引揚経験をも共有していた重田さんの父、禎二さんに目をかけ、経営していた南西鉄工所の経営を委ねた。重田さん一家はそれによって、重田さんの上京と私立大学への進学を可能とする経済的な基盤を得ている（120頁）。

して、また総理府事務官日本政府南方連絡事務所次長として、沖縄の奄美出身者の処遇改善に取り組んできた。

なぜ泉は、「無条件の永住権附与」を請願せざるを得なかったのか。ここでは、どのような政治主体が、何ゆえに「琉球人」/「非琉球人」の線引きを行ってきたのかを問わねばならない。

3 排除＝メリット言説

米国民政府のオグデン副長官は、「在沖奄美人」の完全送還方針を、奄美返還を伝えるダレス声明の直後から、着々と進めてきた（土井二〇一九b：七十一）。その方針を正当化する根拠は、①政治的なリスク、②過剰人口の緩和、③犯罪予防であったという。①は、奄美における復帰運動の興隆が沖縄に波及することへの警戒であった。②は、米軍自体が、基地設営によって過剰人口を悪化させてきたという背景がある。そして③は、「犯罪者階級や売春宿で従事する女性の大部分が奄美人」という、住民社会と共有した偏見に基づくものであった（同上：七十五）。

土井は、これらの文脈が、琉球政府の比嘉秀平行政主席によって共有されていたことを明らかにしている。駐日米大使のコンロイ参事官による報告書（一九五三年八月二十六日）の中で、比嘉主席は、「在沖奄美人」が沖縄の復帰運動の中核部を形成することへの危惧を述べ、彼らの送還によって、「沖縄人」に利用可能な数千人分の職をつくれると述べているのである（同上：七十二）。さらに、コンロイ報告書の中の比嘉主席は、「在沖奄美人」が沖縄にとって「損害」であることの例証として、彼らの郷里への送金が、沖縄の地域経済圏に留まるべき数千ドルの「流出」となっていることも付加している。[3]

琉球政府は、米軍当局と完全に同一の見解を有していたわけではないが、「在沖奄美人の排除＝沖縄人のメリット」という言説を、部分的であれ、共有していたことは否定できない。「在沖奄美人」をスケープゴート化する言説は、米軍統治下の沖縄における主権の、矛盾をはらんだ位相を照らし出している。そこでは、沖縄における米軍統治体制の存続が、自明の前提とされていた。そもそも沖縄の過剰人口を膨張させ、奄美からも、集落の人影が絶えるほどに労働力を沖縄へと吸引して奄美の戦後復興に打撃を与えてきたのは、沖縄における米軍基地の設営に他ならない。その構造的な問題の所在は問われないまま、「在沖奄美人」の送金問題へと論点がすり替えられていた。

米軍当局は、どのようにして琉球政府に、奄美籍者排除への「協力」（土井二〇一五：

3―この「送金」言説は、沖縄が全国でも有数の海外移民・県外出稼ぎ送出県であり、彼らの送金が地域経済に大きく寄与してきた（石川二〇一五）ことを踏まえると、矛盾をはらんだものとして見えてくる。一九二九年、海外在留者からの送金は、沖縄県の総収入の六六・四％にまで達していたのである（同上：八十七）。沖縄の戦後復興にも海外移民は貢献した。コンロイ報告書の五年前、一九四八年に、ハワイの沖縄移民は義援金で五五〇頭の豚を購入して沖縄に送り、四年間で十万頭に繁殖した豚は沖縄の食糧事情の好転に寄与していた（下嶋一九九七）。南米からも沖縄戦後復興のための義援金が寄せられていた。

三十二）をさせていったのだろうか。一九五三年十一月十六日付の米国民政府文書、「奄美に本籍を有する琉球政府公務員の身分について」（資料2）からは、米軍当局が琉球政府に、どのように「排除＝メリット」言説を共有するように仕向けてきたのかがうかがえる。

「管轄外の本籍を持つ被雇用者に完全にして公平な忠誠が期待できるだろうか。（中略）答は自明であろう」（332頁）

「琉球人」／「非琉球人」の線引きに、「忠誠」という表象が用いられていることは興味深い。そこで自明視されているのは、「籍」の在処が「忠誠心」と一致するという、境界地域のリアリティからかけ離れた国家統治の論理であった。この論理によって米国留学、国費留学、公務員となる未来を閉ざされた重田さんは、「籍が同じじゃないといけないっていうのが差別なんだよ」と述べている（96頁）。

米国民政府の文書は、これまで「合衆国軍隊と代行機関が、他地域からの労働力を輸入せず琉球人を最高度に利用する立場に立ってきたこと」に言及している。文書は、米軍当局が「琉球人の最大限の雇用」を支えてきたことを琉球政府に思い出させ、もし奄美籍者を公務員として雇用し続ければ、「外国人を雇用することを阻止できなくなる先例をつくるだろう」と断じている。ここには、「奄美籍者の排除＝琉球人のメリット」言説の受容へと、琉球政府をいざなう論理が見いだせる。

「琉球人の最大限の雇用」の実体を、琉球政府は言うまでもなく知っていた。実際には、沖縄の米軍基地では、フィリピン人や日本人の軍雇用員が、「琉球人」よりも高額な給与で雇用されていた。そもそも、基地設営による土地接収がなければ、過剰人口の悪化も、軍雇用か移民しか生計の選択肢がないという米軍統治初期の状況も起こらなかった。米軍当局は、基地設営、そして軍雇用員の大量解雇によって膨張した過剰人口を、八重山開拓移民や海外移民として沖縄本島から排出する政策を推し進めつつ、琉球政府に対して「外国人」排除の言説を共有するように求めていたのである。

この文書（資料2）からは、米軍当局の琉球政府に対するパターナリズム、温情主義の装いをまとった父権的な支配が読みとれる。あたかも大人が子どもに言い聞かせるかのような、権威的指導の文面である。「副長官に代わり」という文末の署名は、副長官が筆を執るまでもないという「確定済み」感を演出している。在沖奄美出身者に大きな打撃を与えた「公職追放」は、琉球政府を侮りきった文書によって表明されていた。

4 奄美人・泉有平の抵抗

「琉球人」/「非琉球人」の線引きに対して、在沖奄美籍者はどのような論理によって抵抗したのだろうか。

泉有平による請願書（資料1）において最も重要なポイントは、永住権附与という主訴に冠せられた「無条件の」という部分にある。一切の付帯条件を拒み、奄美群島復帰前から沖縄に居住してきたすべての奄美籍者に永住権を附与すべしという主張である。

米国民政府は、奄美籍者を階層で分け、「日本人」として労働条件の改善を求めることが可能な軍雇用と軍工事の「労働者集団」、「売買春に従事する女性などの、〝好ましからざる者〟」の送還を強く望んでいた（土井二〇一九b：七十一）。送還計画は、「琉球人」／「非琉球人」を線引きし、さらに在沖奄美籍者の内部を、高リスク者——貧困層・犯罪者・売買春に従事する女性・軍関係労働者と、それ以外の低リスク者とに分け、計画的に排除を進めようとするものであった。

泉の請願書には、このような奄美籍者の内部を割る線引きを拒否する姿勢が打ち出されている。もし泉が、在沖奄美籍者の内部を階層性によって分断し、自身を含む安定・富裕層の生き残りを図ったとしたら、そのような条件闘争は、おそらく米軍当局に歓迎されたことだろう。しかし泉は、琉球臨時政府の初代副主席・立法議員副議長を務めてきた政治家である。被統治者の内部を割って上層に下層を切り捨てさせ、上層を協力者として意のままに使役する統治の手法は、泉有平にとっては先の読めるパターンであっただろう。それを受容している琉球政府の立場も、もし線引きの論理に乗ったら在沖奄美籍者がどうなるかも知った上で、「無条件の」という文言が請願書に冠せられたように思われる。

琉球政府からすれば、この「無条件の」という主張こそが、最も危険なものであった。松岡政保主席は、泉の請願書を高等弁務官に送達したのちに、意見書を追付している。[5] そこで松岡は、在沖奄美籍者を、奄美群島の返還によって「外人として在留の規制を受けることになったもので、同情すべき境遇にある者でありますす」と位置づけつつ、復帰前から沖縄に居住していた奄美籍者のうち「一年以上の懲役又は禁固の刑を課することのできる犯罪により処罰された者を除くすべての者に対し」、永住権を附与することが望ましいと述べている。意見書は、あたかも泉による請願の後押しであるかのような見かけをとりつつ、「無条件の」という泉の主張を条件付きへトーンダウンさせ、奄美籍者の内部を分断しようとする米軍当局の意に沿うものになっていた。

5 「琉球人＝日本人」──「同一民族」の言説

泉による請願書の文末には、驚くべき論理が展開されている。まず、「無条件」の永住権附与は、奄美籍者がそれぞれの自由意思によって、「琉球籍」を取得するためのものとされている。復帰によって「琉球人」よりも早く「日本人」になった奄美籍者が、自由意思で「琉球

4──実際に東京の奄美群島復興促進会総本部は、奄美復帰の三カ月前に、奄美復帰後、在沖奄美籍の労務者の賃金を「一般日本人並みに引き上げるよう対米交渉を」するよう日本政府に要望している（資料3）。

5──出典は資料1に同じ。

籍」をとれるようにしてほしいと要望しているのである(331頁)。「琉球人」/「非琉球人」の区分が、強力な制度的境界線として一九五四年の「永住資格」指令以降も存続していたことがうかがえる。

さらに、奄美籍者への永住権附与を求める根拠として泉が打ち出したのは、「琉球人も日本人であるという厳粛なる事実」、「同一民族」という言説であった。奄美籍者への「差別的取り扱い」は、「同一民族」の中で起こっているという点で非を問われるのである。「日本人と琉球人が同一民族である」という言説そのものは、新しいものではない。それは、伊波普猷の日琉同祖論をはじめとして、さまざまに議論されてきた。ここで重要なのは、その内容ではなく、その言説が、在沖奄美籍者による永住権附与請願において動員されているという文脈である。そこには、複数の境界線が錯綜する、境界地域としての沖縄の動態が照らし出されている。

「琉球人もまた日本人である」ことを、沖縄の本土復帰を目指す「琉球人」ではなく、「日本人」が主張している。しかしその「日本人」は、沖縄の苦境に同情する「本土」人でもなければ、沖縄が祖国復帰によって帰り着こうとしている「琉球人」の未来像でもない。「日本人」は、すでに沖縄の中にいる。その「日本人」は「琉球人」に対し、「日本人」への差別をやめ、「日本人」が自由意思で「琉球籍」を取れるようにしてほしいと請願しているのである。

ここには、「琉球人」/「非琉球人」/「日本人」の境界をめぐり、矛盾としか言いようのない状況が生じていることが、くまなく表面化している。沖縄に奄美籍者がいることの、米軍当局にとっての最大の政治的リスクとは、復帰運動の波及などよりもむしろ、ここにあったのではないだろうか。すなわち、在沖奄美籍者がいることで、さらに、彼らが永住権、琉球籍を求めて運動することで、米軍統治下の沖縄にいる住民たちの帰属と処遇の構造的な矛盾が、端的に露出してしまうのである。「琉球人」にあらざる者として他者化してきた「非琉球人」が、「日本人」として「同一民族」[6]を主張する。その論理展開におけるねじれの位相は、米軍統治下の沖縄という境界地域そのものの矛盾を照射している。

6　重田辰弥さんによって生きられた境界

泉有平による請願書は、「無条件」の永住権附与と、「自由意思による」琉球籍の取得を願うものであった。永住権と琉球籍の間に、「無条件」と「自由意思」という大きな相違が設けられている。それは、すべての在沖奄美出身者が、必ずしも琉球籍を求めていたわけではないことを示している。

6―「同一民族」表象は、こんにち、奄美―沖縄航路の存続問題などで動員される「兄弟島」という表象と比べると興味深い。現実に、奄美群島が「兄弟島」だという実感が沖縄においてさほど一般的ではないからこそ、この言葉は、連帯のエールのように用いられる。その用法は、沖縄県立博物館・美術館が開催した「台湾展」(二〇一九年)における、台湾を沖縄の「隣島《とうなりじま》」とする表象とも似通っている。

重田さんの語りには、むしろ「北（本土）」を目指す志向性、いずれ「本土」へ引き揚げるという一家の展望がうかがえる。重田さんは、奄美籍者の「公職追放」を、「喜んで（本土へ）帰った人もいる」／「追放であったことは間違いない」という、両義性をもつものとして語っている（98頁）。自身が国費留学制度から排除されたことについての語りも、「正直に言うと、それほどの苦痛はなかった」／「けれど、現実には壁があった」という、両義的なものである（103頁）。重田さんの語りには、一貫して、差別は痛感されなかったという主観を、制度、歴史としては存在したという客観で補正する、両義性の構造が見いだせる。そのような構造は、他者との関わりの場面においても見いだせる。


「お前を差別してないよ！」

「いや、君らがどうこうとは言ってない。こういう制度があったという話をしている」

「だったら君が本籍を移せばいいじゃないか」

「籍が同じじゃないとダメっていうのは、そういうのを差別っていうんだよ」（96頁）

泉による請願書が琉球籍の取得について言及したのは、永住権の申請制度だけでは「琉球人」／「非琉球人」の線引きを乗り越えられなかったためであった。しかし、重田さんの最後の言葉は、籍を変えることが根本的な問題解決ではないこと、マイノリティが籍を変えざるを得ない状況そのものが差別に他ならないことを示している。ここには、籍という制度とマイノリティをめぐる普遍的な論点が見いだせる。

この会話が米軍統治時代になされたものではなく、過去を振り返ってやりとりされていることには留意が必要である。リアルタイムの「在琉奄美人」としての重田さんは、上京後に大学で「沖縄」と見なされ、言葉を失うこともあった。重田さんは、「非琉球人」であるために、各種奨学金などの沖縄留学生の特典から排除されていた。大学における立場が異なるので、沖縄学生会には足が向かない。しかし、「本土」の日本人からは、同じ「日本人」としては遇されず、「奄美だって琉球じゃないか」と、ひとくくりに他者化されるのである（104頁）。

企業経営者となってからの重田さんは、県外、海外の沖縄ネットワークの構築において、主導的な役割を果たしてきた。しかし、その人は、学生時代には、沖縄系の組織や集いから距離を置き、「違和感のようなもの」を感じることもあった。起業は、重田さんにとって、沖縄との出会い直しをもたらした。沖縄からの人材雇用に際して、那覇高校の同窓人脈や東京沖縄県人会との縁が意味をもつようになったためである。そこからは重田さんの人生の興隆期である。インタビューにおいて、その時期の語りは、ほとばしるような勢いで展開された。しかし、上京から学生時代を振り返るときの、重田さんには珍しく、口ごもって途切れがちになる語りのありよう、かつては沖縄系の集まりから「距離を置いていた」という経験にも、きわめて重要なものが含まれているように思われる。それがあったからこそ、のちに沖縄系のビジネス・ネットワーカーとして、余人に代えがたい活動がなされたのではないだろうか。

重田さんが構築してきた関東圏を中心とする沖縄ビジネス・ネットワークには、きわだった特徴として、拠点の複数性が見いだせる。東京沖縄県人会にはあまり顔を出さない人が、関東沖縄経営者協会には集ってくる。そこへは足が向かないIT企業経営者たちのために、重田さんは、彼らのための組織を立ち上げて迎え入れている。さらに知的な好奇心が強い人びとのためには、三月会《みつきかい》が催される。重田さんが国内初の会長となったWUB東京（17頁）もまた、県人会活動だけではカバーできない多様な関心や個性をすくいあげるものであった。集いつつも、全員一致で一丸となるような凝集は求めず、あちこちで出会い、ひとつの拠点から離れていった人とも別の拠点でつながり直し、ゆるやかに縁を重ねあっていく。そのような多拠点型の沖縄ネットワークには、青年期の重田さんが抱いた「違和感のようなもの」が、きわめて重要な資源として、密かに息づいてきたように思われる。

第7章

雇用主から見た沖縄—本土就労

1 空間移動から社会移動へ

上京後の重田さんは、空間移動を終え、職業・階層移動の時期に入った。その社会移動は、幼少期から青年期までのダイナミックな空間移動に比肩するほどの、おびただしい越境の連続であった。大学卒業後、新聞記者、公務員、コンサルティング会社営業社員・幹部社員を経てIT会社の起業と経営へと、短期間にいくつもの業種をまたいだ移動がなされていった。

重田さんの職業移動において、初職が新聞記者、それも沖縄地元紙の東京支部（当時は総局）勤務であったことは重要である。その職歴は、全国紙の記者にはなれなかったという個人的挫折から始まった（61頁）。

東京で沖縄の地元紙の記事を書くことは、本土—沖縄の非対称的な関係に向き合うことに他ならない。そこには、個人的挫折とは次元の異なる、構造的な日本と沖縄との関係性の問題が存在した。重田さんは、その象徴ともいうべきサンフランシスコ講和条約[1]をとりあげて「私の四・二八」という連載を企画し、各界のトップランナーを取材して「あなたにとって沖縄とは何か」を問うた（資料4）。その問いは、読者である沖縄の人びとはもちろんのこと、重田さん自身にも投げかけられたように思われる。

しかし、重田さんが自分にとっての沖縄の意味を見出していったのは、新聞記者時代ではない。沖縄ルーツであることの意味は、いったん沖縄に関わる仕事から離れ、多職転々を経て経営者となったとき、大きな弧を描くようにして戻ってくるのである。

2 沖縄—本土就労の定型を越えて

重田さんは一九七八年に、資本金四〇〇万円、社員七名で日本アドバンストシステム（NAS）を立ち上げた。初年度の経常利益は、一九一万九〇〇〇円であった。一九八〇年代までの社員数は前年度比一・五から二倍で増え続け、経常利益も一九八四年に一〇〇〇万台に届いた。勃興期のIT産業は深刻な労働力不足に直面しており、「採用はそのまま業績」であった（48頁）。重田さんは、那覇高校同窓生の社会関係資本を活用し、東京沖縄県人会とも結びつき、沖縄から人を採れることを強みとして、新興のベンチャー企業を軌道に乗せていく。社員には、NASの取引先である大手企業に派遣され、そこで技術を習得する人もいた（50頁）。

日本経済がバブル期（一九八五～九一年）に入ると、採用はますます死活問題となった。当時のNAS人事担当者は、創立二十周年記念誌に「沖縄出身者の大量採用」について記している。

1—日本は、連合国との間にサンフランシスコ講和条約を締結することで戦争状態を終結し、主権を回復することができた。一方で、北緯二十九度以南の南西諸島（琉球諸島、大東諸島、奄美群島）、南方諸島（小笠原群島、西之島、火山列島）は、合衆国を施政権者とする信託統治制度の下に置かれることとになった。同条約は一九五二年四月二十八日に効力が発生したため、「四・二八」と称されている。

「知名度ゼロの中小企業ではやはり首都圏の採用は厳しく、沖縄採用に頼らざるをえませんでした。ちなみに一九九一年の新入社員四十九人中、沖縄出身者は四十四人、一九九二年の新入社員四十人中、沖縄出身者が二十二人という状況でした。沖縄出身者の大量採用により独身寮を借り上げることになりました」

（重田一九九九：三十三）

重田さんにとって沖縄からの雇用は、会社の趨勢を左右するものであった。この時期、沖縄への貢献はあまり意識されていない。少なくとも、それを主目的として沖縄からの雇用が進められたわけではなかった。さらに「大量採用」といっても、一九七〇年に一万人を超えていた沖縄―本土就労の全体から見れば、微々たるものであった。それにもかかわらず、NASの雇用は沖縄側から期待され、沖縄への貢献として評価されていく。それはNASの雇用が、量的には小さくとも、質的に従来の定型とは異なる、ひとつの突破口となりうる本土就労の形を示したからであった。

沖縄―本土就労は、一九五〇・六〇年代における集団就職のブームを経て、一九七〇年代には日本経済が低成長期に入ったことの影響を受け、本土の労働力需要に従属させられ、景気に大きく左右される形が固まりつつあった（表7-1）。七〇年代における県外就職の主流は、男子・一般・製造業であった。女子は、学卒者に製糸・紡績業への就労が見られた。[2] いずれも技能工生産工程で、沖縄の若者から要望が高い専門的技術と事務的職業の採用は伸びなかった（沖縄県商工労働部二〇〇一：八三五）。

バブル期のNASが沖縄からの
大量採用のために借り上げた「稲毛寮」

沖縄協会は一九七三年に本土で働く中・高卒生を対象とする調査を実施した。そこでは、沖縄の若者の期待に反して、①技術・技能が身につかない県外就労が少なくない。[3] ②文化の違いだけでなく本土側の無理解や偏見があり、沖縄の若者が周囲に溶け込めない。[4] ③沖縄の若者は離職率が高いという問題点が明らかになった。[5] ここからは、NASの雇用が、小規模ながら定型とは異なる本土就労として期待された背景が理解できる。

2—女子の専門的技術的職業は看護に集中し、戦前期の台湾における専門職女子の働き方と類似していた。

3—沖縄協会は、沖縄県の中・高校卒で、職業安定所を介して本土就職した五〇〇〇人の若者を対象に調査を行い、六八七人から回答を得た。県外就職の主な動機は、待遇よりも通学と技術習得にあり、「働きながら学校に行けるので」四二%が最多で、「本土で働きたかった」四〇%が続いた（沖縄県商工労働部労働政策課二〇〇一：八三九）。しかし本土に行ってみると、「仕事に将来性がない」二四%、「技術、技能が身に付かない」一六%という現実が存在した（同上：八四一）。

ＮＡＳの雇用は、第一に、立地と業種がユニークであった。ＮＡＳは、中部・東海の工業地帯ではなく東京に本社があり、製造業ではなくＩＴ企業であったことで、従来の県外就労の主流パターンから逸れていた。沖縄は、重田さんによって、ＩＴ人材の供給地として見いだされたといえる。現時点から振り返れば、沖縄県のマルチメディアアイランド構想（一九九八年〜）が展開される前の萌芽的な動向として、ＮＡＳによる採用は始まっていた。

ＮＡＳの採用は、沖縄県内の実学教育の動向とも時期的に合致した。当時の沖縄では、浦添工業高校や沖縄ポリテクカレッジをはじめとして、大学進学しない若者たちを専門職へと育成する教育課程が充実しつつあった。これらの教育機関は、重田さんの採用活動において重要な位置を占めるようになった。

ＮＡＳの沖縄採用における第二の特徴として、高校・専門学校卒という学歴ノンエリート層からも積極的な採用と育成を行い[6]、専門職や管理職への階層上昇の回路を設けていたことが挙げられる[7]。当時の県外就労では、多くの学歴ノンエリート層は、職能の蓄積につながりにくい非熟練単純労働に吸引されていた。ＮＡＳの雇用は、学歴ノンエリート層を含めた県外就職が、製造業・非熟練労働というパターンを越えていく可能性を示唆した。沖縄におけるＩＴ化の進展とも相まって、「ＩＴ・上京」の県外就職は、沖縄の若者たちが専門職に昇っていくひとつの回路、いわば極小の突破口になりうるものとして、期待を寄せられていったと考えられる。

3 雇用主にとっての本土―沖縄Uターン

重田さんは、沖縄から積極的な採用を行った結果、沖縄出身者の離職率の高さという問題現象に直面する。沖縄出身社員は、最初から、いつかは沖縄に帰るという前提で上京している人が少なくなかった（79頁、83頁）[8]。

重田さんは、NASのデータを用いて、本土―沖縄Uターンの事例分析を行っている。それ

4―「会社の人たちは沖縄を正しく理解しているでしょうか」という問いに対して、「理解している」という回答は一割にとどまり、「無知な人が多い」が六六%、「外国だと思っている」が一八%に達した（同上）。

5―全国では、集団就職における離職率が約二割であったが、沖縄出身者は一年未満に二五%が離職しており、そのまま本土で「非行化」する現象も問題視されるようになっていた（同上）。

6―ただし、工業高校・専門学校の卒業生が高度な専門性を備えていることは少なくない。「学歴ノンエリート」というカテゴリーにひとくくりにできない事例があることには留意を要する。

7―NASの設立二十周年記念誌には、浦添工業高校卒第一期であったNAS幹部社員が、同校卒業生たちが社内で一定の存在感を発揮してきたことを記している（重田一九九九：四十）。NASにはシステムの保守管理を行うマニュアル労働の部署があったが、資格試験による専門職への回路が設けられていた。

8―沖縄県商工労働部の一九九七年調査によると、最初からUターンするつもりで県外就労した人は、Uターン者の調査対象者二三七三人のうち六割にのぼった（沖縄県商工労働部二〇一五：五一一）。

によると、創業二十九年目（二〇〇八年）において、沖縄からの新卒採用者二三八名のうち在職者は五十四名、定着率二三％に対し、他の都道府県からの採用者三七二名のうち在職者は一五五名、定着率は四二％であった（重田二〇〇八a：二十一、二十三）。沖縄出身者は、入社社員の約四割を占めつつ、勤続十年以上の社員の二割でしかなかった（同上：二十四）。さらに女子社員は、沖縄採用二三八名のうち四十六名、在職者は六名で、定着率は一三％であった（同上：九十八）。重田さんの分析によると、NASの沖縄出身社員は、勤続十年を過ぎると定着率が高まり、会社の中枢に位置づいていく。ただし、幹部社員十二名のうち沖縄出身は一名のみで、沖縄事業所勤務であった（同上：九十七）。

沖縄Uターンは、経営上の難題であった。しかし重田さんは、それを若者の気構えに還元する精神論には異を唱え、Uターン自体が問題というよりも、沖縄への戻り方が重要であると結論づけている（同上：九十四）。理想形は、本土で構築した人脈を携えた、キャリアアップにつながるUターンであった。実際にそのような形で帰郷したNAS元社員たちは、自身のキャリアを築きつつ、沖縄ITネットワークの人的拠点となっていった。重田さん個人にとっても、那覇高校同期が定年退職していくのと入れ替わるタイミングで、元社員たちが重田さんの県内における社会関係資本となっていくのである。

社長—社員という組織内の関係においては、社員の離職は社長にとってネガティブな経験であった。重田さんには、会社よりも《沖縄》を選んで帰っていく若者たちに対し、自身も沖縄ルーツであるからこその残念な思いや、キャリア中断についての危惧を抱いた。一方で、会社という組織を離れて沖縄ネットワークの視点で見ると、元社員たちの県内での活躍は肯定的にとらえられる。重田さんにとっての沖縄Uターンの両義性は、重田さん自身が、会社経営者と沖縄ネットワーカーというふたつの立場を有してきたことによる。重田さんが会社を承継したのちは、ネットワーカーとしての立場が優位となり、沖縄Uターンに対するポジティブな意味合いが増してきたように思われる（57頁）。

4　企業経営者にとっての沖縄ルーツ

重田さんは、NASを、目的合理的な組織として編成してきた。沖縄から「大量採用」をしたのは、萌芽期のNASにとって最適であったからに他ならない。沖縄事業所も、Uターン希望者の受け皿などではなく、経営的判断によって開設された。企業家としての重田さんには、機能体であるべき会社組織が、安定期に入って共同体化してきたことへの危機意識もあった。

しかし、バブル経済が崩壊し、経営が苦境に陥った時、重田さんは自社の中に「痛みを分かち合う文化」を見出した（74頁）。給与を切り下げても、覚悟していたほどには離職者は増えなかった。NASは赤字決済を回避し、取引先銀行から経営の手堅さを評価されるのである。それまで問題視されていた会社の中の共同性は、逆境にあって、肯定面も認識されるようになった。ただし「痛みを分かち合う文化」は、沖縄出身社員の多さなど、沖縄に関わる要素とは結びつけられていない。

経営者としての重田さんの沖縄との関わり方、沖縄との距離の取り方には、独特なものが見いだせる。

沖縄ブーム期、重田さんは、本土で活躍している沖縄出身の経営者としてテレビ番組に出演した[9]。沖縄ブームについて問われ、他の経営者が「沖縄の良さが全国的に認められ始めた」と喜びを語る中で、重田さんは、「沖縄にひたすらすがりつく意識を薄めたい」と言った。「沖縄の外から良さを指摘してもらったり、それを取り入れてもらったりするのはいいが、沖縄の人自身が自分の手柄のように、これからは沖縄の時代だと言うのは危うい」。

この言葉には、「沖縄の外」、東京にいて、同時に「沖縄の人」でもある重田さんのポジショナリティが十全に発揮されているように思われる。沖縄の内と外が、二分されることなく輪を描いてつながっている地点に重田さんは立っていて、そこからしか発せられない言葉を語っているのである。

沖縄では、マルチメディア構想が進展しつつあった。ＮＡＳはそれに参画し、重田さんは県知事のＩＴ秘書を人選するなど、沖縄のＩＴ化に関与していく。一方で、沖縄県による企業誘致、本社の沖縄移転は断ってきた（50頁）。

重田さんは、在東京の沖縄出身経営者という立ち位置ならではの役割を果たしてきたように見える。まぎれもなく沖縄の人でありつつ、自身を沖縄の内側に埋没させず、内と外とがつながった地点から、沖縄と関わってきた人であるように思われる。

5　県外就労の行き詰まり

ＮＡＳによる沖縄からの雇用は、それまでの沖縄―本土就労における主流パターンから逸れていたが、それに代わる新たなパターンを形成するまでには至らなかった。

元社員のＫさんは、社員だった頃、二〇〇〇年代に沖縄における採用活動を担当した。琉球大学工学部からＫさんが採ったのは、本土出身のＵターン予定者であった（80頁）。専門学校卒の沖縄の若者たちは、応募しても人が来ない時代になっていた。二〇〇〇年代末、ＮＡＳは、沖縄での採用活動を停止した。

当時の沖縄では、県外就職がマイナー化しつつあった。[10] 会社側も、沖縄をＩＴ人材供給地のフロンティアとして活用する急成長期を終えていた。ＮＡＳの事例は、雇用者と被雇用者の両方にとっての、沖縄―本土就労の行き詰まりを示している。

県外就職者数は、バブル期（一九八六〜九一年）に過去最大となり、バブル崩壊後には、減少だけでなく臨時・季節へのシフトが起こった（図7-2）。一九九〇年代には、県外就労にお

9―二〇〇四年十月に放送された「新感覚のＵターン」（ＲＢＣ）では、本土―沖縄Ｕターンに関するシンポジウムが開催され、重田さんをはじめとする沖縄出身経営者がパネリストを務めた。

10―高校卒業者に対する県外からの求人は、二〇一一年に一〇〇〇人を下回り、八八九人となった（沖縄県商工労働部二〇一七：四十八）。

ける臨時・季節の比重が新卒者の常用雇用を上まわり、とくに学歴ノンエリート層にとっては、県内就労よりも県外の臨時・季節労働の方がメジャーになった。若者たちは、学校や職業安定所を通さず、ネットで情報収集して気軽に県外へ出た。このような「カジュアルな移動」（岸二〇一三：三六七）は、技能蓄積に結びつかない県外就労を拡大させた。安藤由美は、沖縄における本土経験が階層的に二極化していったことを指摘している。上層は、本土で大学進学・就職し、学歴とキャリアを携えてUターンするのに対し、下層は非正規・期間限定の非熟練労働に集中していった[11]。このような県外経験は、沖縄の階層格差を縮めず、むしろ拡大させた。

そして二〇〇〇年代末以降、臨時・季節は大幅な減少へと転じた（図7-2）。生産拠点の海外移転と外国人労働者という労働力供給のフロンティア出現によって、沖縄は本土にとって、臨時・季節労働力の重要な供給源ではなくなってきたのである。リーマンショック後、二〇〇九年の県外就労は、ピーク時の二〇％に下落した。これまで県外に出ていたノンエリート層の若者たちが県内に滞留することで、沖縄全体の雇用の非正規化が進み、二〇一七年の非正規雇用率は、全国三六％に対し、沖縄は四一・三％であった（総務省二〇一八a）。沖縄における労働者の半数弱は、非正規雇用なのである。沖縄からの県外就労がマイナー化し、県内では非正規雇用率が高いという状況を、どのようにとらえればいいのだろうか。

沖縄県の内外で労働力不足が深刻化していても、沖縄の高い失業率、とくに若年失業率は、十分には緩和されていない（表7-1）。この状態を、労働力需要と若者の意識の「ミスマッチ」として議論すると、若者の側に認識の甘さがあると見なす自己責任論を招きやすい。そのような自己責任論においては、県外就労が個人の自由意思で行われてきたことが自明の前提とされ、実際には働き手の自律性が低く抑えられてきたことが見過ごされてしまう。ここでは、沖縄―本土・県外就労が成り立ってきた過程を人口移動として俯瞰し、戦後引揚、戦後海外移民、現代の外国人労働者の流入と関連づけながら解き明かすことが重要な課題となる。

6 戦後沖縄の人口移動――海外移民から本土就労へ

戦後沖縄の人口移動は、①旧日本帝国圏からの引揚・復員（一九四五～四六年）と、②米軍の土地接収によって膨張した過剰人口が、③海外移民と八重山開拓移民に政策的に回路づけられ（一九五〇年代）、④海外移民から本土就労へ（六〇年代）、⑤学卒者の集団就職から一般へ（七〇年代）、⑥常用から臨時・季節へ（八〇年代末～二〇〇〇年代前半）、そして⑦労働力供給地から外国人労働者受け入れ地域へ（二〇〇〇年代末～現在）という構造的なシフトの連なりとして俯瞰できる。（表7-1）。

①戦後の引揚・復員について、一九四四年時点の沖縄（奄美群島を含む）総人口は七十七万三八一八人であったが、一九五〇年には九十一万四九三七人にまで増えた。沖縄戦による沖縄

11―県外就労が、「高卒後に本土移住、数年間で目的を達してUターンというパターン（六割強）と、季節労働に二分化している」ことが析出されている（安藤二〇一四：五十三）。

籍死亡者数十二万二二二八人（うち民間人九万四〇〇〇人）の人口減を、増加が上回った。引揚・復員は、一九五〇年までに日本本土から十八万四二三人、台湾・南洋など外地から四万五八一二人、合計二十二万六二三五人に達した。浅野豊美によると、沖縄からは内地人六万九〇〇〇人、台湾・朝鮮などの外国人二〇〇〇人余、合計七万一一四四人が送出されたが、差し引き十五万五〇九一人の人口増となり、さらに戦後の出生ブームで約十万人の自然増があり、戦前比で二十一%の人口増となった（浅野二〇一三：六十五）。

②米軍基地の設営は、人口過剰を悪化させた。米軍基地の設営にあたって、沖縄本島の耕作地の二四%が接収され、人口およそ二〇%増しに対して耕地は二四%減となり、人口密度は一町歩あたり戦前の約十一人から十八人へと六四%増加した。軍雇用で吸収できたのは、一九四九年時点で四万一〇〇〇人に過ぎなかった（同上）。

③戦後の南米移民政策は、過剰人口の沖縄からの排出を目的として進められた。南米ボリビア農業移民募集要項（一九五四年）には、「沖縄の土地・人口・食糧・経済振興・社会などの諸問題を解決するには海外移民による人口調整が急務であろう」と

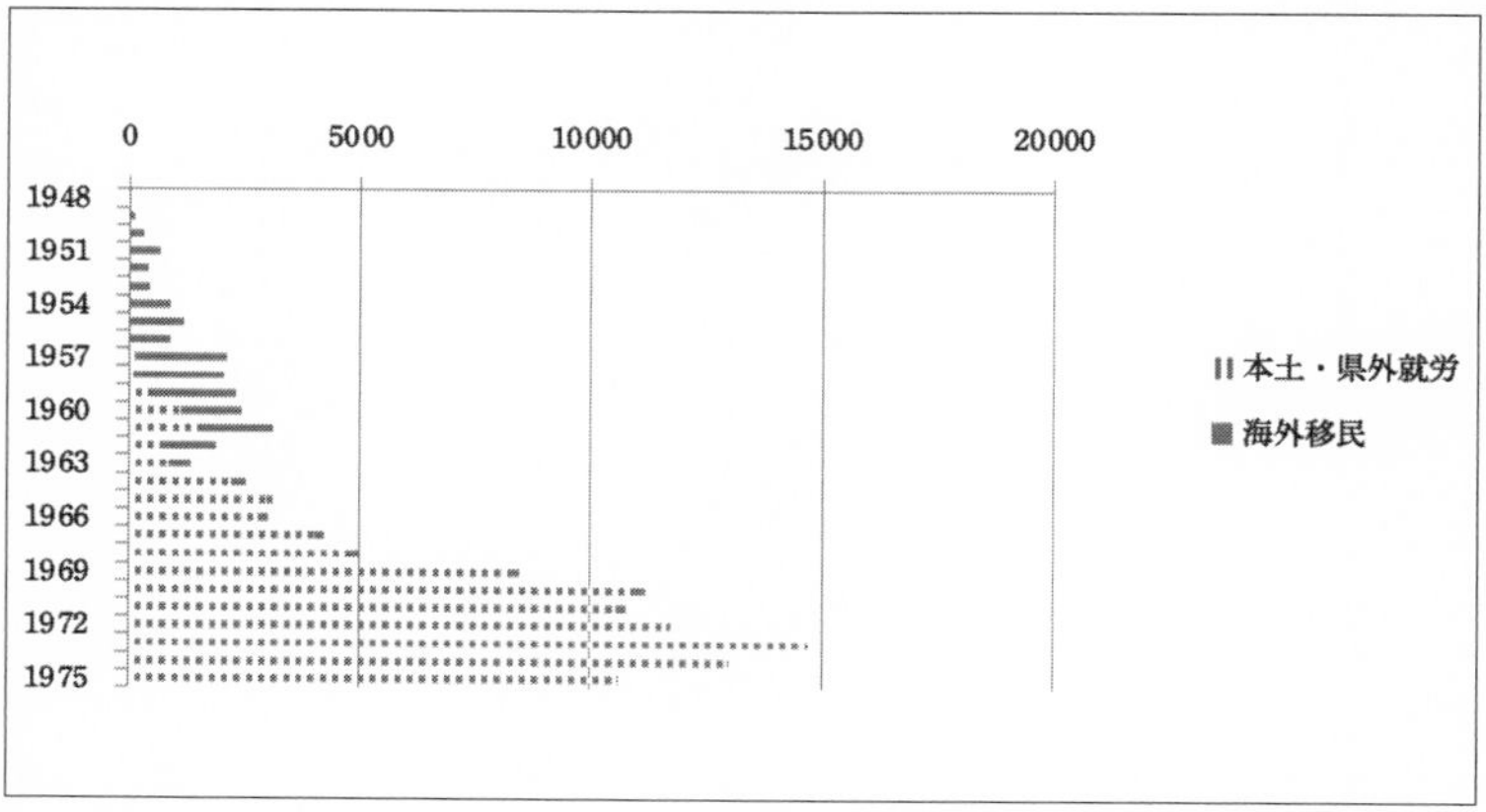

記されている（沖縄県公文書館資料「土地と移民」）。一九五六年には、米軍による土地の強制接収、「銃剣とブルドーザー」に遇った伊佐浜の住民をブラジルへ移民させる予算措置が行われた（同上）。

八重山開拓計画移民は、米軍による接収で農耕地を失った者を最優先とし、土地配分などの助成を附与して一九五三〜一九五八年に実施され、七六二世帯三二五三人にのぼった（石原・安仁屋一九七八）。

④一九五〇〜六〇年代は、本土集団就職の開始と急成長、海外移民の減少の時代である。一九五七年に始まった本土への集団就職は六〇年代に急増した一方で、海外移民は六〇年代に大幅に減少し、実質的には終焉を迎えた（図7-1）。

第一回目の本土就職紹介が行われた一九五七年は、琉球政府の職業安定所で軍求人七二七一人・就職者四九八九人に対し、民求人五四五六人・就職者三六三八人であり、基地内就労が民間を大幅に上回っていた。沖縄における民間雇用の乏しさを背景として、関西在住の沖縄出身者たちが大阪の製パン組合、製麺組合からの「沖縄の少年を採用したい」との申し込みを掘り起こし、沖縄に仲介して、本土就職斡旋が始まった。米国民政府は、集団就職を日本本土と沖縄との一体化につながるとして警戒し、一九五八年にはパスポートの発給を保留したが、日本政府の働きかけを受け、本土就労への直接的な制限はしなくなった（沖縄県商工労働部二〇〇一：八二八）。萌芽期の本土就労は、本土在住の沖縄出身者、琉球政府、米国民政府と日本政府が関与した、多様な政治的交渉のプロセスであった。

図7-1　沖縄からの海外移民の減少と本土・県外就労の増加（1948 〜 1975年）
図の出典は表7-1に同じ。

一九六〇年代における本土就労の増加と海外移民の減少には、労働力移動の枠組みでは解釈できない、文化事象としての側面がある。当時の沖縄における失業率はきわめて低く、沖縄を出ずとも雇用があった。その中で本土への「過剰移動」（岸二〇一〇）が拡大し、同時に海外移民が減少したのは、当時の沖縄社会が、一九七二年の本土復帰に向かって助走していたからであると考えられる。日本政府の財政移転によって、沖縄のインフラ整備や社会制度の切り替え準備が進み、本土社会への関心は高まっていた。「一度は本土へ行ってみたい」という意識は本土就労を拡大させたが、Uターン前提の本土就労は離職率の高さにつながり、それが沖縄出身者の特徴と見なされていく。[12] 逆に海外移民への関心は、高度成長を遂げる本土への復帰を前にして、急速に減退していった。

7　減少する県外就労、流入する外国人労働者

⑤七〇年代は、沖縄が本土復帰を遂げ、日本が低成長期に入ったことで、沖縄―県外就労が本土の労働力需要に従属させられ、

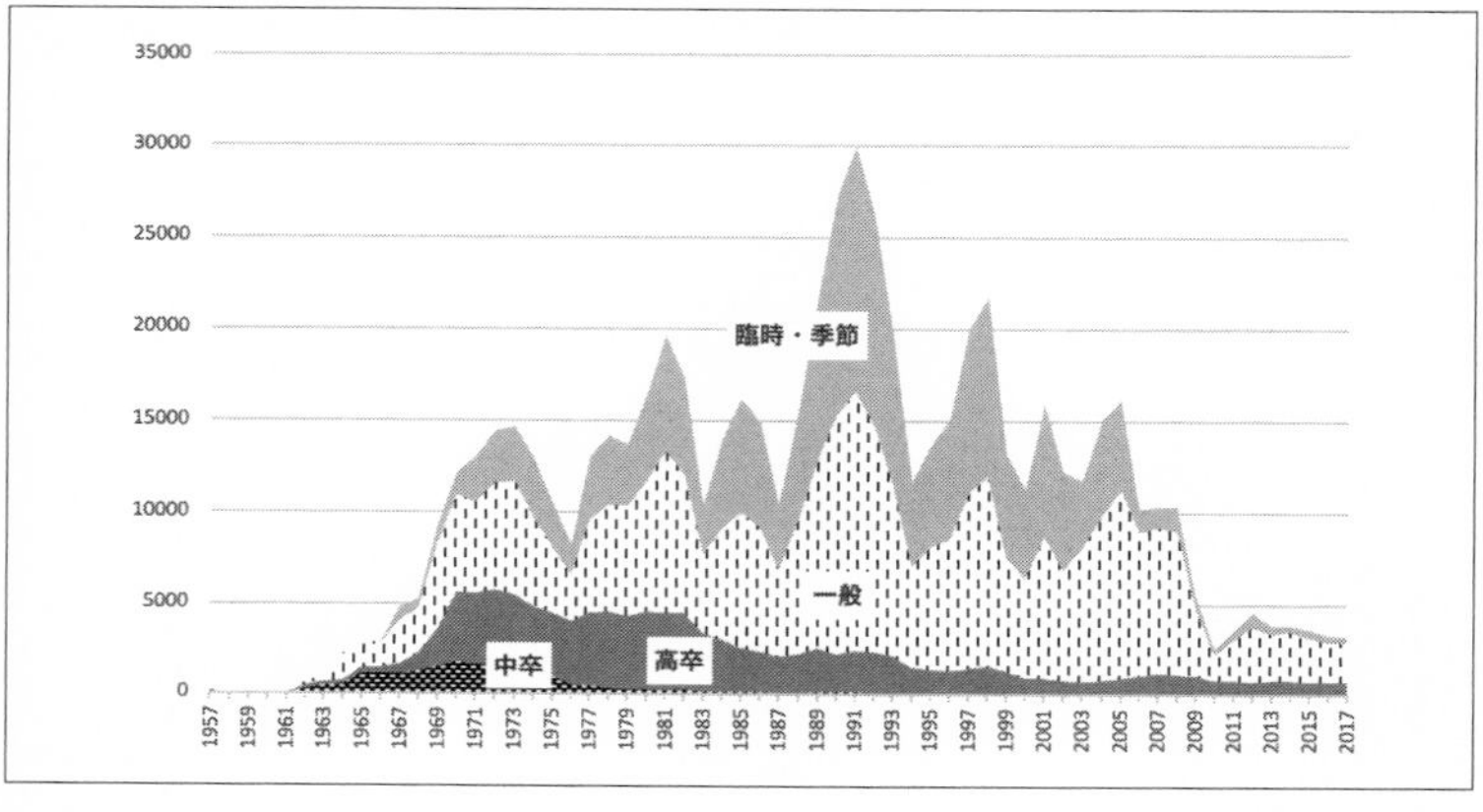

景気に大きく左右される形が固まっていった時期である。県外就労の主流は、一般・男子・製造業であった。

⑥八〇年代から二〇〇〇年代初頭は、バブル経済とその崩壊を経て、県外就労者数が急増して急減し、減少後は非正規化が進行した。

⑦二〇〇〇年代末、リーマンショック後は、非正規労働者としての県外就労が大幅な減少に転じた。沖縄は、本土にとっての重要な労働力供給地であった時代を終えつつある。これまで県外に出てきた学歴ノンエリート層が県内に滞留することで、若年失業率が高止まりし、雇用の非正規化が進行してきた。一方で、外へ人が働きに出ることがマイナー化しつつある沖縄へ向かって、外国人労働者が流入してきている（図7-3）。沖縄における在留外国人数の増加は、全国と比べて緩やかではあるが、ネパール人だけをとりあげると全国の四倍で増加している（図7-4）[13]。

この動きは、近年において増加が顕著となってきている「南から南への移民」（Ratha and Shaw 二〇〇七、Hujo and Piper 二〇一〇）の一種であると考えられる。これまで主流であった途上国から先進国への移民（南から北への移民）を、旅費や物価の高さ、出入国管理の厳しさ、言葉と文化の壁の厚さなどのリスクによって避け、むしろアジア圏域内などの中範囲で、途上国

12―谷富夫は、沖縄―本土就労を「『異民族』の往来のごとき相貌」（一九八九：二九三）と表現している。

図7-2　沖縄―本土・県外就労の推移（1957～2017年）

から新興国へ移民するものである。また、先進国が生産拠点の海外移転を行ったため、先進国の工業地帯だけに途上国からの移民が集住するのではなく、新興国の工場地帯が移民を吸引したり、先進国内においても、人口減少が著しい農山漁村に移民が散住したりする傾向が増している。

沖縄は、外国人労働者の出生地と空路的・言語的に決して近いわけではないが、[14] 観光バブルの中で建設業を中心に労働力需要がある。海外移民が地方に散住する傾向の中で、沖縄は、移民ホスト社会のひとつとなってきている。

沖縄が、労働力送出地域から海外移民のホスト社会へと転換しつつある今、これまでの沖縄―本土・県外就労を集合的な記憶として共有していくことは社会的に重要な課題

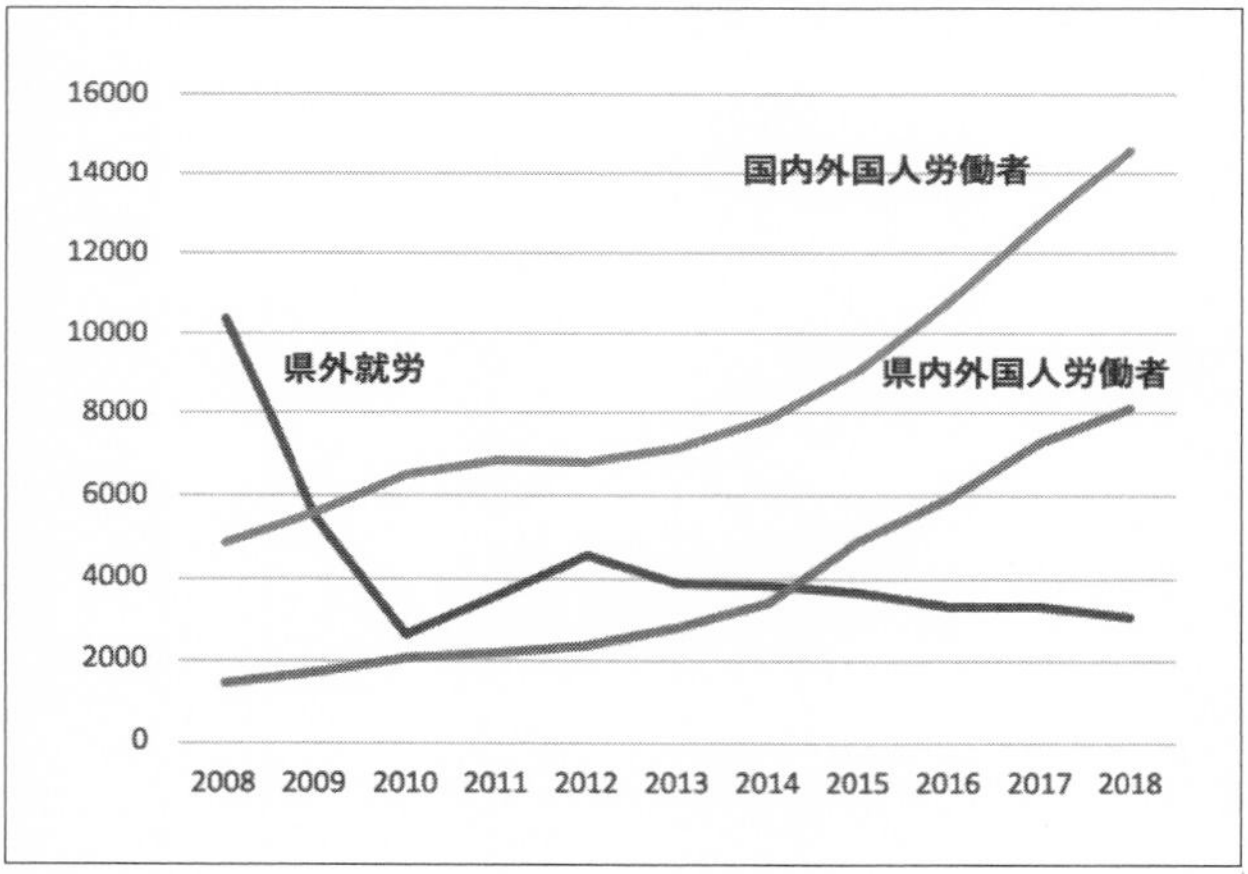

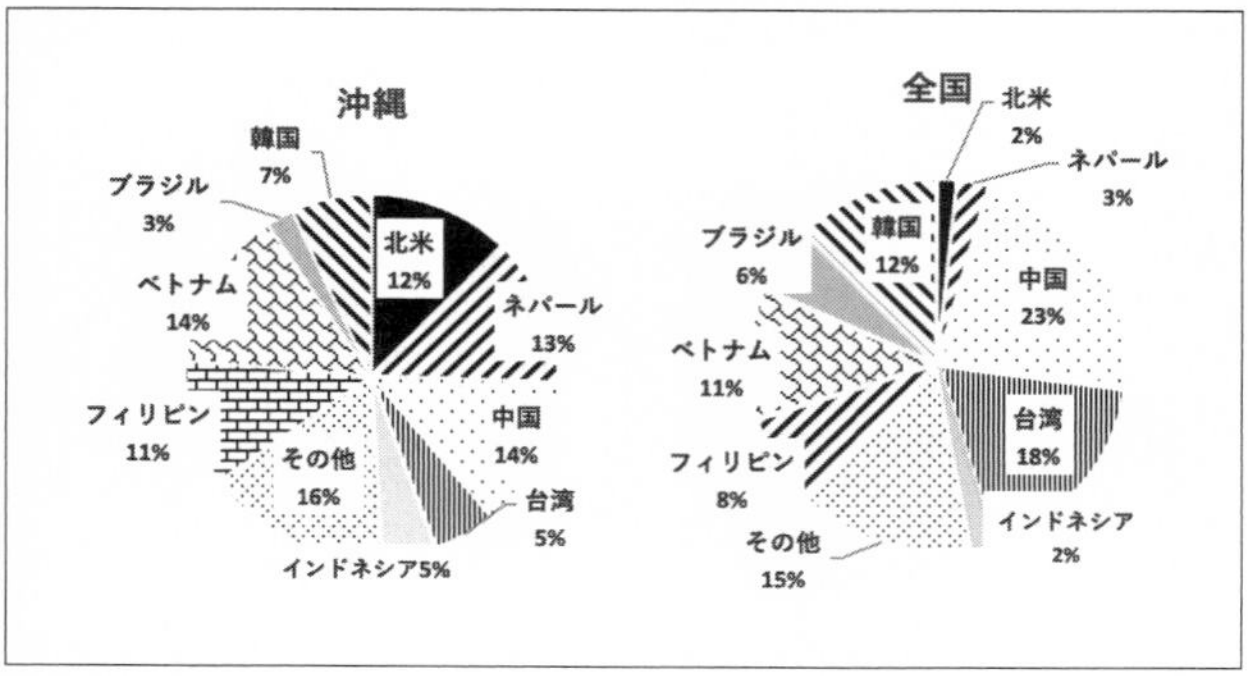

であると言える。今後の沖縄で、若年失業率と非正規雇用率が高止まりし、移民労働者が増加し、沖縄からは外へ働きに出る人が減り続ければ、社会構造的に、排他性が沖縄県内において高まることも考えられる。県外に働きに出た経験の継承は、県内に働きに来た外国人との共生

13―ネパール人は、多くが留学生であるが、実質的には外国人労働者である。二〇一九年十二月における沖縄のネパール人人口は全国九位で、一位の東京から順に愛知、福岡、神奈川、千葉、埼玉、大阪、群馬に次いで、沖縄であった（在留外国人統計）。沖縄以外の都道府県はすべて大都市とその近郊である中で、沖縄は異彩を放っている。南・澤は、二〇一七年時点で在日ネパール人の三・三％が沖縄に在住しており、とくに日本語学校の留学生が多いこと、全国で最も多数のネパール人学生（三九六人）が通う日本語学校は沖縄にあることを指摘している。全国的にネパール人学生が増加してきた背景には、労働力不足を背景とした一九九〇年の出入国管理法改正がある。そこでは、大学・短大で学ぶ「留学」と並んで日本語学校で学ぶ「就学」が在留資格に認められ、日本語教育振興会に登録している日本語学校であれば、申請書と写真だけで在留資格が取れるようになった。それによって、いくらかの日本語学校は、実質的には外国人労働者の流入経路となってきた。その中には、ネパール語の入学案内を発信し現地で留学生を募集する、ネパール特化型のビジネス展開をしている学校がある（南・澤二〇一七）。

14―「アジアに近い沖縄」という表象にひきつけて解釈することは妥当ではない。ネパールやフィリピンから沖縄への渡航は、直行便の空路がないため県外の都市圏よりも時間と費用を要する。県内には、ネパール沖縄友好協会、沖縄NGOセンター、若狭公民館などによる共生へのとりくみが存在する。一方で、二〇一六年十二月十六日の地元紙は、沖縄本島南部の日本語学校が留学生のパスポートをとりあげて監禁状態に置き、いくらかの留学生は脱出して「不法滞在者」となっていることを大きく報道した。

図7-3　県外就労者の減少と外国人労働者の増加（2008 ～ 2017年）
国内外国人労働者数は実数の100分の1。
図7-4　国籍別 在留外国人数（2019年12月）

1985	106	2470	7436	6213	10012	5		10		253682
1986	115	2260	6875	5729	9250	5.3		15		278911
1987	65	2039	4804	3525	6908	5.2		10		336267
1988	69	2220	7486	5954	9775	4.9		2		429344
1989	117	2466	10411	8910	12994	4.4		3		477362
1990	101	2160	13172	12024	15433	3.9		2		425413
1991	108	2324	14209	13328	16641	4		2		488319
1992	86	2275	12409	11411	14770	4.3		0		491798
1993	85	2073	9388	8117	11546	4.4		4		504945
1994	53	1454	5625	4585	7132	5.1				546213
1995	36	1346	6763	5573	8145	5.8				563466
1996	49	1295	7238	6522	8582	6.5				601759
1997	46	1403	9616	8944	11065	6				677539
1998	54	1524	10476	9747	12054	7.7				695675
1999	32	1267	6297	5647	7596	8.3				749760
2000	22	929	5482	4831	6433	7.9				859340
2001	38	864	7885	7180	8787	8.4				889320
2002	22	756	6121	5384	6899	8.3				926364
2003	23	705	7376	3673	8104	7.8				940727
2004	17	811	9042	5261	9870	7.6				1058278
2005	13	887	10409	4892	11309	7.9				1106618
2006	24	1016	7942	1238	8982	7.7				1195553
2007	25	1157	8063	1111	9245	7.4				1257718
2008	22	1091	7931	1323	10367	7.4			1439	486398
2009	14	1059	3738	670	5481	7.5			1699	562818
2010	12	814	1408	371	2605	7.6			2054	649982
2011	8	788	2282	499	3577	7.1			2180	686246
2012	9	737	3049	775	4570	6.8			2371	682450
2013	8	757	2642	473	3880	5.7			2790	717504
2014	11	765	2713	350	3839	5.4			3388	787627
2015	7	750	2458	431	3646	5.1			4898	907896
2016	4	704	2214	370	3292	4.4			5971	1083769
2017	11	702	2195	378	3286	3.8			7310	1278670

本土・県外就労者数、失業率、軍解雇者数は『沖縄県統計年報』『職業安定業務現況』『沖縄県労働史』3巻による。中学・高校新卒者の本土・県外就職者数は「学校基本調査」による。海外移民：1990年までは国際協力事業団沖縄支部（1991）『沖縄県と海外移住』、それ以降は沖縄県観光商工部交流推進課（2009）『国際交流関連業務概要』による。外国人労働者数：2008年以降は厚生労働省「外国人雇用状況の届け出状況」「都道府県別外国人労働者数」による。1966 ～ 71年の域内外国人労働者数は『職業紹介関係年報』「外国人及び本土労働者」の雇用許可者数から日本本土出身者数を引いたもの。それ以外の県内・国内外国人労働者数は出入国管理統計「出入（帰）国者数時系列表・在留資格別　入国外国人」における就労可能な在留資格者数の合計。

表7-1　本土・県外就労と失業率・軍解雇・海外移民・外国人労働者（1948 ～ 2017）

	本土・県外就労					失業率	軍解雇	海外移民	外国人労働者	
	中卒	高卒	一般	臨時・季節	合計				域内・県内	国内
1948								34		
1949								128		
1950								320		
1951								686		
1952								398		
1953								437		
1954								911		
1955								1176		
1956								910		
1957	122				122			1998		
1958	—				102			1952		
1959	—				472	1.3		1826		
1960	—				1115	1		1316		
1961	—				1584	0.8		1534		
1962	270	165	287		722	0.7		1178		
1963	470	170	211		851	0.7		484		
1964	512	214	1482		2208	0.5		320		
1965	1125	307	1540		2972	0.7		140	456	
1966	1148	316	1335		2799	0.5		220	2682	
1967	1106	582	2352	743	4040	0.5		218	3896	70235
1968	1247	1015	2485	528	4747	0.5		242	4871	79861
1969	1501	2108	4663	1004	8272	0.5	214	191	4695	92315
1970	1822	3831	5281	1242	10934	0.8	1948	254	4919	126826
1971	1636	3976	4948	2430	10560	1	2533	214	4431	108701
1972	1559	4239	5844	2778	11642	2.9	2752	92		128736
1973	1232	4262	6212	2968	14674	3.5	2124	33	277	145825
1974	1111	3716	4897	3236	12960	4	3686	44	643	160612
1975	989	3558	3563	2478	10588	5.3	2077	29	788	172259
1976	521	3542	2593	1602	8258	6.3	2524	40	308	193772
1977	477	4040	5109	3374	13000	6.8	451	41		219972
1978	362	4207	5869	3772	14210	6	677	70		244441
1979	272	4050	6036	3320	13678	5.4	382	64		279718
1980	252	4302	7231	4644	16429	5.1	92	45		317677
1981	208	4282	8891	6289	19670	5.4	8	50		345944
1982	244	4239	7581	5229	17293	4.9	—	28		192684
1983	149	3268	4385	2574	7802	5.8	15	25		179020
1984	117	2918	6114	4866	9149	5.2		12		210518

を目指すための、すぐれて沖縄的な社会的資産となりうる。

ＮＡＳによる雇用は、学歴ノンエリート層を含めた採用、彼らにも開かれていた専門職への回路をめぐって、今日的な視点から参照されうる。現在、学歴ノンエリート層が県外就労によって専門職に昇る回路は、ほぼ閉ざされている。若者たちがキャリア構築を遂げていく主要な回路は、沖縄の中に見出されねばならない。

第8章

「世界のウチナーンチュ」という現象

1 発見された「世界のウチナーンチュ」

二〇一九年十月三十一日、首里城が燃え始めて六時間後、ハワイ沖縄県人連合会は首里城再建募金のサイトを立ち上げ、数時間のうちに募金は一〇〇〇〇ドルをこえた。沖縄県が寄付の口座を開設するより先に、ハワイのオキナワンは一〇〇万ドルという目標を掲げて動き始めていた。そして琉球新報は、この募金を呼びかけた糸村ジョーン昌一氏が、「豚五五〇頭」[1]を一九四八年に沖縄に届けたハワイ移民のひとり、島袋真栄氏の孫であることを報道した（琉球新報「首里城再建へ募金の動きが続々」）。

沖縄以外のどこに、「城」の消失に際して、県よりも先に海外の県人会が募金を始めるような都道府県があるだろうか。首里城火災後の動きは、「豚五五〇頭」と関連づけた報道を含めて、沖縄と「世界のウチナーンチュ」との強い結びつきを改めて示すものとなった。

「世界のウチナーンチュ」とは、およそ四十万人とされている、[2]沖縄移民とその子孫を中心とする海外在住の沖縄系の人びとを指しているが、それ以上の意味をも有している。それは、沖縄と海外の沖縄コミュニティとの間でやりとりされてきた相互行為、とくに沖縄県民による海外沖縄移民の「発見」とメディア表象、沖縄県による「世界のウチナーンチュ大会」（以下、大会と表記）の主催、当事者の若者たちが提唱した「世界のウチナーンチュの日」[3]制定などをめぐって交渉され、達成され、共有されてきたひとつの価値である。「世界のウチナーンチュ」

とは、沖縄の独自性を、「本土」との差異を意識しながらきわめて肯定的に描く表象である。

第一回大会（一九九〇年）実行委員会事務局長であった元沖縄県職員の知念英信氏は、本土復帰後、無批判に「ヤマトゥムン」、本土産の物品をよしとする本土追従の価値志向が沖縄を覆っている中での大会開催を、画期的なものと位置づけている（知念二〇一二a）。沖縄県の大会実行委員会は、初回大会の準備過程において、「ウチナーンチュの定義」に始まり、「何のための大会か、誰のためか、ネットワークとは、アイデンティティとは」ということを「暗中模索の中で議論」してきたという（同上）。ウチナーンチュの定義が定まっていて「世界のウ

1―「豚五五〇頭」とは、一九四八年、沖縄戦によって荒廃した沖縄に、ハワイの沖縄移民が募金によって購入した豚を贈ったという史実を指す。アメリカから米艦隊の甲板に乗ってきた豚は、四年間で十万頭に繁殖し、沖縄の食糧事情の好転に大きく寄与した。作家の下嶋哲朗が一九九七年に『豚と沖縄独立』という書籍に記し、「海から豚がやってきた!!～太平洋を渡った五五〇頭の豚と七人の勇士の物語」としてミュージカル化され、二〇〇五年にハワイ、ロサンジェルスで、二〇〇六年に沖縄で、世界のウチナーンチュ大会会場などで公演され、「豚」は大会マスコットや移民教材の題材となった。「豚五五〇頭」は、沖縄と海外移民の絆を表すシンボルとなっている。一方で、戦後、南米の県系人から寄せられた寄付は、ほとんど沖縄の集合的記憶には残っていない。
2―沖縄県庁ＨＰ「世界のウチナーンチュ」。海外の沖縄県人会から寄せられた概算による。
3―アルゼンチン三世の比嘉アンドレス、ペルー三世の伊佐正アンドレスの提唱により、沖縄県は毎年、十月三十日を世界のウチナーンチュの日とすることを二〇一六年に定めた。

チナーンチュ」に該当する人びとを招集したというよりも、この大会自体が「ウチナーンチュとは何か」を模索し、構築していく装置として機能していたことがうかがえる（野入二〇一二：三）。

沖縄で最も早く海外にいる沖縄系の人びとを「発見」し、彼らを「世界のウチナーンチュ」と名づけたのは、琉球新報による報道であった。[4] それに続く連続テレビ番組「世界のウチナーンチュ紀行」を企画した前原信一氏は、知念氏と同様に、「本土復帰によって沖縄が本土化し、沖縄らしさをうち捨ててきた風潮を見なおす動き」の中で番組を企画したと述べている（世界のウチナーネットワーク二〇一八）。

前原氏が海外で見出した「懐かしい沖縄らしさ」は、「歌三線《うたさんしん》」と「ゆいまーる」であった。「歌三線」は、沖縄の文化・芸能それ自体を指すだけでなく、それが海外において豊かに継承されていることに沖縄県民が驚く、その感嘆を含んだひとつの価値であった。「ゆいまーる」もまた、助け合いの営みそのものを指すだけでなく、沖縄においては本土化によって失われつつある互助の精神が海外で見いだせることへの、沖縄県民の感嘆を含んでいる。現象としての「世界のウチナーンチュ」は、海外に、現代の沖縄よりも「沖縄らしさ」が存在することを知った沖縄県民の感動や、県民が「沖縄らしさ」を、海外にいる移民から再認識させられるという、文化と価値をめぐる本家―分家関係の逆転を含んでいる。[5]

「世界のウチナーンチュ」のメディア表象とそれに対する大きな反響は、沖縄県知事の海外県人会視察へ、さらに県による「世界のウチナーネットワーク構想」へとつながった。はるばると足を運んできた西銘順治知事を、海外の沖縄県人会は熱狂して迎えた。[6] 北米アトランタの歓迎会において、「沖縄移民の魂の里帰り」となる催しに向けての機運が高まった（知念二〇一二b）。大会は五年に一度、定期開催され、回を重ねるごとに参加者数が増えていった。[7]

4—琉球新報の連載「世界のウチナーンチュ」は、一九八四年一月一日から一九八五年十二月二十八日まで二年間、四八四回に及び、のちに書籍化された。連載は大きな反響を招き、県知事による海外県人会訪問のきっかけになったと言われている。

5—この逆転現象は、沖縄語の復興において顕著に見いだせる。沖縄県は、ペルー移住一〇〇周年記念式典に出席した県議会の南米派遣議員団が、「ペルー沖縄移民が話す流暢な沖縄語に触れ、ことばを継承し郷土の言葉を守る大切さを認識した」ことを契機として、二〇〇六年に「しまくとぅばの日に関する条例」を定め、沖縄語の普及運動を始めた（豊里ほか二〇〇六：一一五）。県議たちは、沖縄語で話しかけてくる移民に、沖縄語で応ずることができなかったのである。またハワイの沖縄移民四世であるエリック和多、キース仲兼久、ノーマン金城による「御冠船歌舞団」は、ネイティブ・ハワイアンによるハワイ語の復興運動とつながりながら沖縄語の復興と沖縄アイデンティティの問い直しを試みており、「琉球アイデンティティ・サミット」では沖縄の若者たちをハワイに招いて学びを促している（Loochoo Identity Summit HP 参照）。

6—今もペルー沖縄県人会連合会の敷地には西銘知事の銅像が立っている。知事訪問は、海外の沖縄コミュニティにおいて、沖縄県とつながり直す機運を高めた。

7—二〇一六年に開催された第六回大会の海外参加者は七三五三人で、北米四二四七（うちハワイ一八六一）人が最も多く、ブラジル一一三一人、ペルー六二〇人が続いた（加藤・前村ほか二〇一八：十）。

一九七〇年代という本土復帰の時代に続く八〇年代は、沖縄が「世界のウチナーンチュ」から「沖縄らしさ」を学び直し、本土化に偏ってきた価値志向を修正して沖縄の独自性を打ち出す方向へ転換を図っていった時代である。「世界のウチナーンチュ」の「発見」と表象は、二〇〇〇年代の「沖縄ブーム」[8]に先駆けて沖縄の内側から生じた、「沖縄の独自性」再興のムーブメントであったと言えるだろう。

2 沖縄的凝集の共同性と機能性

「世界のウチナーンチュ」が沖縄に集うという目的は、一九九〇年の第一回大会において達成された。九〇年代は、同郷性による集いによって何をするのかという、沖縄ネットワークの意義が問われた時代である。沖縄系の世界的なビジネス交流というイニシアティブがハワイから興り、北米、南米へとビジネス・ネットワークが広域化していった。それが、一九九七年に設立されたWUB（Worldwide Uchinanchu Business Association）である。[9]

重田さんは、一九九九年に、WUBの日本国内で最初の支部となるWUB東京を立ち上げ、初代会長となった。自身が「移動する人」であった重田さんは、経営者として沖縄の若者たちを「移動させる人」となり、さらにWUB東京会長として、海外から東京へ、さらに国内各地へ、アジアへと、[10]沖縄系ネットワークの拠点を広げていくアクターとなった。

WUB設立者であるロバート仲宗根氏は、重田さんがWUB東京会長を引き受ける前に日本国内の主な県人会を打診したが、応じる県人会はなかったという（181頁）。重田さんは当時、関東沖縄経営者協会の会長に就いていたことから、関東圏を越えた世界的な沖縄系ビジネス・ネットワークの拠点形成を、仲宗根氏から依頼された。

国内の沖縄県人会は、二〇一九年現在、三十三団体の存在が沖縄県によって確認されている[11]。それらの設立経緯と活動内容は、いちようではない（山口二〇〇八）。東京沖縄県人会のように、沖縄の本土復帰を目標として結成された組織がある一方で、その地域における同郷者の生活問題の解決に取り組んできた県人会も多かった。九〇年代における国内県人会の傾向として、異郷における相互扶助の機能は減じており、親睦と芸能の集いに比重が移っていた。世界規模のビジネス交流というWUBからの提案に応じる県人会はなかった。

8―二〇〇〇年の九州・沖縄サミット、二〇〇一年の朝の連続テレビ小説「ちゅらさん」の放送を契機として全国を席巻した「沖縄らしさ」の再評価と商品化のムーブメント。とくに沖縄文化の商品化は本土メディアと観光業者によって仕掛けられた側面が強い。

9―二〇一九年現在、WUBは国内に四、海外に十八の支部とWUBネットワークから成る二十三の拠点を有している（HP参照）。

10―WUBは、東京大会の翌年に、香港で世界大会を開いた。東京における支部の設立と世界大会の成功は、WUBのアジア進出における第一歩となった。

11―沖縄県庁HP「国内沖縄県人会一覧」参照。ちなみに海外沖縄県人会は、ヨーロッパ六、アフリカ一、オセアニア三、アジア十六、北米大陸五十五、中南米十一、総数九十二とされている（沖縄友の会などを含む）。

重田さんは、沖縄に関わる社会関係資本を総動員し、国内初のＷＵＢ支部設立を進行させた。ＮＡＳの中には、ＷＵＢの業務で忙殺されている社長に対して、「また沖縄ですか」と言う社員もいた（176頁）。

ＷＵＢ東京に参画した経営者の間にも、世界大会を自社ビジネスにつなげようとする動向と、全体としての大会の成功を目指す動向との間に葛藤が生じた。結果的に後者が主流となったが、ネットワークの持続性という点から見れば、前者が成り立たない枠組みには構造的な弱さがあるともいえる。同郷性による凝集が、集うことを自己目的化せず、どのように意義のあるコミットメントへと進んでいけるのか。集いから関与へ、共同性から機能性へのシフトが問われていた。

その問いは、重田さんがＷＵＢに関わる前から問い続けてきた課題でもあった。

「〝沖縄〟というキーワードが経営にとってどういうメリットをもたらすかということは、〝経営〟という目的にそれがどの程度機能するか、常に問われる課題です」

（重田二〇〇八ｂ：二六八—二六九）

沖縄ルーツであることが、経営者としての自分にとって何を意味するのか。関東沖縄経営者協会は、同郷性によって集いつつ、いかに機能的でありうるのか。重田さんは、同郷結合の機能性という課題に、ＷＵＢへの関与を通じてとりくんでいったように思われる。

機能的な沖縄ネットワークを結ぼうとするWUBが、ハワイから興ったのは偶然ではない。ハワイは、沖縄海外移民の最初の渡航先である。沖縄移民がハワイに渡航したのは一九〇〇年で、前年に沖縄で土地整理法が施行され、私有となった土地を売り、渡航費に充てられるようになっていた（石川二〇〇五：二十四）。沖縄移民は厳しいプランテーション労働を経て、一〜二世代をかけてサトウキビ畑から脱し、階層上昇を遂げていった。

沖縄移民よりも三十二年早く、日本人（「本土系」）移民は一八六八年からプランテーションへ、契約移民として入っていた。日本から移民が導入されたのは、先着の中国人移民がアメリカで排斥されるようになり、その代わりが求められたためであった[12]。

戦前の沖縄移民は、出身地の字《あざ》ごとに集い、字の中で婚姻を結んでいた。血縁と地縁が重なりあった濃厚な同郷結合は、移民と共にハワイへ伝播した。沖縄的凝集は、移民先で直面した困難にも対応した。日本人移民は沖縄移民を差別し、融資から排除したが、沖縄移民は模合[13]に

12―中国人入国制限法（排華法）は、一八八二年に合衆国で成立し、翌年、ハワイ王国政府も段階的な中国人労働移民の制限を始めた。一八八五年にハワイ王国政府と日本政府の協約による契約労働者（官約移民）の第一号約九四〇名が日本から来航し、以後、一九二四年までに二十二万人の日本人がハワイに移動し、ハワイにおける最大集団となった（白水二〇一五：二二〇）。

よって土地や店の購入資金をつくった。

戦後の大きな変化は、地上戦で荒廃した故郷に対する「沖縄救済運動」によって引き起こされた。沖縄戦に従軍した二世兵士たちが沖縄の窮状をハワイに伝えたことで、広範な募金活動が起こった。ラジオ放送は沖縄語で寄付を呼びかけ、琉球相撲や琉舞のチャリティが催され、寄付金、衣類、学用品、粉ミルクなどが沖縄へ送られた。一九四七年には、沖縄大学の設立を目指す基金がハワイで立ちあがり、[14] 翌年には沖縄移民の募金で購入された豚五五〇頭が、一九四九年にはヤギ七〇〇頭が沖縄へ運ばれた（白水二〇一五：二二四）。

沖縄救済運動は、戦前には字単位であった帰属意識を、一気に「オキナワン」へと押し広げた。また、戦前に存在した沖縄出自に対する劣等感は、われわれこそが故郷を救ったという自負、際立った結束力と行動力を顕示する「オキナワン・プライド」へと転化した。沖縄救済運動は、ハワイと沖縄との紐帯にもつながった。一九八一年、ハワイ沖縄県人連合会が、三世の若者たちに沖縄でルーツや伝統文化を学ばせる「沖縄スタディーツアー」を企画したとき、県と市町村は「豚五五〇頭」の厚恩に報いるべく、最大限のホストをした。このツアーに参加し、那覇まつりを経験した若者たちが、のちにハワイ最大のエスニック・フェスティバルとなる、ハワイ・オキナワンフェスティバルを発案していく[15]（白水一九九八）。

これらの動向における重要なアクターとして、ハワイ帰米二世がいた。帰米二世とは、沖縄移民の両親を持ってアメリカで生まれ育ち、幼少期から青年期にかけての一時期を沖縄で過ごして、再びアメリカに帰った人びとである（金城二〇〇六、前原二〇〇六）。戦前に帰米した人びとの中からは、米軍に志願して沖縄戦に従軍し、戦後のハワイで沖縄の惨状を報告し、救援運動の口火を切った人が出た。そして戦後に帰米した人の中からは、沖縄住民としての戦争体験をハワイで継承し、貴重な日本語話者としてハワイと沖縄を架橋する人が出た。[16] 彼らは、帰米二世ならではの文化資本をもって、戦後の沖縄ネットワークを支えてきた。WUB創立者であるロバート仲宗根氏は、帰米二世のひとりである。

ハワイからWUBが興ったのは、ハワイにおける沖縄的凝集が、沖縄救済運動を通じて成り

13―「模合」は、成員が毎月、定額を出し合って順番に融資を受ける互助的な民間金融のしくみである。

14―この「沖縄大学」は、現在の沖縄大学とは無関係である。ハワイで興った大学設立構想は、米軍当局による沖縄側の計画とは合致せず、結実しなかった（岡野二〇〇三）。しかし、この動向は、ハワイのオキナワンが、沖縄の戦災救援だけでなく戦後復興に関与しようとしていたことを示唆している。

15―ハワイ州は、エスニックな多様性を有力な観光資源と見なしており、オキナワンによる活発な活動を称揚してきた。ハワイ州の総人口、一四〇万六二九九人（二〇一八年）のうち、ほぼ六割はアジア系住民で、白人は四割、ネイティブ・ハワイアンは二割を占めている（人種は複数を選択できる）。白人が数的に少数派であるのは、プランテーションで働いたアジア系移民の子孫が「ローカル」として多数派となり、さらにアジア系新移民が流入しているためである。「オキナワン」は六五七〇人で、総人口の〇・五％であるが、すべての人種において貧困率は最も低く、世帯平均所得は最も高い（State of Hawaii 2018）。ハワイ沖縄県人会連合会は、メンバーが四万人を超えているとしている（HUOA: Hawaii United Okinawan Association HP）。

立ってきた歴史を背景としている。沖縄移民がハワイに渡航するだけでは、ハワイの「オキナワン」は成立しなかった。ハワイのオキナワンは、同郷結合におけるコミットメントの重要性を学んだ。そこでは、帰米二世という「移動する人」が、重要な役割を果たしていた。

4 沖縄県民と「世界のウチナーンチュ」

「世界のウチナーンチュ」の意識と比較することで、沖縄県民の意識の特色が見えてくる。筆者は、第四回から第六回までの「世界のウチナーンチュ大会」(二〇〇六、二〇一一、二〇一六年)参加者アンケート調査[17]を共同研究で行ってきた。とくに県民を調査対象に含めた二〇一一年調査[18]と、その五年後である二〇一六年調査[19]の変化からは、県民の沖縄アイデンティティが、「世界のウチナーンチュ」のそれに近づいてきていることが見えてきた。

大会調査では、「あなたはどのような人をウチナーンチュだと思いますか」という問いを設けてきた。回答の選択肢は、複数可で、「沖縄が好きな人(愛着)」、「自分は「ウチナーンチュだ」と思っている人(主観)」、「沖縄に貢献しようという気持ちを持っている人(貢献意欲)」、「先祖が沖縄本島あるいは離島出身者である人(先祖のルーツ)」、「沖縄で生まれた人(出生)」、「親のどちらかが沖縄出身である人(両親の出生)」、「沖縄の文化・歴史のことを詳しく知っている人(文化・歴史の知しっ)」、「沖縄で幼少期を過ごした人(成育歴)」、「沖縄に住んでいる人(現住)」、「方言を少しでも話せる人(言語力)」である(野入二〇一二:十三)。

二〇一一年調査では、県民も海外出身者も、ともに主観、愛着、そして貢献意欲を重視していた。一方で、県民には最多で選ばれ、海外参加者にはあまり選ばれなかったのは、「沖縄生まれ」という選択肢であった。県民は出生という生得要件をより重視しており、一方で海外参加者は、生得要件としては「先祖のルーツ」を重んじつつ、主観、愛着、貢献意欲という獲得要件の方を重視していた（野入二〇一二：十四）。

16―戦前期にハワイに戻った帰米二世には、沖縄戦に米兵として従軍し、壕にこもった住民に沖縄語で投降を呼びかけたヒガ・タケジロウ（故人）がいる。戦後に戻った帰米二世には、ハワイ沖縄県人会連合会で長期にわたって沖縄とハワイの橋渡しをしたジュン・アラカワ（故人）や、旅行代理店を立ち上げて「沖縄スタディーツアー」の企画と引率をした仲間勝（野入二〇一八a：四五四）がいる。

17―大会調査の共同研究者は以下の通りである。第四回（二〇〇六年）：金城宏幸、鍬塚健太郎。第五回（二〇一一年）：金城宏幸、前村奈央佳、崎濱佳代、佐久本義生。第六回（二〇一六年）：加藤潤三、前村奈央佳、グスターボ・メイレレス、アルベルト酒井、山里絹子、石原綾華。調査は沖縄県の世界のウチナーンチュ大会実行委員会事務局との共同で実施した。

18―二〇一一年の第五回大会では、海外参加者は五三一七人で、調査対象者として九〇三人の有効回答を得た。ハワイ一五一人、ハワイ以外の合衆国二三九人、ブラジル一〇四人、県内参加者二五二人であった（野入二〇一八：三十八）。

19―二〇一六年の第六回大会では、海外参加者は七三五三人で、調査対象者として一〇三三人の有効回答を得た。ハワイ六十二人、ハワイ以外の合衆国一四三人、ブラジル四十一人、県内参加者六七七人であった（同上）。

ところが二〇一六年調査では、県民の意識から生得性重視の傾向が弱まり、とくに出生が最重視されなくなった[20]。その結果、主観と愛着を二大要件とする獲得性重視の沖縄アイデンティティが、県内、海外に共通するものとなったのである（野入二〇一八b：四十二）。「どのような人がウチナーンチュか」ということについて、県民は、もはや「沖縄生まれ」を最重視していない。それに代わって、その人に沖縄への愛着、貢献意欲やウチナーンチュとしての主観があるなら、沖縄生まれでなくてもウチナーンチュであるという意識が見いだせるようになった。

県民から出生地主義が後退してきたのは、「沖縄の独自性」をめぐる「本土」との葛藤の時期が終わったからではないかと考えられる。

一九八〇年代において、「沖縄らしさ」は、「本土」基準に対する「遅れ」や「低さ」として、批判的にとらえられることが多かった。「世界のウチナーンチュ」という現象の始まりも、「行き過ぎた本土化」に歯止めをかけるという、「本土」を対抗軸として「沖縄の独自性」を打ち出す動向であった。八〇年代の沖縄には、「本土化」に対する激しい抵抗や葛藤も存在した。その一例は、卒業式・入学式の君が代・日の丸をめぐる問題に見いだせる[21]。

それに対して、現代の沖縄では、「本土」を対抗軸としない「沖縄の独自性」が打ち出され、県民に受け入れられている。沖縄を代表する歴史学研究者、大城将保は、共著書『沖縄県の百年』において、「本土並み格差是正」よりむしろ「強烈な郷土意識をバネにした独自の文化の継承と発展」という展望、「ソフトパワー志向」が、これからの「ウチナー世」の潮流であると述べた（大城二〇〇五：二七五）。沖縄県は、二〇一三年度に沖縄を「他者との交流と共生を通じ、独特の文化と豊かな精神性を育んできた島」として発信する、「沖縄ソフトパワー発信事業」に着手した。[22] 同事業は二〇一五年度に終了したが、二〇一六年の第六回世界のウチナーンチュ大会では、基本方針に「沖縄独自のソフトパワーへの理解を深め、国内外へ発信する」ことが掲げられた。

しかし、「沖縄ソフトパワー」の時代には、「他者との出会い」に逆行する現象も生じていた。

20―「沖縄生まれであること」は、二〇一一年調査では県民参加者によって最多で選ばれたが、二〇一六年調査では下から三番目に順位を落とした（野入二〇一八：四十一）。

21―一九八五年の文部省による調査では、沖縄県の小・中・高校における君が代斉唱の実施率は〇%、日の丸掲揚は六%未満で、九州地域の他府県がほぼ一〇〇%であった中できわめて異質であった。沖縄県を標的にした文部省による実質的な強制に対し、県教職員組合は沖縄戦の歴史を訴えて抵抗したが、沖縄海邦国体（一九八七年）の開催と天皇来沖を前に、県議会は深夜に及ぶ審議の結果、日の丸・君が代促進決議を行った（高良一九九二：七十八）。これが県民の総意ではなかったことは、国体の開会式で、ひとりの男性が日の丸を引きずり下ろし、火をつけるという「日の丸焼き捨て事件」によって示された。派出所に出頭した知花昌一は、読谷村では八四〇〇人の日の丸・君が代反対署名と村議会の反対決議がなされ、平和のための国体づくりを求めてきたと述べた。一方で、県内の学校現場では日の丸・君が代の促進が行われ、一九九〇年には国歌斉唱が九〇%を超え、国旗掲揚は一〇〇%に達した（朝日新聞一九九〇年七月十七日「日の丸掲揚、九割超す」）。

22―沖縄県庁ＨＰ「沖縄ソフトパワー発信事業」参照。

沖縄からの県外就労が、大幅に減少していたのである（279頁）。県外で働き、自分の中の「沖縄」を見つめ直す経験値は、低減してきたといえる。もちろん、他にも「他者との交流」の機会はある。ただ、県外進学や海外留学とは異なり、県外就労は、学歴ノンエリート層を含む低所得の若者たちをもカバーしてきたことに特色がある。[23]「沖縄の独自性」を重視するのであれば、「他者との交流と共生」の現状もまた問われねばならない。

二〇一六年調査は、県民の意識に、「先祖のルーツ」を重視する傾向が伸びてきていることをも明らかにした。[24] それは、とくにハワイにおいて顕著であった沖縄アイデンティティである。ハワイは、ハワイ以外の合衆国（大陸）に比べて現代の沖縄からの移住者が少なく、そのために日本語、沖縄語を使える人が少ない。沖縄コミュニティの成員の多くが、プランテーションで働いた移民一世の歴史を共有している。このように、構成員の同質性が高く、オキナワン・プライドは強く、一方で言葉の力が低いときに、「先祖のルーツ」という象徴的なアイデンティティは興隆しやすい（野入二〇一三：七十五）。

沖縄県民は、ここに近づいてきている。

こんにちの沖縄において、日常的に沖縄語を用いる人はきわめて少ない。[25] 一方で、「沖縄に対する誇り」は県民によって共有されている。[26]「沖縄らしさ」の実態を成すひとつの要素、沖縄語はあまり身近ではなく、沖縄に対する誇りは強いという状況の中で、沖縄県民もまた、「先祖のルーツ」という象徴的なアイデンティティを重視しているように思われる。

「沖縄の独自性」は、「ソフトパワー」政策の次元においても、県民意識の次元においても、象徴性が高まってきている。もはや、「本土」との比較は対抗軸とはならず、「世界のウチナーンチュ」もまた、沖縄県民にはない「沖縄らしさ」を教えてくれる存在というよりも、すでに存在する「沖縄ソフトパワー」発信の担い手として位置づけられるようになっている。そのような今だからこそ、「沖縄らしさ」の実態を、新しい視点で問い直す営みが求められている。

23—今、若者たちが経験している「他者」との関わりは、県内のアルバイトで本土系企業に採用されたり、他府県出身の上司に使役されたりする経験である。二〇一九年の学生アルバイト調査は、沖縄のアルバイトの就労先が県外企業である割合（三四％）が、東京（九・六％）、京都（一七・四％）に比べてかなり高いことを明らかにした。同調査では、沖縄の若者たちが県外出身の上司から、「沖縄の子はすぐ休む、ルーズすぎる」「あそこの出身はダメなんだ」などの差別発言をされていることが明らかになった（NPO法人POSSE二〇二〇）。なお、調査結果は暫定版である。

24—「先祖のルーツ」を選んだ回答者の比率は、三八％（二〇一一年）から七二％（二〇一六年）に倍増した（野入二〇一八b：四十二）。

25—二〇一八年の沖縄県による「しまくとぅば調査」は、しまくとぅば（沖縄語）を主に使っている人が六・一％に留まっていることを明らかにした。全く使わない一四・九％、あまり使わない三五・三％、あいさつ程度（ハイサイ等）二五％であった（琉球新報Webニュース二〇一九年五月二十四日）。

26—二〇一八年の沖縄県による県民意識調査では、「沖縄に誇りを強く感じる」二七・七％、「どちらかといえば誇りを感じる」五五・三％であった（沖縄県二〇一九：五十六）。

第9章

結語

1 《分散系》であること、複数の拠点を持つこと

重田さんは、日本国内初のWUB拠点を立ち上げ、世界的な沖縄ビジネス・ネットワークの編成にコミットしてきた。そこでは、同郷者が集うこと自体を自己目的化せず、意義のある関与へと進んでいくこと、沖縄的凝集の共同性から機能性へのシフトが問われていた。しかし、沖縄ルーツによる同郷的紐帯をグローバル化し、そこに機能性を求めることは、実際には難題であった。[1] 重田さんの本業であるITは、空間的な距離を超える技術という意味ではWUBに親和性があるのだが、何のためにIT技術を用いるのか、構築されたネットワークによって何をするのかということが問題になった。

重田さんはWUBへの関与を振り返り、ひとつの成果として、自分が世界中の沖縄コミュニティをくまなく視察できたこと、それによって経営者としてのインターナショナルなマインドを醸成できたことを挙げている(187頁)。NASに対する直接的な実利は、最初から目指していなかった。

WUBという組織については、もう一点、県人会とは別個にもうひとつの拠点ができたという文脈で、肯定的な評価がなされている(188頁)。重田さんは、ネットワークが多拠点であることの重要性を知っているのである。それは、自身が様々な場所を転々とし、複数の故郷をもって生きてきた経験を通じて得られた、「移動する人」の文化資本であるように思われる。

沖縄につながりを持つ人びとは、その背景も、文化も居住地域も、きわめて多様である。そ

こで展開されてきた同郷結合は、目標を掲げて活動を共にし、ひとつに結束する《集中系》のものだけではない。いくつもの出会いを設け、幅広いコミットメントを受けいれる度量の豊かなネットワークの、《分散系》ともいうべき緩やかなつながり方は、「移動する人」を重要な担い手として編まれてきたといえるだろう。

重田さんの、「移動する人」としての生い立ちは、複数の拠点を広げていく沖縄ネットワークの構築に影響を及ぼしてきたように思われる。そして、ネットワーカーとしての経験もまたひとつの資源となり、会社の承継と闘病という、重田さんの新たなステージを照らしていくのである。

重田さんは、創業し、経営してきた会社の承継を、M&Aによって「ソフトランディング」させることに成功した。承継は、ある意味で、起業よりもはるかに困難な事業であった。M&Aの成就を振り返った時、重田さんは、会社に執着せず、後継者に対して支配を試みずにいられたのは、自分に「次の世界」があったからだと述べている（35頁）。会社を離れた瞬間に自分が失われるのではなく、いくつもの拠り所があり、そこで成し遂げたいことがあって、「次、次と行く」。ひとつの集団だけに依存しない《分散系》のネットワーク構築は、重田さんが関

1――第四回世界のウチナーンチュ大会調査（二〇〇六年）では、大会参加者およそ四九〇〇人のうち七七八人から有効回答を得た。ビジネス交流の促進を大会の成果として挙げた回答は七％に留まった（野入二〇〇八）。

東沖縄経営者協会やＷＵＢ東京の会長として実践してきたものであった。《分散系》のエートスは、重田さんがそれらの地位から退いた後に、重田さん個人のもとに戻ってきて、生活史のネクスト・ステージに再帰的に位置づいていく。

会社承継後のライフステージは、必ずしも順調ではなかった。ステージ4という重篤な進行状態のガンが発見され、重田さんは手術を受けて永久ストーマとなった。ここで重田さんは再び、ネットワーカーの本領を発揮する。病室に横たわる自分の写真を含めて、闘病の経過をオンラインで公開し、積極的にブログで発信していくのである。闘病ブログは、重田さんの予想を超える反響を招いた。手術を受けた大学病院では、ガン患者を代表してシンポジウムに登壇し、ガンを患うことの意味を講話することになった（36頁）。そこでは、闘病の過程で夫婦の関係が深まっていったことも語られ、聴講した患者家族からは、このような経験をシェアしてくれたことへの感謝が寄せられた。ガン罹患というできごとでさえ、出会いとつながりに結びつけ、「そういうふうに自分で仕掛けている」ことも自覚しながら、重田さんは「次、次と行く」のである。

ハルピンで生まれ、大連で育ち、奄美大島に引き揚げて沖縄へ移住し、上京して会社を立ち上げた、ひとりの巨きな「移動する人」の道のりは、《分散系》の広やかな在り方を、個人としても、組織人としても豊かに成し遂げてきた軌跡として読み解くことができる。

2 植民地二世による記憶と関与

坂部晶子は、著書『植民地の記憶の社会学』において、植民地の経験を、「現在もなお生きられているわたしたち自身の経験として記述していく生成論的な社会学的アプローチ」の重要性を指摘している(坂部二〇〇八)。満洲の植民地経験の「語られ方」として坂部がとりあげているのは、マスター・ナラティブ志向の、「満洲」建国をめぐる語りと、植民地の日常性を語る「故郷としての満洲」の語りである。坂部は後者をめぐって、ノスタルジー、語りの断片性、語り得ないこと、沈黙を含めて、それがそういう形でしか語られてこなかったことを問う、ポストコロニアルの視点を打ち出している。

その方法によって重田さんの語りをとらえると、ノスタルジーも存在するのだが、それよりはむしろ、両親と自身の満洲引揚経験を「植民地文化」というフレームで重田さん自身がとらえなおしているという、俯瞰する視点が浮かび上がってくる。

満洲引揚のとき、重田さんは幼稚園児であった。奄美から沖縄に移動したのは、小学校六年生のときである。「植民地文化」は、そのとき、その場で感じられたことではなく、後になってからひとつひとつの記憶が、パズルの切片であるかのように像を結んでいったものである。奄美で見た沖縄からの帰省者の、米軍払い下げ洋装のまばゆさ、そして那覇市・安謝の学校において自分が高く評価されたことを振り返り、「考えていくとそこへ行きつく」という形で、重田さんは「植民地文化」を語る。そのような語りが、植民地支配の美化と見なされかねないことも認識した上で、重田さんはむしろ、「誤解を恐れて口を閉ざすのではなく、植民地文化についてもっと考えたらいい」と言う（132頁）。俯瞰する視点ならではの言葉である。

重田さんの生活史には、在琉奄美籍者としての経験や、東京で沖縄出身者として他者化された記憶も含まれている。「痛切なもの（被差別体験）は自分にはない」／「制度としてはあった」というふたつの極点の間を何度も往還する語りからは、コロニアルな経験というものが過去のものではなく、現代においても生きられ続けていることがうかがえる。

沖縄出身の大浜総長がいるから早稲田大学を選び、しかし大浜先生を囲む沖縄出身学生の輪には入らなかったことや、当時、沖縄関係の団体に対して抱いた「違和感のようなもの」は、のちに重田さんが関与してきた《分散系》ネットワーキングを支えていった。重田さんは経営者として、成員がひとつの目的に向かって結束する《集中系》の組織運営にも熟達しているのだが、ネットワーカーとしては、主流の団体に足が向かない人たちがいることを看過せず、複数の出会いとつながりのしくみを設けてきた。

重田さんは、ブラジル移民百周年記念式典の会場で、「この場に来ることができない人たち」を想起している（15頁）。《分散系》のネットワークは、重田さんという「移動する人」によって、かつて抱かれた「違和感のようなもの」をひとつの文化資本として編まれてきたように思われる。

3 《沖縄─奄美》という視点とふたつの植民地

《沖縄─奄美》をひとつの連なりとしてとらえる試みは、現在においては、世界自然遺産登録を目指す動向にほぼ集約される。研究領域では、沖縄と奄美を個別に扱うものが圧倒的に多い。両者を関連づける論考には、「奄美沖縄方言」の言語研究（狩俣二〇〇〇）、文化交流の人類学的研究（津波二〇一二b）が挙げられるが、現代的な論点については課題が残されている。

「人の移動」研究においても、沖縄と奄美は別々に扱われてきた。沖縄については、海外移民の地理学的研究（石川一九九七）、沖縄─本土移動の社会学的研究（谷一九八九、岸二〇一三）、人口動態論（浅野二〇〇六）、海外の沖縄系ネットワークの研究（金城二〇一九、野入二〇一八b）などがある。奄美に関しては、奄美ブラジル移民の地理学的研究（宮内二〇一七）、奄美─沖縄移動の研究（加藤二〇一二）、米軍統治下沖縄における奄美籍者の研究（土井二〇一九a、二〇一九b）が見いだせる。

米軍統治下の在沖奄美籍者や非正規交易（密貿易）については、近年、土井智義と三上絢子による論考によって、詳細な事実関係に基づく議論が展開されるようになってきた。一方で、奄美学でも沖縄学でもなく、《沖縄─奄美》を連なりとしてとらえるフレームが、いかなる新たな学問的見地を拓くのかは、まだ明らかになっていない。

本書は、重田辰弥さんのライフヒストリーを縦軸とし、《沖縄─奄美》の境界変動を横軸として、境界変動と人の移動を論じてきた。重田さんによって生きられ、意味づけられた経験にできるかぎり肉薄しつつ、引揚、戦後移民、本土就労と外国人労働者の流入を俯瞰することで、経験、記憶、語りというミクロデータと社会変動を、再帰的に関連づけてきた。

それによって見えてきたことは、第一に、日本帝国の植民地支配というコロニアリズムと、沖縄の米軍統治というもうひとつのコロニアリズムは、戦前と戦後という時代区分はありつつも、同時に、地続きのものであるということであった。そして、重田さん一家のような移動者は、帝国期の大連と戦後の那覇市・安謝というふたつのコンタクト・ゾーンの間を移動することで、期せずして植民地文化を媒介していたことがわかった。

一九五〇年代の沖縄において、日本帝国期の植民地文化は、米軍統治というもうひとつの植民地支配からの離脱を希求する運動の中で、肯定的に評価されることがあった。重田さんの流暢な標準語は、日本国民への再編入と米軍統治からの離脱が結びつく中で、高く評価されたのだった。このことは、人が境界をまたいで移動するだけでなく、境界そのものが揺れ動き変化する《境界地域》に特有の矛盾をはらんだ状況が、米軍統治下の沖縄において進行していたことを示している。

4 憧れによって動く——文化事象としての人の移動

人は、労働力需要だけでなく、価値志向によって移動する。人の移動は、労働力移動であるだけではなく、文化事象でもある。それについては、現代の「ライフスタイル移民」が、相対的に裕福な専門職者などによる、望ましいライフスタイルを享受するための移動現象として論ぜられてきた。本書の事例研究は、「文化事象としての人の移動」に、戦前・戦後の出稼ぎという、従来は労働力移動としての面を中心にとらえられてきた移動もあてはまることを明らかにした。

たとえば米軍統治下の奄美から沖縄へ人びとが移動した理由は、奄美から本土への出稼ぎが封じられ、沖縄に労働力需要があったからだけではなかった。沖縄からの帰省者が見せた米軍払い下げの装いのまばゆさ、コカ・コーラやアイスクリームが象徴するコロニアルな文化の「豊かさ」に、奄美の人びとは「これなら沖縄へ行こう!」と、動機づけられたのだった(115頁)。

また、沖縄の失業率が低かった一九六〇年代、海外移民は激減し、本土就労は「過剰に」増えていったことは、「一度、本土へ行ってみたい」という、本土復帰を前にした本土への憧れがあったためであると考えられる。それとは逆に、現代の沖縄において、若年失業率が著しく高いにもかかわらず、若者たち、とくに学歴ノンエリート層の多くは「一度、本土へ行ってみたい」とはすでに思わなくなっていて、県内で非正規雇用に就くようになってきている。

人は、価値志向という文化的な要素によって移動する。憧れがない場所へは、人の移動は寄せていかないのである。それは日本の外国人労働者政策が、受け入れ人数の制限に腐心してきたこととは裏腹に、「特定技能一号」(外国人看護士、介護福祉士候補者、外国人建設・造船労働者など)が二〇二〇年六月現在、当初見込みを大きく下回り、五九五〇人しかいないことにも関連している。

なんらかの文化的価値を体現していないホスト社会は、人手不足に直面し、労働力供給地域との間に経済格差が続いていても、移動する人を吸引することができなくなっていく。今後、外国人との共生施策において、移動者によって選ばれるための文化的価値を高め、発信していくことは、必須のものとならざるを得ないだろう。ポストコロニアルの記憶と関与は、この文脈において、今日的な価値を帯びていくかもしれない。

重田さんの経験は、満洲引揚から現代のグローバリゼーションにまで及んでいる。個人によって生きられた移動史は、境界変動の現代史に他ならない。

「移動する人」・重田辰弥さんは、沖縄をかけがえのない故郷としつつ、他にも奄美や大連という故郷を持っていた。沖縄と深くつながりながら、同時に沖縄の「外」にいて、その立ち位置にいる人にしか見えない課題を見てとり、愛情を込めて直言してきた。

ひとつの集団だけに依存しない《分散系》のエートスは、重田さんが、半生をかけた沖縄ビジネス・ネットワーキングを通じて培ってきたものである。それは、ガン闘病という重田さんの後半生だけでなく、これからの沖縄を生きる人びと、新たな人の移動と共生の時代を展望しようとする人びとを照らしている。

文献リスト

〈和書〉

浅野豊美（二〇〇六）「米国施政権下の琉球地域への引揚――折りたたまれた帝国と重層的分離」『社会科学研究』二十六巻一号、七十九―一一二

――（二〇一三）「沖縄をめぐる引揚げ・送還」吉原和男ほか編『人の移動事典――日本からアジアへ・アジアから日本へ』丸善出版、六十五

安謝誌編集委員会（二〇一〇）『安謝誌』

蘭信三（二〇一一）『帝国崩壊とひとの再移動――引揚げ、送還、そして残留』勉誠出版

安藤由美（二〇一四）「成人期への移行とUターン」谷富夫、安藤由美、野入直美編著『持続と変容の沖縄社会――沖縄的なるものの現在』ミネルヴァ書房

石川友紀（一九九七）『日本移民の地理学的研究――沖縄・広島・山口』榕樹書林

――（二〇〇五）「沖縄県における出移民の歴史及び出移民要因論」『移民研究』一号、一一―三〇

――（二〇一五）「昭和戦前期海外沖縄県出身移民からの送金の実態」『沖縄地理』十五号、八十五―九十四

石川政秀（一九八七）「都市観光地の形成と発展の方向――那覇市の事例を中心として」『沖大経済論叢』十二巻一号、一―二十三

石原昌家、安仁屋政昭（一九七八）「八重山諸島における開拓移住――行政の推移と移住地の実態分析」『沖縄国際大学文学部紀要　社会学科篇』六巻一号、一五一―二二七

井谷泰彦（二〇〇六）『沖縄の方言札――さまよえる沖縄の言葉《ウチナーグチ》をめぐる論考』ボーダーインク

市川英雄（一九九一）「戦後の奄美地方における糸満漁業の変遷」『鹿児島大学水産学部紀要』四十巻、一一二三

—一四六
宇佐美昇三（一九九八）「『笠戸丸』マルチメディア用ソフトウェア試作資料」『駒沢女子大学研究紀要』五号、一—十四
エイムズ・クリストファー、エイムズ唯子（二〇一三）「『アメラジアンスクール・イン・オキナワ』に見る多文化共生社会への挑戦と課題」田中雅一、奥山直司編『コンタクト・ゾーンの人文学第Ⅳ巻——Postcolonial／ポストコロニアル』晃洋書房
NPO法人POSSE（二〇一〇）「学生アルバイト調査結果（暫定版）」NPO法人POSSE
大城将保（二〇〇五）「米軍統治から日本復帰へ」金城正篤ほか編著『沖縄県の百年』山川出版社
大城道子（二〇〇九）「沖縄出身女性の紡績出稼ぎに関する語り」『日本オーラル・ヒストリー研究』五号、二二七—二四六
大浜信泉（一九七一）『私の沖縄戦後史——返還秘史』（株）今週の日本
岡野宣勝（二〇〇三）「ハワイ沖縄系移民をめぐる言説」『アジア遊学』五十三号、一四一—一四九
沖縄奄美連合会（二〇一三）『沖縄奄美連合会創立六〇周年記念誌　愛郷無限——沖縄に生きる奄美人《あまみんちゅ》』沖縄奄美連合会
沖縄計画研究所（一九九七）『沖縄県における雇用実態調査報告書——新規学卒者を中心として』
——（二〇一九）『第十回県民意識調査報告書　くらしについてのアンケート結果（平成三〇年八月調査）』沖縄県
沖縄県企画部統計課（一九七三〜二〇〇九）『第一六〜五二回沖縄県統計年鑑』沖縄県企画部統計課
沖縄県商工労働部（一九九四）『沖縄県労働史・別巻（資料編）』
——（一九九七）『沖縄県労働史　第五巻（一九八二〜一九九一年）』
——（一九九九）『沖縄県労働史　第四巻（一九七四〜一九八一年）』
——（二〇〇一）『沖縄県労働史　第三巻（一九六六〜一九七三年）』
——（二〇〇三）『沖縄県労働史　第二巻（一九五八〜一九六五年）』
——（二〇〇五）『沖縄県労働史　第一巻（一九四五〜一九五五年）』
——（二〇一五）『沖縄県労働史　第六巻（一九九二〜二〇〇一年）』

――（二〇一七）『沖縄県労働史　第七巻（二〇〇二〜二〇一一年）』
沖縄県労働商工部職業安定課（一九九七）『職業安定行政年報　一九七六年度』
――（一九七八）『職業安定行政年報　一九七七年度』
――（一九八五）『職業安定行政年報　一九八四年度』
――（二〇一二）『職業安定行政年報　二〇一一年度』
――（二〇一四）『職業安定行政年報　二〇一五年度』
――（二〇一七）『職業安定行政年報　二〇一六年度』
――（二〇一八）『職業安定行政年報　二〇一七年度』
沖縄タイムス（二〇一八年五月二十九日）「心一つに、東京の「ウチナーンチュ」四つの沖縄県人会が連合へ」
奥浜玲、尾方隆幸（二〇一六）「那覇新都心・北谷・読谷地区における米軍返還跡地の土地利用」『沖縄地理』十六号、六十一―七十二
加藤潤三、前村奈央佳、金城宏幸、野入直美、酒井アルベルト、山里絹子、グスターボ・メイレレス、石原綾華（二〇一八）「沖縄県系人における沖縄アイデンティティとウチナーネットワークの検討：「第六回世界のウチナーンチュ大会」に関する基礎的分析と合わせて」『移民研究』一四号、一―二〇
加藤政洋（二〇一二）「米軍統治下における奄美――沖縄間の人口移動」『立命館地理学』二十四号、一―十七
勝方＝稲福恵子ほか（二〇一〇）「オキナワからワセダへ――大濱総長時代の「沖縄留学生」」『早稲田大学史紀要』四十一巻、一二七―一六三
狩俣繁久（二〇〇〇）「奄美沖縄方言群における沖永良部方言の位置づけ」『日本東洋文化論集』六号、四十三―六十九
川島秀一（二〇一五）『安さんのカツオ漁』冨山房インターナショナル
――（二〇一六）「カツオ一本釣り漁の歴史と民俗」『東北文化研究室紀要』五十七号、六十七―六十八
川手摂一（二〇一二）『戦後琉球の公務員制度史――米軍統治下における「日本化」の諸相』東京大学出版会
岸政彦（二〇一〇）「過剰移動――戦後沖縄の労働力移動における政治的要因」『龍谷大学社会学部紀要』七〇―八三
――（二〇一三）『同化と他者化――戦後沖縄の本土就職者たち』ナカニシヤ出版

北川登園、岸本マチ子、嶋袋浩（一九九一）『オペラの使者・粟國安彦』（株）ジアンジアン出版部
木下亀城（一九三四）「琉球島地学雑感」『地学雑誌』四十六巻五四六号、五―十四
木村英亮（一九九六）「ソ連軍政下大連の日本人社会改革と引揚の記録」『横浜国立大学人文紀要』十九―三十九
金城宏幸（二〇〇六）「終わりなき同化と異化のはざまに――ウチナーンチュ・コミュニティと帰米二世の言語文化」『移民研究年報』十二号、八十九―一〇七
金城宏幸、町田宗博、宮内久光、アルベルト酒井、花木宏直（二〇一九）「「二〇一六年度世界のウチナーンチュ意識調査」および「世界のバスク人意識調査二〇一七」の集計結果」『移民研究』十五号、九十三―一一四
工藤隆（二〇〇二）『中国少数民族と日本文化――古代文学の古層を探る』勉誠出版
小池康仁（二〇一五）『琉球列島の「密貿易」と境界線――一九四九―五一』森話社
近藤健一郎（二〇〇一）「近代沖縄における方言札（四）――沖縄島南部の学校記念誌を資料として」『愛知県立大学文学部論集（児童教育学科編）』五十号、三十九―六十二
坂井友直編著（一九九二）『奄美郷土史選集』二巻、国書刊行会
酒井正子（一九九四）「本土（ヤマト）から運ばれた歌――奄美・徳之島の〈紡績歌〉とその背景」『湘南国際女子短期大学紀要』二号、二十一―六十二
坂部晶子（二〇〇八）『「満洲」経験の社会学――植民地の記憶のかたち』世界思想社
重田辰弥（一九九〇）「疾走した寵児・粟国安彦」『新沖縄文学』八十五号、一四三―一五八
――（一九九九）『株式会社日本アドバンストシステム創立二〇周年記念誌』
――（二〇〇二）『第五回WUB世界大会東京2001大会報告書』WUB世界大会事務局
――（二〇〇八a）『おきなわ就活塾』新宿書房
――（二〇〇八b）「「東京沖縄県人会」と関東沖縄経営者協会」東京沖縄県人会『五〇周年記念誌――おきなわの声を伝えて半世紀』東京沖縄県人会、二六三―二六九
下嶋哲朗（一九九七）『豚と沖縄独立』未来社
白水繁彦（一九九八）『エスニック文化の社会学――コミュニティ・リーダー・メディア』日本評論社
――（二〇一五）『ハワイにおけるアイデンティティ表象――多文化社会の語り・踊り・祭り』御茶の水書房

瀬戸内町誌編集委員会（一九七七）『瀬戸内町誌（民俗編）』鹿児島県印刷センター

瀬戸内町誌歴史篇編纂委員会（二〇〇七）『瀬戸内町誌（歴史篇）』南日本新聞開発センター

高良鉄美（一九九二）「日の丸焼却と表現の自由（上）」『沖縄法学』四十八号、七十一―八十六

田中雅一（二〇〇四）「軍隊の文化人類学的研究への視角――米軍の人種政策とトランスナショナルな性格をめぐって」『人文學報』九十号、一―二十一

谷富夫（一九八九）『過剰都市化社会の移動世代――沖縄生活史研究』渓水社

谷澤毅（二〇一五）「佐世保戦後復興の一過程――引揚の経験」長崎県立大学東アジア研究所『東アジア評論』七号、一四七―一六〇

知念英信（二〇一二a）「「魂」と「絆」の発信――世界のウチナーンチュ大会考」（上）沖縄タイムス、一月三十一日付

知念英信（二〇一二b）「「魂」と「絆」の発信――世界のウチナーンチュ大会考」（中）沖縄タイムス、二月一日付

茶園敏美（二〇一四）『パンパンとは誰なのか――キャッチという占領期の性暴力とGIとの親密性』インパクト出版

津波高志（二〇一二a）『沖縄側からみた奄美の文化変容』第一書房

――（二〇一二b）『東アジアの間地方交流の過去と現在――済州と沖縄・奄美を中心にして』彩流社

土井智義（二〇一二）「米軍占領期における「国民」／「外国人」という主体編成と植民地統治――大東諸島の系譜から」法政大学沖縄文化研究所『沖縄文化研究』三十八号、三八五―四三三

――（二〇一五）「奄美返還時における在沖奄美住民の地位問題に関するノート――USCAR渉外局文書"Amamian Problem"を中心として」『沖縄県公文書館研究紀要』十七号、二十九―三十八

――（二〇一九a）「一九五〇年前後の沖縄社会における「無籍者問題」と「在沖奄美人」――「南北琉球」のなかの奄美群島と強制送還について」『プライム』四十二巻、二十六―四十九

――（二〇一九b）「奄美返還時の「在沖奄美人」の地位問題と「非琉球人」管理体制をめぐる考察」東京外国語大学海外事情研究所『Quadrante』二十一号、六十七―七十九

徳永茂二（二〇〇三）『瀬戸内チュたちの戦後十年史』鮮明堂

戸邉秀明（二〇一一）「沖縄「戦後」史における脱植民地化の課題――復帰運動が問う〈主権〉」『歴史学研究』八八五巻、一一五―一二四
ドミートリエヴァ・エレーナ（二〇一八）「満洲国における白系ロシア人の位置付け――東洋人と西洋人の共存共栄・民族協和社会の実態」『岡山大学経済学会雑誌』四十九巻三号、七十九―一〇八
豊里輝代、蔵根美智子、梶村光郎、村上呂里（二〇〇六）「地域語伝承に関わる授業の創造――「しまくとぅばの日」制定の意義を踏まえて」全国大学国語教育学会国語科教育研究大会研究発表要旨集一一一号、一二五―一二八
永井良和（一九九八）「植民地都市――近代日本が経験したもうひとつの都市」『日本都市社会学会年報』十六号、七十三―八十八
仲地哲夫（一九八九）「戦前初期の奄美大島の人口移動――一九四六年～一九五三年の地元新聞の記事を中心に」沖縄国際大学南島文化研究所『鹿児島県大島郡瀬戸内町調査報告書（四）――地域研究シリーズNo.13』九七―一一六
中山大将（二〇一九）『サハリン残留日本人と戦後日本――樺太住民の境界地域史』国際書院
野入直美（二〇〇八）「「世界のウチナーンチュ大会」と沖縄県系人ネットワーク（二）――参加者の《声》に見るアイデンティティと紐帯の今後」『移民研究』四号、九十七―一一五
――（二〇一一）「ディアスポラと〝ローカル〟――ハワイにおける帰米とアメラジアンの事例から」白水繁彦『多文化社会ハワイのリアリティ』御茶の水書房、一四五―一八二
――（二〇一二）「構築される沖縄アイデンティティ――第5回世界のウチナーンチュ大会参加者アンケートを中心に」『移民研究』八号、一―二十二
――（二〇一三）「海外における沖縄アイデンティティの地域間比較――第五回世界のウチナーンチュ大会参加者アンケートを中心に」町田宗博、金城宏幸、宮内久光編著『躍動する沖縄系移民――ブラジル、ハワイを中心に』彩流社、六十七―九十四
――（二〇一八a）「越境と地域アイデンティティ――沖縄県金武町を事例として」『社会学評論』六十七号、四四八―四六五
――（二〇一八b）「主観と愛着の沖縄アイデンティティ――「世界のウチナーンチュ大会」調査に見る海外沖

縄県系人の意識」『移民研究』十四号、三十五―五十八
野里洋（二〇〇七）『癒しの島、沖縄の真実』ソフトバンク新書
昇曙夢（一九七五）『大奄美史』原書房
秦源治（二〇一八）「一少年の大連記憶」『満洲の記憶』五号、二一―五〇
比嘉辰雄、林祖健編（二〇一八）『沖縄と台湾を愛したジョージ・H・カー先生の思い出』新星出版
藤川和一（一九六七）「オーミケンシ外史――五十年のあゆみ」近江絹絲紡績株式会社総務部広報課
藤原南風（一九八〇）『新奄美史――奄美祖国復帰25周年記念版　上巻』奄美春秋社
藤林泰、宮内泰介（二〇〇四）『カツオとかつお節の同時代史――ヒトは南へ、モノは北へ』コモンズ
前原絹子（二〇〇六）「TO OKINAWA BACK AGAIN――ハワイの沖縄系帰米二世のライフストーリー」『移民研究』二号、二十三―四十二
松井美枝（二〇〇〇）「紡績工場の女性寄宿労働者と地域社会との関わり」『人文地理』五十二巻五号、五十九―七十三
松浦勲（一九九〇）「過疎離島の推移と被保護高齢者の生活史――鹿児島県瀬戸内町の事例」『高知大学学術研究報告』三十九巻、一―十七
松島弘明（二〇一五）『遥かなる「満洲」――父と母たちの昭和』新星出版
松田睦彦（二〇一四）「絵馬を読む――和船時代の土佐カツオ一本釣り漁をめぐって」『国立歴史民俗博物館研究報告』一八一集、一一三―一三二
三上絢子（二〇一三）『米国軍政下の奄美・沖縄経済』南方新社
水野直房（二〇一五）「大連の記」『満洲の記憶』一号、六―八
南埜猛、澤宗則（二〇一七）「日本におけるネパール人移民の動向」『移民研究』十三号、二十三―四十八
宮内久光（二〇一七）「近代期における奄美大島宇検村からの移民について」琉球大学法文学部紀要『人間科学』三十六号、十七―五十
宮内泰介、藤林泰（二〇一三）『かつお節と日本人』岩波新書
宮本常一（一九六〇）『忘れられた日本人』未来社
森宣雄、国場幸太郎編（二〇〇五）『沖縄非合法共産党と奄美・日本（一九四四～六三年）［復刻版］』不二出版

森田真也（二〇一五）「占領という名の異文化接合――戦後沖縄における米軍の文化政策と琉米文化会館の活動」田中雅一編著『軍隊の文化人類学』風響社
安井大輔（二〇一〇）「コンタクト・ゾーンにおけるエスニックフード・ビジネス――横浜市鶴見区の沖縄・南米系飲食店・物産店から」『京都社会学年報』十八号、四十一―六十六
――（二〇一一）「コンタクト・ゾーンにおける食文化の表象――沖縄・南米文化接触地域のエスニックフード・ビジネスから」『コンタクト・ゾーン』四号、一九〇―二一四
柳川錬平（二〇一八）「わが国の病院船史における「八幡丸」の存在意義――国外流出史料の再発見による日本病院船史の空白期の補完」『医療機器学』八十八巻四号、四七七―四八三
山口覚（二〇〇八）『出郷者たちの都市空間――パーソナル・ネットワークと同郷者集団』ミネルヴァ書房
山口恵子（二〇一一）「日本の周縁地域における労働移動とジェンダー――女性の出稼ぎ過程に注目して」弘前大学『人文社会論叢・社会科学篇』二十五号、六十七―八十四
山田等（一九八九）「瀬戸内町の生活保護の動向」沖縄国際大学南島文化研究所『鹿児島県大島郡瀬戸内町調査報告書（3）』地域研究シリーズ十二号、一三七―一七一
吉田容子（二〇〇六）「沖縄米軍基地周辺の特飲街における諸権力の様相――とくにジェンダーの視点から」『空間・場所をめぐる諸権力の解明――沖縄を事例としたフェミニスト分析から』一―三十三
琉球政府企画局統計庁分析普及課（一九七二）『沖縄統計年鑑』琉球政府企画局統計庁
若林良和（一九九一）『カツオ一本釣り――黒潮の狩人たちの海上生活誌』中公新書
――（二〇一八）「宮崎県日南市におけるカツオの産業と文化――「ぎょしょく」をもとにした地域モノグラフ（一）」『愛媛大学社会共創学部紀要』二巻二号、一―十三

〈洋書〉

Hujo, Katja and Piper, Nicola (2010) South–South Migration: Challenges for development and social policy. *Society for International Development* No. 50: 19-25.
Naha City Office (1965) *Summary of City Planning in Naha 1965*.City Planning Section, Construction Department, Naha City.

Okamura Jonathan（2008）*Ethnicity and Inequality in Hawai'i*. Temple University Press.
Ratha, Dillip and Shaw, William（2007）South-South Migration and Remittances. *World Bank Working Paper* No. 102, The World Bank.

〈サイト〉

大宜味村ＨＰ http://www.vill.ogimi.okinawa.jp/_common/themes/ogimi/img/public_relations/2016/No.252_3.pdf（二〇一九年十一月二十八日閲覧）
沖縄県庁ＨＰ「世界のウチナーンチュ大会」https://www.pref.okinawa.lg.jp/site/kodomo/hewa/rekishi/nenpyo/uchinanchu.html（二〇一九年十一月二十二日閲覧）
――「国内沖縄県人会一覧」（平成三十年五月十五日更新）https://www.pref.okinawa.lg.jp/site/bunka-sports/koryu/honka/documents/kokunaikenjinkai20180515.pdf（二〇一九年十一月二十日閲覧）
https://www.pref.okinawa.lg.jp/site/kodomo/hewa/rekishi/nenpyo/uchinanchu.html（二〇一九年十一月二十二日閲覧）
――「美ら島沖縄大使」https://www.pref.okinawa.jp/site/bunka-sports/kankoseisaku/kikaku/seido/churashima-ambassador.html（二〇一九年十一月二十八日閲覧）
――『沖縄立地ガイド二〇一九―二〇二〇』https://www.pref.okinawa.jp/site/shoko/kigyoritchi/documents/jpn1.pdf（二〇一九年十一月二十八日閲覧）
――「沖縄県表彰規則（昭和五十二年十一月二十一日　規則第四十五号）」https://www.pref.okinawa.jp/site/bunka-sports/bunka/shinko/bunka-koro/bunka-koro.html（二〇一九年十二月五日閲覧）
――「沖縄ソフトパワー発信事業」https://www.pref.okinawa.jp/kohokoryu/culturespirit/jp/001.html（二〇二〇年三月十日閲覧）
沖縄県企画部統計課（二〇一八）「年齢階級別完全失業者数および完全失業率」https://www.pref.okinawa.jp/toukeika/lfs/2018/2018nenpou/2018n_index.html（二〇一九年十二月二十二日閲覧）
沖縄県公文書館デジタルアーカイブ「土地と移民」「42．南米ボリビア農業移民募集要綱（一九五四年）」「51．伊佐浜部落の海外移住関連資料　軍用地立退者を海外へ移住させるについて」https://archives.pret.okinawa.jp/event_information/past_exhibitions/6246

沖縄タイムス（二〇〇三年十二月二十五日）「〔奄美復帰50年〕／沖縄で思う故郷の発展」（二〇一九年十一月三十日閲覧）
沖縄タイムス（二〇一四年六月三日）「うるま市の船大工、マーラン船復元」https://www.okinawatimes.co.jp/articles/-/40346（二〇一九年十一月三十日閲覧）
関東奄美ＩＴ懇話会ＨＰ　http://www.amami-it.com/overview/index.html（二〇一九年十一月二十八日閲覧）
関東沖縄ＩＴ協議会ＨＰ　http://koi-c.org/about.html（二〇一九年十一月二十八日閲覧）
関東沖縄経営者協会ＨＰ　http://kanoki.jp/（二〇一九年十一月二十八日閲覧）
重田辰弥ブログ〝朝吼夕嘆・晴走雨読〟https://blog.goo.ne.jp/shigeta-nas（二〇一九年十一月二十八日閲覧）
一般社団法人城岳同窓会ＨＰ　http://jogaku.or.jp/about/enkaku/（二〇一九年十一月二十九日閲覧）
世界のウチナーネットワーク（二〇一八）「前原信一氏インタビュー動画」https://www.youtube.com/watch?v=eqARBpIIfWM（二〇一九年十一月二十日閲覧）
総務省（二〇一八ａ）二〇一七年度就業構造基本調査　https://www.e-stat.go.jp/stat-search/files?page=1&layout=dataset&toukei=00200532&tstat=000001107875（二〇一九年十二月二十二日閲覧）
総務省（二〇一八ｂ）「年齢階級別完全失業者数および完全失業率」（二〇一九年六月）https://www.stat.go.jp/data/roudou/longtime/zuhyou/lt03-04.xls（二〇一九年十二月二十二日閲覧）
総務省（二〇二〇）「都道府県別　国籍・地域別　在留外国人」https://www.e-stat.go.jp/stat-search/files?page=1&layout=datalist&toukei=00250012&bunya_l=02&tstat=000001018034&cycle=1&year=20190&month=12040606&tclass1=000001060399&result_back=1（二〇二〇年八月一日閲覧）
対馬丸記念館ＨＰ　http://tsushimamaru.or.jp/（二〇一九年十一月二十九日閲覧）
内閣府ＨＰ「沖縄懇談会事業に関する有識者等の主な発言」（二〇〇八）https://www8.cao.go.jp/okinawa/8/2008/houkokusyo_siryou2.pdf（二〇一九年十二月一日閲覧）
文部科学省ＨＰ「沖縄の教育」http://www.mext.go.jp/b_menu/hakusho/html/others/detail/1317861.htm（二〇一九年十一月二十九日閲覧）
琉球新報「沖縄20世紀の光芒〈31〉突然外国人に――奄美復帰／公職追放、参政権もはく奪――大島出身者に不幸な試練」一九九九年八月八日　https://dps.g_search.or.jp/aps/QRKP/main.jsp?ssid=20170606144542637gsh_ap02

（二〇一七年六月六日閲覧）
琉球新報「乙姫劇団」二〇〇三年三月一日　https://ryukyushimpo.jp/okinawa-dic/prentry-40804.html（二〇一九年十一月三十日閲覧）
琉球新報 Web ニュース「沖縄の「しまくとぅば」、県民はどのくらい使っている？　共通語と同じくらい使える人はいる？」https://ryukyushimpo.jp/news/entry-923973.html（二〇一九年十一月二十三日閲覧）
琉球新報（二〇一九年十月三十一日）「首里城再建へ募金の動きが続々　沖縄県、那覇市、熊本県、ハワイも」https://ryukyushimpo.jp/news/entry-1018053.html（二〇一九年十二月二十四日閲覧）
早稲田大学琉球・沖縄学研究所ＨＰ　http://www.waseda.jp/prj-iros-waseda/（二〇一九年十二月一日閲覧）
WUB　Facebook https://ja-jp.facebook.com/pg/okinawa.wub/about/（二〇一九年十一月二十八日閲覧）
WUB ネットワークＨＰ　https://wubnw.org/hp/?UID=978318710（二〇一九年十一月二十二日閲覧）
HUOA（Hawaii United Okinawan Association）HP　https://www.facebook.com/pg/HUOA.org/about/（二〇二〇年八月一日閲覧）
Loochoo Identity Summit https://loochooidentity.org（二〇二〇年八月一日閲覧）
State of Hawaii, Department of Business, Economic Development and Tourism, Research and Economic Analysis Division, March 2018, "Demographic, Social, Economic, and Housing Characteristics for Selected Race Group in Hawaii". https://files.hawaii.gov/dbedt/economic/reports/SelectedRacesCharacteristics_ HawaiiReport.pdf（二〇二〇年八月一日閲覧）

〈**付記**〉

第二部七章に掲載した世界のウチナーンチュ大会参加者アンケート調査は、文部科学研究費補助金基盤研究Ｂ（課題番号 17401006）、同基盤研究Ｃ（課題番号 16K17296）によって行われた。

資料

〈**資料1**〉

沖縄県公文書館保管資料「復帰前の奄美籍者に永住権を附与することについて要請文」（一九六五年）より一部抜粋

琉球政府行政主席
松岡政保殿

那覇地区奄美会会長
泉　有平

昭和二十五年十二月二十五日奄美行政権の日本復帰前から沖縄に居住していた奄美在籍者に対して無条件に永住許可を与えて下さるよう御推進方御願いの件

所謂奄美籍者は復帰当時約三万八千余名がいましたがその後次第に居を本土その他に移して減少はしていますが今尚九千三百余名（昭和四十年四月現在）の多数が琉球に在住しています。是等の人々は奄美が琉球と共に米行政下にあった当時居住地の自由なる選択によって琉球に生活の根拠を移して来た者であって他からの移住者とはその動機及び移住の経緯に於て根本的に異なるものであります。

是等の人々の琉球に於ける現在の地位は外国人ではあるがその中の一時訪問者でもなく、又永住許可者でもなくて半永住者として行政的に取り扱われており法的な身分の安定がなく経済活動は一応自由だとされてはいますものの今尚次のような処遇上の差別を受け日常生活に数多くの不都合不便を感じております。

一．税法は琉球人同様の適用を受けながら各種の公民権は与えられていません。

二．開発金融公社、琉球銀行、大衆金庫、農林水産中央金庫等の融資が受けられません。特に住宅復興資金に於いて然りであり此点は不動産造成上大きく影響するものであります。

三．就職口が制約されています。復帰当時の軍雇用者は引き続き勤務が許されていますが途中退職者の再就職又は新しい者の就職はできません。民間に於いても此傾向は強いのであります。

四．琉球政府の公務員になれません。三、四は特に安定した収入または定収入源の確保に大きな影響があります。

五．国費、自費学生えの受験応募及び高校生に適用している日本政府の特奨制度の適用等が受けられません。

六．米留学受験ができません。五、六は特に既に適令に達しつつある青少年に及ぼす影響が甚大であります。

七．琉球政府斡旋の集団就職及び海外協会斡旋の海外移住えの参加が許されません。

このような我々に対する処遇の改善方法は琉球に永住許可者となり永住許可書を添付して琉球籍を獲得すると云う法的門口は指令によって開かれているのでありますが実際問題として永住許可の獲得が手続きその他に於いて困難であります。特に永住許可申請資格としての〇項安定した充分に生活を維持できる収入のある者云々此項目によって彼れ此れ議論のあることではありますが前掲二、三、四等により凡そ此条件を充たし得る者は少ないのであります。以上の諸点からして復帰前から琉球に居住している奄美籍者に無条件で永住権を与え我々の自由なる意志によって琉球籍が獲得でき公民権をもつことのできるよう念願している次第であります。以上の琉球人も日本人であるという厳粛なる現実を勘案下され同一民族に於けるこのような差別的取り扱いに対して永住権を無条件に与えて下さるよう我々に充分なる隣情を賜り強力なる御推進方を一部署名録を添て御願いする次第であります。

〈資料 2〉

沖縄県公文書館保管資料「復帰前から引き続いて琉球列島内に居住している奄美籍者の処遇について」より一

部抜粋

一九五三年十一月十六日
琉球列島米国民政府
総務課長　砲兵中佐　W．E．レサード

行政主席あて

奄美に本籍を有する琉球政府公務員の身分について

一．同首題の一九五三年十月二十一日付琉府官二三二号書簡参照

二．琉球政府立法第四号「琉球政府公務員法」の第二条第六項及び第七項に留意せられたい。即ち

第六項　政府は一般職又は特別職以外の勤務者に対して報酬として俸給、賃金、その他給与を支払ってはならない。

第七項　前項の規定は政府又はその機関と外国人の間に個人的基礎においてなされる勤務の契約には適用しない。

三．奄美諸島の日本復帰後は同諸島を形成する島々の住民は琉球政府の経済的、地理的及び政治的管轄外の住民となるものである。このことは当然、これら住民は政府の一般又は特別の公務員になり得ないことを意味するものである。これらの住民が公務にたずさわることは契約を締結して初めて可能になるものである。

四．奄美地区住民の関心事は何処にあるかについても同様に考慮されなければならない。復帰後琉球政府は管轄外の本籍を持つ被雇用者に完全にして公平な忠誠が期待できるだろうか。琉球政府に税金を納入している沖縄宮古、八重山の住民は彼ら自身がその仕事をなし得る適格者であるにもかかわらず地域外の多数の政府公務員をまかなう意図があるだろうか。これ等の質問に対する答は自明であろう。

五．終りに民政副長官の政策としては合衆国軍隊及びその代行機関をして他の地域から労働力を輸入せず琉球人を最高度に利用する立場に立ってきたことを参考までにお知らせしたい。
この政策は或は外国人によって占められたかも知れない琉球住民の活動舞台に琉球人を最大限度に雇用す

ることを可能ならしめてきた。政府にとって限られた少数の必要専門家を除いて、その管轄外の住民を利用することは、他の機関が外国人を雇用することを阻止することができなくなる先例をつくることになろう。

民政副長官に代り

〈**資料3**〉

沖縄県公文書館保管資料「奄美群島の復帰関係資料つづり」より一部抜粋

「奄美群島返還の受入並に緊急復興に関する要望書」

昭和二十八年（一九五三年）九月

奄美群島復興促進会総本部

ダレス声明による奄美大島群島の受入について政府が各種の緊急措置を講ぜられている事は感謝にたえない所である。奄美大島は過去八年本土から分離され、その間産業、教育施設等荒廃その極に達し住民の生活は極度の窮乏を告げ、これが復興と援助は正しく愁眉の問題となっている。且つ之が対策を緊急を要するものと恒久的なものとに分かち、遂次適切且つ急速に実現せられたく、お願いする次第である。

一．返還受入について

（一）即時国会を開き緊急対策を講ずること。

（二）鹿児島県大島郡の行政区に復せしめること。

（三）各省調査団並に資源調査団を現地に派遣すること。派遣団に奄美出身の専門的知識を有する者を加えること。

（四）公務員や契約学生の身分を当分の間そのまま引き継ぐこと。

（五）沖縄に居る奄美大島出身公務員の身分は当分そのままとし追って我国政府機関に受け入れること。

（六）沖縄に居る数万に上る奄美大島出身労務者は現状のままとし、その給与は一般日本人並に引上げる様対米交渉を行うこと。

（七）緊急渡航希望者に対し、即時に許可すること。

（八）主権停止のために平和条約発効の際恩赦の恵に浴しなかった者及日本から分離されていたために発生した犯罪（例えば関税法違反及出入国管理令違反その他）に対する恩赦措置。

（九）現地奄美大島の復帰対策委員会の要望事項を実現すること。

一．緊急復興対策について（省略）

一．恒久的復興対策について（省略）

〈**資料**４〉

「私の四、二八」（「琉球新報」一九六六年四月二六日夕刊）重田さんが琉球新報記者として企画・取材・執筆した記事。

私の四、二八（5）

十年後の沖縄が心配

運動を強化　本土に反省促そう

手塚治虫　漫画家

今村昌平　映画監督

働きかけが不足

〝沖縄〟にもっと誇りを

（東京総局）

	重田辰弥さん略歴	沖縄―奄美関連	同時代史
一九〇〇年代	一九〇六　父の兄・重田貞一、加計呂麻島須子茂で出生	一九〇〇　第一回沖縄ハワイ移民がホノルルに上陸／沖縄私立高等女学校（後の県立第一高等女学校）創立 一九〇一　奄美大島で大島郡砂糖同業組合設立／朝虎松がカツオ漁業組合を結成 一九〇三　沖縄で土地整理事業が完了、個人の土地所有権が確立／零細農による身売り増加／先島諸島の人頭税廃止／大阪の第五回内国勧業博覧会で人類館事件 一九〇四　奄美大島でカツオ漁船が一三〇を超える 一九〇六　奄美大島で紬織機が考案される 一九〇八　民権運動家の謝花昇が死去／奈良原繁知事の更迭／沖縄で本土に三一年遅れて町村制施行	一九〇四　日露戦争始まる／日本が大連を占領 一九〇六　南満洲鉄道会社（満鉄）設立 一九〇七　満鉄の本社が東京から大連に移転／らい予防法制定 一九〇八　大連電気鉄道（のちの大連都市交通会社）による市内路面電車開通
一九一〇年代	一九一四　父・重田禎二、加計呂麻島須子茂で出生 一九一五　母・奥ヤス子、加計呂麻島須子茂で出生／父の両親逝去	一九一三　奄美大島各地で鰹節製造講習会が開催される 一九一八　「大戦景気」が沖縄、奄美にも及ぶ／奄美大島では黒糖一樽五五円、紬一疋四〇円となる	一九一〇　日韓併合条約調印 一九一二　改元　明治から大正へ 一九一四　第一次世界大戦始まる／国際砂糖価格高騰 一九一七　ロシア二月革命、帝政崩壊

一九二〇年代	一九二二　叔母・泉シマ子、加計呂麻島須子茂で出生	一九二〇　「ソテツ地獄」沖縄から南洋群島・ハワイ・ブラジル・台湾などへの移民が増加／奄美群島で本土に三二年遅れて町村制施行 一九二一　沖縄、奄美で出稼ぎ労働者が急増／柳田国男・折口信夫が訪沖 一九二五　伊波普猷、上京し「おもろそうし」研究を行う 一九二六　沖縄青年同盟が結成　社会運動が興隆	一九二〇　戦後恐慌／国際砂糖価格暴落／南洋群島が日本の統治領となる 一九二三　関東大震災 一九二四　アメリカで排日移民法制定 一九二五　日本で治安維持法制定 一九二九　世界恐慌始まる
一九三〇年代	奥ヤス子、近江絹絲紡績工場に出稼ぎ／重田禎二、徴兵され鹿児島へ／除隊後、満洲で大連都市交通に勤務 一九三九　奥ヤス子、渡満して重田禎二と結婚	一九三〇　沖縄で生活改善運動／方言札を用いた標準語教育が普及 一九三三　「沖縄県振興計画」始まる 一九三八　屋我地島でハンセン病患者の施設・愛楽園が設立／風俗改良運動によるユタの弾圧／軍事費の高騰で「沖縄県振興計画」実質中断／東京で山之口貘が詩集『思弁の苑』出版	一九三一　満鉄爆破事件（柳条湖事件）／満洲事変 一九三二　「満洲国」建国宣言 一九三四　満鉄全盛期／新京—大連間特急アジア号運転 一九三六　二・二六事件 一九三七　日中戦争始まる 一九三八　国家総動員法 一九三九　ノモンハン事件／第二次世界大戦始まる
一九四〇年代	一九四〇　重田辰弥、ハルピンで出生 一九四一　一家で大連へ移住 一九四五　大連で終戦を迎える／妹、スミノ誕生 一九四六　一家で奄美引揚げ／弟、丈児誕生／須子茂小学校、古仁屋小学校に通う／全校代表として学芸会で挨拶（小学校一年生）	一九四〇　「方言論争」 一九四五　米軍が慶良間諸島、沖縄本島に上陸／日本政府の沖縄における権限停止、米軍占領始まる／八重山・奄美諸島にも進駐、軍政を布く／東京で伊波普猷らが沖縄人連盟結成／関西沖縄人連盟結成 一九四六　北緯三〇度以南の南西諸島の施政権が日本から分離／沖縄中央政府設立／奄美に大島支庁設置／東京で沖縄協会設立 一九四七　奄美出身の池畑嶺里、初代琉球銀行総裁に就任	一九四〇　大政翼賛会が発足 一九四一　真珠湾攻撃、日米開戦 一九四二　ミッドウェー海戦 一九四四　レイテ戦 一九四五　ソ連対日宣戦／満洲国消滅／第二次世界大戦終結 一九四六　ＧＨＱによる軍国主義者の公職追放／日本国憲法公布 一九四七　パキスタン、インド独立 一九四八　ビルマ、セイロン独立／大韓民国、朝鮮民主主義人民共和国樹立 一九四八　極東裁判 一九四九　ＮＡＴＯ成立、中華人民共和国樹立

年代			
一九五〇年代	一九五一　弟、丈児誕生 一九五〇　父・禎二が奄美から沖縄へ出稼ぎ 一九五二　母・妹・弟とともに奄美から那覇市へ移住（小学校六年生）／安謝小・中学校、那覇高校（一二期）で学ぶ 一九五九　琉球大学法政科に進学	一九五〇　「米軍政府」は「琉球列島米国民政府」と改称／「奄美群島政府」設立／琉球大学開学 一九五一　奄美群島で祖国復帰運動が興隆／泉有平、琉球臨時中央政府副主席（立法院副議長兼務）に就任 一九五二　「琉球中央政府」設立／「奄美群島政府」は「奄美地方庁」となる／琉球人民党結成　軍用地問題が表面化／立法院が「琉球の即時母国復帰請願」を決議 一九五三　在沖奄美郷友連合会設立／奄美群島の施政権が日本政府に返還（本土復帰）／池畑嶺里は琉球銀行総裁を、泉有平は琉球政府副主席を退任／八重山開拓計画移民の送出（〜一九五八） 一九五四　アイゼンハワー大統領、一般教書で沖縄基地無期限保有を宣言／米民政府が「地代一括払い」方針発表／「人民党事件」／ボリビア移民の送出 一九五五　宜野湾村伊佐浜で武装兵による土地強制接収／米兵の幼女暴行（由美子ちゃん事件） 一九五六　瀬長亀次郎（人民党）が那覇市長に就任／東京沖縄県人会結成 一九五七　沖縄―本土就職始まる 一九五八　沖縄経営者協会発足 一九五九　祖国復帰促進県民大会／宮森小学校に米軍ジェット機墜落	一九五〇　マッカーサーによる共産党中央委員の公職追放／　朝鮮戦争始まる 一九五一　サンフランシスコ講和条約により日本政府は主権を回復、北緯二九度以南奄美・沖縄は米施政権下に置かれる 一九五三　NHKがテレビ放送開始／スターリン死去／朝鮮休戦協定調印 一九五六　日ソ国交回復／日本の国連加盟承認 一九五九　キューバ革命
一九六〇年代	一九六〇　琉球大学中退、上京／予備校に通いながら様々なアルバイトを経験 一九六一　早稲田大学第一文学部西洋史学科入学／西洋史クラスでは編集委員長としてクラス雑誌「蛙鳴」編集 一九六三　学費値上反対闘争で逮捕され、城東警察署に三泊四日留置される 一九六五　同大学卒業 一九六七　琉球新報社東京総局入社、内閣記者会所属 一九六八　同社退社 一九六九　国家公務員（総理府行政管理庁行政監察局勤務）となり、かたわら中央大学第二法学部編入／司法試験不合格／行政管理庁辞職　（株）ビジネスコンサルタント社に入社	一九六〇　泉有平、第三代在沖奄美連合会長に就任 一九六一　キャラウェーが高等弁務官に着任／東京沖縄県人会、集団就職青少年の激励会を開催 一九六三　祖国復帰県民総決起大会 一九六五　佐藤栄作首相の沖縄訪問 一九六六　関東沖縄経営者協会設立 一九六八　初の公選主席に屋良朝苗当選／在沖奄美籍者に選挙権・被選挙権が付与 一九六九　全軍労が全面スト／在琉奄美人登録制度廃止	一九六二　キューバ危機 一九六三　ケネディ米大統領暗殺される 一九六四　東京オリンピック開催 一九六五　米軍、ベトナムで北爆開始／日韓基本条約締結 一九六六　早大学生、授業料値上げ反対・学生会館運営参加要求で無期限スト 一九六九　アポロ一号が月面着陸／東大安田講堂占拠

一九七〇年代	一九七〇　両親を沖縄から呼び寄せる 一九七六　三津守一美と結婚 一九七八　港区田町のサーラ三田ビルに（株）日本アドバンストシステム（NAS）創業（資本金四〇〇万円、社員七名）	一九七〇「コザ暴動」 一九七一　毒ガス移送／反戦地主会結成 一九七二　沖縄の施政権、日本政府に返還（本土復帰）／初の県知事に屋良朝苗就任／基地労働者の解雇二七五二人 一九七三　金武湾闘争始まる 一九七五　皇太子夫妻、ひめゆりの塔参拝中に火炎瓶を投げられる／沖縄国際海洋博開催 一九七七　米軍、県道一〇四号線を封鎖して実弾演習を強行 一九七八　西銘順治が県知事となる	一九七〇　日本のGDP世界第二位となる 一九七二　冬季オリンピック札幌大会／連合赤軍浅間山荘事件／日中国交正常化 一九七三　オイルショック 一九七五　ベトナム戦争終結 一九七六　ロッキード事件、田中角栄前首相逮捕 一九七七　米軍の立川基地が全面返還 一九七九　東京サミット
一九八〇年代	一九八〇　NAS大阪連絡事務所開設 一九八一　アネックス三田ビルに本社移転／父・禎二逝去 一九八二　NAS沖縄連絡事務所開設 一九八四　沼津事業所開設 一九八五「新沖縄文学」（沖縄タイムス社）に〝疾走した寵児〟（粟国安彦伝）を掲載 一九八七　ナビゲーション（道路地図）入力センター業務受託開始、沖縄事業所で展開	一九八二　高校用教科書日本史の沖縄戦記述が文部省検定により全面削除された問題が表面化 一九八四　琉球新報「世界のウチナーンチュ」連載開始 一九八五　文部省、学校行事等で日の丸掲揚・君が代斉唱の徹底を求める通達 一九八六　県立高校卒業式での「日の丸・君が代」問題、三三人の教職員処分 一九八七　読谷村で日の丸焼き捨て事件	一九八〇　韓国光州市事件 一九八一　ローマ法王ヨハネ・パウロ二世が来日／中国残留日本人孤児の来日 一九八四　中曽根首相による靖国新春参拝／インドのインディラ・ガンジー首相暗殺 一九八五　男女雇用機会均等法成立 一九八六　労働者派遣法制定／バブル経済 一九八七　国鉄分割、JRグループ発足／ニューヨーク株式大暴落 一九八九　東証株価史上最高値を記録

一九九〇年代	一九九〇　随筆「北京つれづれ」、沖縄協会講演録「沖縄に於けるソフト産業の可能性」上梓 一九九一　NAS、資本金一億円に増資 一九九六　沖縄マルチメディア特区プロジェクト参画／沖縄ファンクラブ常任理事就任 一九九七　母・ヤス子逝去 一九九九　WUB東京初代会長に就任	一九九〇　沖縄水産高校、高校野球準優勝／第一回世界のウチナーンチュ大会開催／大田昌秀が県知事となる 一九九二　首里城復元・一般公開 一九九三　NHK大河ドラマ「琉球の風」放送開始 一九九五　米海兵隊員による女子小学生の拉致・暴行事件／大田知事、期限切れ米軍用地の強制使用手続き代理署名拒否を表明／少女暴行事件に抗議する県民総決起大会／第二回世界のウチナーンチュ大会開催 一九九七　海上ヘリポート建設の是非を問う名護市民投票／ハワイでWUB設立 一九九八　稲嶺恵一が県知事となる	一九九〇　バブル経済崩壊／日系人のアルベルト・フジモリがペルー大統領に当選／イラクのクウェート侵攻／ドイツ統一 一九九一　欧州連合（EU）創設／ソ連邦消滅・ロシア共和国樹立 一九九四　松本サリン事件 一九九五　阪神・淡路大震災／東京地下鉄サリン事件 一九九六　薬害エイズ問題で国が謝罪／労働者派遣法、規制緩和で二六業種に派遣労働拡大
二〇〇〇年代	二〇〇一　第五回WUB世界大会・東京二〇〇一開催 二〇〇四　第一期「美ら島沖縄大使」に認証される／沖縄県稲嶺知事より「県労働行政貢献」感謝状受賞 二〇〇五　関東沖縄IT協議会設立、会長に就任（〜二〇一一） 二〇〇六　NAS代表取締役社長辞任、同会長に就任（社員二一九名）／関東沖縄経営者協会第七代会長に就任（〜二〇一四）　／早稲田大学琉球・沖縄研究所支援委員長就任／関東奄美IT懇話会設立、会長に就任 二〇〇七　（株）CIJ（東証一部上場）の傘下に入り、同社顧問に就任（NAS代表取締役会長兼任）／事業承継を成就 二〇〇八　『おきなわ就活塾』（新宿書房）出版／ナハ・テラスホテルで出版パーティ開催、稲嶺前知事、仲井眞知事、比嘉琉球新報社長などから祝辞を受ける／ブラジル―沖縄移民一〇〇周年記念式典（於サンパウロ）に出席／沖縄協会評議員就任 二〇〇九　仲井眞知事より「県就職促進への貢献」で感謝状授与	二〇〇〇　「沖縄ブーム」始まる／九州・沖縄サミット開催／朝の連続テレビ小説「ちゅらさん」放送 二〇〇一　第三回世界のウチナーンチュ大会開催 二〇〇二　沖縄美ら海水族館オープン 二〇〇三　ゆいレール開通 二〇〇四　国立劇場おきなわ開設／米軍ヘリが沖縄国際大学構内に墜落 二〇〇六　仲井眞弘多が県知事となる／「しまくとぅばの日」制定／早稲田大学で「琉球・沖縄研究所」発足／東京沖縄県人会創立五〇周年／第四回世界のウチナーンチュ大会開催	二〇〇一　ニューヨークで同時多発テロ／小泉政権発足、構造改革 二〇〇二　地球温暖化防止の京都議定書批准承認 二〇〇三　米・英軍によるイラク攻撃開始 二〇〇四　労働者派遣法改正で製造業に派遣労働解禁 二〇〇五　日本、初の人口自然減 二〇〇六　日本政府、ドミニカ移民に謝罪 二〇〇七　アメリカでサブプライム問題 二〇〇八　金融不安で株価大暴落／世界同時不況

二〇一〇年代

二〇一〇　同業三社と合併し（株）ＣＩＪネクスト発足（資本金一億円、従業員五〇〇名、売り上げ六〇億）、同会長・顧問就任／「早稲田大学琉球・沖縄研究所」シンポジウム「オキナワからワセダへ」にパネリストとして登壇
二〇一三　ＣＩＪネクスト会長・顧問退任／大腸ガンの罹患／手術・入院の経緯を発信した闘病ブログが反響を呼ぶ
二〇一六　沖縄県功労賞受賞／大宜味村観光・物産親善大使に就任／帝京大学附属病院シンポジウムでガン患者代表として講演／早稲田大学琉球・沖縄研究所より感謝状授与
二〇一九　首里城復興募金活動に尽力

二〇一一　第五回世界のウチナーンチュ大会開催
二〇一二　オスプレイ沖縄に配備
二〇一四　翁長雄志が県知事となる
二〇一五　沖縄の外国人観光客が一〇〇万人突破
二〇一六　元海兵隊員の米軍属が会社員女性を強姦・殺人・死体遺棄／子どもの貧困三〇％／名護市海上にオスプレイ墜落／第六回世界のウチナーンチュ大会開催／「世界のウチナーンチュの日」（一〇月三〇日）制定
二〇一七　名護市辺野古の新基地建設で護岸工事始まる
二〇一八　翁長雄志県知事死去／玉城デニーが県知事となる
二〇一九　首里城焼失

二〇一〇　中国のＧＤＰ世界第二位となる
二〇一一　東日本大震災、原発事故で甚大な被害
二〇一三　アベノミクス始動／特定秘密保護法成立
二〇一四　日本政府、集団的自衛権を容認する憲法解釈の変更を閣議決定
二〇一五　労働者派遣法改正で日雇い原則禁止、無期雇用への転換が努力目標に
二〇一六　熊本地震
二〇一八　西日本豪雨
二〇一九　平成から令和へ改元／改正出入国管理法が施行／ラグビーＷカップで日本8強

謝辞

本書の刊行にあたってご教示、ご協力をくださった皆さまに心より御礼を申し上げます。貴重な資料や写真の転載を許可してくださった安謝誌編集委員会、安謝自治会、琉球新報社、劉建輝先生、ありがとうございました。

コラムでお世話になった泉シマ子さん、上原リツ子さん、Kさん、花岡勝子さん、松下令子さんに深謝いたします。安謝、大阪、那覇、奄美大島に皆さんを訪ねることで、重田さんの足跡をたどることができました。甥っ子、優しいいとこ、かけがえのない上司、学校の先輩、そして社長としての重田さんのことを聞かせてくださってありがとうございました。

関東沖縄経営者協会の皆さま、とくに新垣進会長、沖縄重田会の皆さま、とくに上地哲会長、たいへんお世話になりました。三月会、四人会の皆さま、とくに野木秀子さん、ご縁に感謝いたします。

第3回沖縄社会学会でお世話になった岸政彦先生、ご質問・コメントを下さった土井智義先生、雪田倫代さまに深謝します。

編集の岡田林太郎さんには、ひとかたならぬお世話になりました。重田さんに一瞬で魔法をかけ、膨大な原稿の確認作業を進めてくださった光景は忘れられません。この本を、みずき書林から出版できたことに感謝します。ご紹介下さった蘭信三先生、ありがとうございました。

最後になりましたが、六回ものインタビューに応え、特別寄稿を書いてくださった重田辰弥さんに。

ガン患者として大学病院のシンポジウムに登壇されたとき、一緒にパネリストをされた医師の先生方よりも重田さんのほうがはるかに活力に満ちて、会場にエネルギーを与えておられたのがすごかったです。重田さんはこんなふうに、あらゆる場面で、「この人がいるからもう大丈夫」という存在であり続けてきたことが、あの瞬間にわかりました。帰路、車を路肩につけさせ、「ちょっと顔を見せてあげたいから」と、小さな沖縄料理屋へ歩み入っていかれた所作も、いかにも重田さんらしいものでした。

神田のオフィスへは、私が学会出張で上京した時などに寄らせていただきました。「明日はどこで何があるの？」重田さんは手帖を開き、残念そうな顔になります。都合がつけば、日本社会学会にもオーラルヒストリー学会にも赴き、未知の話を聞き、新しい人に出会いたいと思っておられるのです。

私は、重田さんから、巨大な移動史を聞きとりました。研究として、この上なくエキサイティングな経験でしたが、同時に重田さんの、先へ、先へと進んでいく姿や、ひとつの組織にしがみつかず、多拠点で緩やかにつながりあう生き方に、深く励まされました。この本が、重田さんの励ましの力を少しでも伝えていたら、これほどうれしいことはありません。重田さん、本当にありがとうございました。

本書は二〇二〇年度琉球大学研究成果公開（学術図書刊行）促進経費によって刊行された。

索　引

〈ま〉

〈や〉

〈ら〉

〈わ〉

野入直美（のいり・なおみ）

1966年生まれ。琉球大学人文社会学部人間社会学科准教授。
主な著書に、
『異文化間教育のフロンティア』（共著、明石書店、2016年）、
『ハワイにおけるアイデンティティ表象——多文化社会の語り・踊り・祭り』
（共著、御茶の水書房、2015年）、
論文に、
「主観と愛着の沖縄アイデンティティ——
「世界のウチナーンチュ大会」調査に見る海外沖縄県系人の意識」
（『移民研究』14号、2018年）などがある。

沖縄《おきなわ》—奄美《あまみ》の境界変動《きょうかいへんどう》と人《ひと》の移動《いどう》
実業家《じつぎょうか》・重田辰弥《しげたたつや》の生活史《せいかつし》

2021年2月20日　初版発行

著者　野入直美

発行者　岡田林太郎

発行所　株式会社みずき書林
〒150-0012
東京都渋谷区広尾1-7-3-303
TEL：090-5317-9209
FAX：03-4586-7141
rintarookada0313@gmail.com
https://www.mizukishorin.com/

印刷・製本　シナノ・パブリッシングプレス

組版　江尻智行

装幀　宗利淳一

ISBN 978-4-909710-16-1　C0036

戦争映画の社会学

戦争社会学研究会　編

戦争社会学研究 2

娯楽映画の抵抗と迎合——。市川崑と塚本晋也によって二度映画化された『野火』。同一作品は、表現形式によって、時代によっていかに変奏され、受容されるのか。同作を中心に『この世界の片隅に』『宇宙戦艦ヤマト』など、フィクションは戦争をどう描いてきたかを論じる。

Ａ５判並製・カバー装・縦組・３０４頁

定価：本体３２００円＋税

宗教からみる戦争

戦争社会学研究会　編

戦争社会学研究 3

多くの宗教では殺生に対する戒律を有し、相互に殺害し合う事態を「悪」と捉えて、平和を好むと考えられてきた。しかし他方で、宗教や信仰者は「聖戦」「正戦」をとなえ戦う主体でもあった。信仰と暴力の関係に迫る。

Ａ５判並製・カバー装・縦組・２８０頁

定価：本体３０００円＋税

なぜ戦争をえがくのか
戦争を知らない表現者たちの歴史実践
大川史織　編著

かれらはどのように戦争と出会ったのか。わたしたちは知らないことをどのように語り継ぐのか。歴史と記憶と表現をめぐる10の対話。小泉明郎、諏訪敦、武田一義＋高村亮、遠藤薫、寺尾紗穂、土門蘭＋柳下恭平、後藤悠樹、小田原のどか、畑澤聖悟、庭田杏珠＋渡邉英徳。

四六判並製・カバー装・縦書・320頁
定価：本体2000円＋税

マーシャル、父の戦場
ある日本兵の日記をめぐる歴史実践
大川史織　編

南洋の孤島で餓死した日本兵が死の前日まで綴っていた日記。絶望的な状況下で、男は何を思い、何を書き残そうとしたのか？　多彩な執筆陣が集結し戦地の死に迫る。「読むというより体験してほしい。できるだけ想像力を働かせて」（大林宣彦）

A5判並製・カバー装・縦書・口絵8＋408頁
定価：本体2400円＋税